Belminda Vinagre

Campina Grande -
IX Encontro para Nova Consciência -
Março de dois mil -

Memórias de uma Mulher Impossível

Outras obras da autora

Mulher na construção do mundo do futuro (9ª edição)
Vozes, 1966

Poemas para encontrar Deus (10ª edição)
José Olympio, 1968
Rosa dos Tempos, 1993

As mais belas orações de todos os tempos (15ª edição)
José Olympio, 1968
Rosa dos Tempos, 1994

Automação e o futuro do homem (5ª edição)
Vozes, 1969

Libertação sexual da mulher (4ª edição)
Vozes, 1970

Os seis meses em que fui homem (6ª edição)
Rosa dos Tempos, 1990

Homem e mulher: início de uma nova era (2ª edição)
Artes e Contos, 1994

Mulher no Terceiro Milênio (4ª edição)
Rosa dos Tempos, 1992

Sexualidade da mulher brasileira (5ª edição)
Rosa dos Tempos, 1996

Rose Marie
Muraro

Memórias de uma Mulher Impossível

3ª TIRAGEM

EDITORA ROSA DOS TEMPOS

Rio de Janeiro
2000

CIP-Brasil. Catalogação-na-fonte
Sindicato Nacional dos Editores de Livros, RJ.

Muraro, Rose Marie, 1932-
M946m Memórias de uma mulher impossível / Rose Marie Muraro
1ª ed. – 3ª tiragem. – Rio de Janeiro: Record: Rosa dos Tempos, 2000.

ISBN 85-01-05731-2

1. Muraro, Rose Marie, 1932- – Biografia. 2. Intelectuais – Brasil – Biografia. I. Título.

CDD – 923.281
99-1430 CDU – 92(MURARO, R.M.)

Capa: Victor Burton
Foto da quarta capa: Carlo Wrede/AJB

Editor de texto: Gilmar Chaves

EDITORA ROSA DOS TEMPOS
Um selo da
DISTRIBUIDORA RECORD DE SERVIÇOS DE IMPRENSA S.A.
Rua Argentina 171 – Rio de Janeiro, RJ – 20921-380 – Tel.: 585-2000

Impresso no Brasil

ISBN 85-01-05731-2

PEDIDOS PELO REEMBOLSO POSTAL
Caixa Postal 23.052
Rio de Janeiro, RJ – 20922-970

À minha mãe, que está completando o seu tempo em paz ao meu lado.

À Marta Suplicy, caso, um dia, ela se candidate à Presidência da República. Caso contrário, esta dedicatória fica automaticamente cancelada.

Ao Vicente de Percia que, como eu, soube apostar no impossível.

Agradecer é o mínimo que posso fazer às seguintes pessoas:

Ao Dr. Philip Evanson, cujo trabalho silencioso ajudou a mudar a estrutura da minha atividade intelectual.

Ao Gilmar Chaves, poeta que escreve com o coração e que trabalhou muito mais do que devia me ajudando a criar este texto.

À Lucia Rito, que desde o início leu os originais. Fiz tudo o que ela mandou e o livro adquiriu uma dimensão que eu não imaginava no começo.

Ao meu irmão de caminhada, Leonardo Boff, cujo apoio a este texto me ajudou a assumir as conseqüências de ter dito aquilo que para mim é a verdade.

À Betty Mindlin, que me impeliu para o caminho difícil da subjetividade.

A Carlos Nejar que me ajudou a gostar dos meus poemas.

À Clara Diament, pelo seu carinho no copidesque.

À minha netinha (linda!) Lívia, que decifrou a algaravia de 12 fitas em inglês e português misturados.

E, finalmente, às minhas empregadas, Valéria e Rosilene, cujas mãos trabalhadeiras libertaram as minhas para eu poder escrever.

Agradecer é o mínimo.

Sumário

Plenitude

Um dia
quando eu tinha quinze anos
vi uma plantinha no meio da estrada
não era nem uma flor e era negra

Os carros passavam por cima dela
E os caminhões

Eu quis arrancá-la com todo o carinho
para que ela vivesse

Cheguei a me deitar na estrada
Quase morri atropelada
mas não consegui arrancar a plantinha

E os carros continuavam passando
E ela ali. Viva

Hoje sei que foi ela
a coisa mais deslumbrantemente bela
que já vi

Ela era a própria vida
porque havia atravessado o impossível

(1999)

Prefácio

Uma Nova Visão da História

Philip Evanson
Ph.D.

O leitor das *Memórias de uma Mulher Impossível* vai conhecer ou ter uma chance de lembrar das mais relevantes tendências culturais e sociais da segunda metade do século XX no Brasil, que o ajudarão a pensar esta época tão conturbada e complexa. Partindo do princípio de que a explosão da tecnologia das comunicações tornou as nações no século XX muito mais interligadas do que em qualquer outro período da história, podemos afirmar que o século XX foi todo ele tomado por movimentos libertários em praticamente todos os países, seja internamente (como os movimentos de direitos humanos, de mulheres, etnias, classes dominadas etc.), seja em revoluções políticas, mesmo que muitas delas tenham retrocedido, como, por exemplo, as revoluções comunistas. Todos esses movimentos têm um ponto em comum: caracterizaram-se como movimentos de libertação contra os diversos tipos de opressão, seja nos países ricos, seja nos mais pobres.

Foi nesse contexto que no Brasil se desenvolveu um processo histórico de libertação original que não se repetiu em nenhuma outra parte do mundo e que talvez possa tornar-se uma referência para outros países emergentes ou até para os ricos no futuro próximo. Destacam-se os movimentos sociais de todos os tipos e principalmente os que se referem aos pobres, sempre presentes, explícita ou implicitamente, como um pano de fundo. É necessário levar em consideração a participação dos pobres na época em que vivemos. Nós os vemos lutar coletivamente a fim de evitar condições ainda piores de vida do que aquelas que já sofrem. Ao mesmo tempo, aprendemos que prontamente se juntarão a outros mais afortunados no sentido de criar um modelo novo e mais justo de sociedade. Os pobres, embora sempre lutando para si mesmos, vão ser a base social indispensável para qualquer modelo social novo.

Nesses últimos cinqüenta anos, foram mudando as definições do que seja a pobreza. Até a queda do comunismo europeu, em 1989/1990, a análise marxista das classes prevalecia na política e na ciência social das esquerdas. Os pobres foram localizados entre o proletariado, o campesinato e o lumpemproletariado. O triunfo do neoliberalismo e da globalização na década de 90 trouxe novas definições, nas quais as diversas classes sociais de Marx estão sendo substituídas por uma estrutura dicotomizada, a dos incluídos/excluídos. Os "excluídos" não estão presentes na economia formal. Por definição, são pobres. O movimento dos Trabalhadores Sem-Terra — MST é um exemplo de movimento social dos excluídos. Os "incluídos" são os que trabalham na economia formal, mas acontece que a maior parte dos incluídos, com exceção dos países ricos, também pode ser colocada entre os pobres. Embora trabalhando na economia formal, ganham salários baixos, vivem em casas pobres, muitas vezes em comunidades relativamente desagregadas e com serviços de saúde precários. Seus filhos sofrem a desvantagem de estarem matriculados em escolas públicas superlotadas e subfinanciadas, em turnos de meio período, isto quando conseguem ter o privilégio de serem matriculados.

Apesar desse quadro pessimista, este último meio século foi um período de ação contínua e dinâmica pelos pobres nos movimentos sociais progressistas. Isto está claro no Brasil e em outros países. Por isso, a história dos movimentos sociais brasileiros faz parte da história universal, mas, por outro lado, tem uma qualidade e especificidade não-replicadas em nenhum outro país. Por exemplo, a Igreja Católica — clero e leigos — veio a exercer no Brasil um papel de liderança. Isto representa uma instância de alta improbabilidade histórica, e é completamente diferente do que aconteceu na Europa, nos Estados Unidos ou na América Latina, salvo talvez na experiência da Nicarágua sandinista revolucionária, onde se abriu um espaço para um engajamento católico progressista.

Na Europa depois da Segunda Guerra Mundial e com a derrota do fascismo, os partidos comunistas e social-democratas lideraram a luta para erradicar a pobreza e estabelecer um maior grau de justiça social. Nos Estados Unidos, um consenso liberal instaurou políticas visando ao pleno emprego, à eliminação da pobreza e à conquista de igualdade racial e sexual a partir de 1933. Em diferentes partes da América Latina, movimentos significativos de guerrilha surgiram com a finalidade de acabar com a pobreza e o subdesenvolvimento pela tomada do poder pelas armas.

Essas opções não foram possíveis no Brasil. Por exemplo, o liberalismo brasileiro pouco se assemelhava ao americano. Sempre foi associado com um desenvolvimento econômico dependente e com a inação do governo na esfera social. Foi fortemente rejeitado e desacreditado entre 1930 e 1964, como resultado da liderança de Getúlio Vargas. E os governos desse período mudaram o curso da história brasileira. Ao mesmo tempo, o comunismo era caçado e encurralado no país, como se fosse uma fera estranha e selvagem, apesar do fato de o PC incluir nos seus quadros muitos dos maiores intelectuais e artistas do Brasil. E isso sem mencionar o seu "líder imaculado" Luís Carlos Prestes, corretamente denominado, nos anos 40, o Cavaleiro da Esperança. Comunistas ou simpatizantes seriam encontrados praticamente em cada instituição importante. Contudo, fabricou-se um forte consenso que pregava que os comunistas eram criminosos revolucionários e uma ameaça para a civilização cristã. Os sucessivos governos sempre tiveram suficiente apoio popular para executarem políticas de repressão aos comunistas, que responderam com sentimentos amargos contra seus perseguidores. O esforço para realizar guerrilhas marxistas em oposição ao regime militar depois do AI-5, em 1969, foi reprimido e eliminado pelas forças da segurança nacional.

As peculiaridades da situação brasileira permitiram que a Igreja Católica vivesse uma experiência em que patrocinou os movimentos sociais com sucesso. Ao contrário do que vinha fazendo nos últimos mil e setecentos anos, em que se aliou aos que possuíam ou representavam o poder.

No fim dos anos 50, integrantes desses movimentos se definiram como participantes de uma luta pela libertação dos oprimidos. Embora a terminologia marxista fosse geralmente evitada, os oprimidos correspondiam ao proletariado, ao campesinato e ao lumpemproletariado. Os opressores eram os patrões, os fazendeiros e também o Estado, que defendia os seus interesses. Algumas ações sociais católicas desenvolveram um conteúdo especificamente político. Por exemplo, o partido Ação Popular, fundado em 1963 por membros da JUC — Juventude Universitária Católica tornou-se francamente revolucionário e estava pronto a abandonar o governo, se fosse preciso, para derrotar a opressão. Darcy Ribeiro, chefe da Casa Civil no governo João Goulart, escreveu em *Confissões* (1997, publicação póstuma) que a Ação Popular "chegou a pressionar Paulo de Tarso, ministro da Educação, para que ele se demitisse, porque o governo Jango não era suficientemente esquerdista para eles. Isso sucedeu em 1963, quando nosso governo estava sendo derrubado pela direita, porque seu esquerdismo era inaceitável".

A história desses movimentos progressistas na verdade inicia-se no fim dos anos 40, com a iniciativa tomada por padre Hélder Câmara para estabelecer uma versão brasileira da Ação Católica. A AC fora originalmente fundada por Pio XI em 1922 visando a reforçar o apelo da Igreja dentro das classes média e operária. Uma característica promissora da Ação Católica era que ela oferecia papéis decisórios e participação importante para os leigos dentro da Igreja.

Os esforços de dom Hélder produziram uma ressonância especialmente forte entre algumas jovens mulheres das classes média e alta, que se tornaram fiéis e entusiasmadas colaboradoras. Este fato criaria uma situação interessante alguns anos depois, em meados da década de 50. A hierarquia, agora com a liderança nas mãos do bispo Hélder Câmara, tinha avançado em organização o impacto social com a fundação, em 1952, da CNBB — Conferência Nacional dos Bispos do Brasil. Ao mesmo tempo, as moças que seguiram dom Hélder iam se tornando executivas leigas da CNBB, que agora estimulava uma ação social católica progressista. Jeannette Pucheu, por exemplo, produziu programas para a RENEC — Rede Nacional de Emissoras Católicas; Marina Bandeira dirigiu o MEB — Movimento de Educação de Base, que alfabetizou centenas de milhares de pessoas no Nordeste usando o método Paulo Freire, complementado pelos programas das emissoras católicas. Paulo Freire e sua equipe tinham preparado uma cartilha de alfabetização fortemente enraizada na realidade vivida e na justiça social (usando frases como "O voto é do povo"), e não em modelos abstratos (como "Vovó viu a uva".) A Renec tinha gravado a *Missa Luba*, dirigida aos afro-brasileiros. A *Missa Luba* incluía músicas de origem negra e discutia problemas de racismo e pobreza que necessitavam urgentemente de discussão pública, uma vez que os negros eram os mais pobres dos pobres. A RENEC transmitia sua poderosa mensagem especialmente para pequenos e médios municípios, muitas vezes esquecidos nos estudos da sociologia ou de outras ciências sociais. Todo esse ativismo chegou ao auge no início dos anos 60, e foi resultado de mais de uma década de militância.

Muito desse engajamento foi devido ao teólogo francês padre Joseph Lebret, que veio ao Brasil em 1955. Lebret introduziu sua ideologia da promoção humana e reforçou o trabalho de dom Hélder.

Os militantes estavam desenvolvendo uma base teórica para enfrentar o sistema de dinheiro e poder, isto é, os patrões, os fazendeiros e o governo. Eles se engajaram em intenso trabalho de conscientização popular, e ainda nos anos 50 foram fundados movimentos e comunidades de base. Alguns católicos queriam abolir o sistema capitalista e estabelecer unidades de produção geridas ou pertencentes aos operários. Estes militantes católicos foram muito além dos ensinamentos sociais da Igreja, que começaram com a encíclica *Rerum Novarum* (1890), do papa Leão XIII. O propósito desses ensinamentos era santificar as relações capitalistas. Os ensinamentos sociais da Igreja idealizaram essas relações com patrões iluminados e operários bem-comportados. Os operários tinham direito a greve e a reivindicações salariais, mas o sistema continuaria dominado pelos patrões e o capital. Parecia uma variação do tema opressor/oprimido. Estava próximo demais daquele modelo de paternalismo brasileiro que havia prejudicado o desenvolvimento do Brasil.

Uma alternativa ao movimento progressista católico foi a opção democrata-cristã. A meta dos partidos democrata-cristãos era conciliar trabalho e capital. O Partido Democrata-Cristão possuía um programa reformista moderado que pouca mudança oferecia no contexto do Brasil durante as décadas de 1950 e 1960. Por isso, o PDC nunca conseguiu se firmar como um partido grande, embora tivesse certa expressão em São Paulo.

Os militantes católicos desconfiavam dos partidos oficiais, que eram corruptos e fisiológicos. Nem Getúlio era confiável. Ele pertencia à classe dominante, e suas reformas como as leis sociais em favor dos trabalhadores, ou as campanhas nacionalistas em favor da Petrobras e da Eletrobrás, desviaram a atenção da questão do oprimido/opressor. Nem era possível aprovar o Partido Comunista. Comunistas eram ateus que manipulavam os seres humanos, enquanto a Ação Católica ensinava que cada indivíduo tinha valor. Ao mesmo tempo, as propostas audaciosas e radicais da Ação Católica tinham provocado discórdia no meio do clero, principalmente entre os bispos. Assim, os militantes leigos da Ação Católica decidiram fundar a Ação Popular como uma organização para influir diretamente na área política, sem a mediação da hierarquia. Pertenceram a ela, nessa época, figuras hoje famosas como José Dirceu, dirigente nacional do PT, e Herbert de Souza (o Betinho), entre outros.

Veio o golpe militar de 64, que acabou com as pretensões políticas da AP. Esta entrou na clandestinidade. A maior parte dos presos políticos feitos pelo regime militar — fossem eles presos, torturados ou mortos — era de católicos progressistas, inspirados pelas idéias da Ação Católica. Faz sentido que o livro mais importante publicado no Brasil sobre a tortura durante a ditadura (*Brasil, nunca mais*) viesse à luz pelo esforço da Igreja, tivesse um prefácio de dom Paulo Evaristo Arns, cardeal de São Paulo, e fosse publicado pela maior editora católica do Brasil, a Vozes, em 1985.

O movimento progressista católico continuou depois do golpe de 64, que logo estabeleceu uma ditadura do tipo segurança nacional. Em 1966, a mesma Vozes lançou os Círculos Bíblicos, livrinhos interpretando a Bíblia do ponto de vista dos oprimidos e que serviam como livros-texto das CEBs — Comunidades Eclesiais de Base, que começaram nos anos 50, se fortaleceram nos anos 60 durante a ditadura e cresceram milagrosamente na década de 70. Luís Eduardo Wanderley, advogado, também da Ação Católica e depois reitor da PUC em São Paulo, teve êxito no princípio da década de 60, quando ajudou a fundar a CONTAG — Confederação dos Sindicatos dos Trabalhadores Agrícolas, para sindicalizar os trabalhadores rurais. As Ligas Camponesas de Francisco Julião foram esmagadas pela ditadura, mas a Contag explodiu na década de 70, e durante um momento veio a englobar as aspirações dos pobres da zona rural.

A Ação Popular foi dissolvida em fins dos anos 60, mas a década de 70 representa uma continuação das suas idéias e do seu trabalho. As pequenas mas incontáveis CEBs espalhadas pelo Brasil inteiro abriram espaço para os pobres interpretarem a Bíblia do ponto de vista deles e articular suas próprias reivindicações. A CONTAG conscientizou e defendeu o trabalhador rural e manteve a questão agrária em pauta. Surgiram movimentos sociais urbanos, como o Movimento contra a Carestia, os Clubes de Mães, as Associações de Moradores etc. No campo intelectual, a Teologia da Libertação criou uma nova teologia cristã cujo ponto de partida é uma opção preferencial pelos pobres, como queria dom Hélder. Sem dúvida, a Teologia da Libertação veio a ser a mais importante renovação da teologia cristã neste século. No final da década, surgiu o Partido dos Trabalhadores, que nasceu desses movimentos sociais e que em parte é a prática política da Teologia da Libertação, e que tinha ampla cobertura da Igreja. Aliás, depois do AI-5 de 1968, a hierarquia da Igreja obteve um consenso contra os militares. A hierarquia começou a entender melhor a visão da ala progressista. Tudo isso coincidia com o que se pode chamar de revolução das mentalidades nos países ricos, que incluiu, entre outros, o movimento das mulheres, a revolução sexual e o movimento negro.

Na década de 80 veio a ressaca. A Comissão Trilateral, os *think tanks*, as eleições de Ronald Reagan, Margareth Thatcher e do próprio papa João Paulo II, e as fórmulas do ressuscitado FMI impostas aos países pobres e devedores da América Latina — tudo isso veio para reverter o quadro da década de 70. Apareceu a AIDS, doença suspeita de ter sido fabricada em laboratórios de biotecnologia dos Estados Unidos. Virou metáfora da década, introduzindo medo e insegurança no lugar das novas opções e da esperança da década de 70.

Na década de 90, o capitalismo internacional, oriundo dos países ricos, empenhou-se em renovar-se com a globalização. No entanto, o movimento progressista cristão idealizado por dom Hélder e os que fizeram parte da antiga Ação Católica está aí, seja dentro do PT, dos outros partidos de esquerda, do MST e de todos os movimentos dos excluídos. As pesquisas de opinião pública de 99 mostram que a opção política da maior parte do povo brasileiro está tendendo em favor das propostas da esquerda, cujo embrião foram os movimentos dos anos 50/60. O mesmo está acontecendo em vários países da América Latina. É possível que agora o Brasil e o mundo se encontrem em um ponto de mutação em que um novo modelo, necessariamente mais justo e consciente quanto às necessidades humanas, será constituído. Certamente qualquer novo modelo social construído no futuro trará dentro de si talvez muitos elementos dos movimentos sociais progressistas que estão destinados a continuar e a ganhar importância no próximo século. Uma história e uma análise dos movimentos sociais progressistas desde 1945, muitos dos quais foram inspirados ideologicamente e organizados dentro dessa improbabilidade histórica pela Igreja Católica, constituem parte deste livro.

Memórias de uma Mulher Impossível começou como um projeto de história oral em junho de 1997, na Filadélfia, Estados Unidos, onde Rose Marie Muraro estava cumprindo um período como pesquisadora e professora visitante na Universidade de Temple, através de uma bolsa da Fundação Fulbright.

Rose Marie Muraro concordou em responder a uma série de questões sobre assuntos pré-selecionados que fossem representativos do seu trabalho, de sua vida e de sua militância. Essas perguntas foram realizadas de acordo com critérios cronológicos. As entrevistas tiveram lugar em seu apartamento durante seis dias e resultaram em 14 horas de gravação.

As fitas foram transcritas no Rio de Janeiro. A transcrição original foi drasticamente revista e transformada. Acrescentou-se vasto material novo, e as perguntas originais foram integradas no depoimento final como texto de ligação a partir do qual se elaborou o texto definitivo, que havia sido concebido como um depoimento se tornou uma autobiografia.

Memórias de uma Mulher Impossível apresenta-se como uma autobiografia e ao mesmo tempo como uma contribuição para a história do Brasil contemporâneo. Rose Marie usa sua subjetividade e seus dons como escritora para elucidar e interpretar as lutas políticas e sociais, as controvérsias intelectuais e as novas tendências culturais que ela testemunhou.

Esta autobiografia refere-se especificamente ao Brasil e é ao mesmo tempo universal. Ela mesma afirmou aqui que parte do seu trabalho era trazer para o Brasil o pensamento internacional, mas de uma forma não-colonizada. No entanto, ela tem uma forte preferência por tudo aquilo que é brasileiro. As gravações mostram que, durante anos de trabalho editorial, ela foi publicando cada vez menos autores estrangeiros e cada vez mais autores brasileiros.

Os escritos de Rose Marie Muraro revivem a tradição latino-americana do pensador. Eles se apresentam como um desafio à crença na superioridade do saber especializado. Rose Marie é uma intelectual polivalente, fluente em vários idiomas, além do português, como inglês, francês, espanhol e italiano, e possui fácil acesso a vários ramos do conhecimento. Vamos encontrá-la no fim dos anos 40 como estudante universitária de física e matemática. Pouco depois, começa a escrever poemas de inspiração religiosa. Uma década mais tarde, nos anos 60, escreveu livros de grande vendagem, em campos tão diversos como a história da tecnologia, *Automação e o futuro do homem*, de 1968, e a condição da mulher, *Mulher na construção do mundo futuro*, de 1966. E *Libertação sexual da mulher*, de 1970.

No início dos anos 80, mais precisamente em 1983, escreveria um livro sobre sexualidade, *Sexualidade da mulher brasileira*, com questões inovadoras sobre a metodologia em ciências sociais.

Desde 1970, tornou-se figura central no movimento editorial brasileiro, primeiro na Editora Vozes (1969-1985), depois na Espaço & Tempo (1986-1988), a seguir na Rosa dos Tempos (1989-1998) e hoje na Editora Record, onde exerce a função de editor *at large*.

Enquanto isso, produziu um fluxo contínuo de artigos para grandes jornais e revistas, ao mesmo tempo em que concedia incontáveis entrevistas para a televisão, rádio e imprensa brasileiros. Até o dia de hoje, mantém uma pesada agenda de palestras e conferências que a levam a todas as partes do Brasil e também a outros países, como os Estados Unidos e países da América Latina.

Tudo isso ainda deixou tempo para a militância política, principalmente nos anos 80, quando foi candidata a deputada federal pelo PDT (1986) e mais tarde pelo PT (1994).

Desde os anos 70, também, é uma das principais militantes do movimento feminista no Brasil, do qual foi uma das fundadoras.

A vida pública de Rose Marie Muraro é de editora, escritora, conferencista e ativista sem pausa. Ela continua seu trabalho numa era amedrontadora e cheia de perplexidades, em que novos conhecimentos são produzidos a um ritmo cada vez mais acelerado. É hoje encontrada na linha de frente dos intelectuais que buscam decifrar esses novos conhecimentos e os padrões culturais que deles emergem.

Como católica progressista e feminista, ela apóia ou resiste a certos movimentos da maneira como a sua consciência exige ou as circunstâncias permitem.

Como convém a uma intelectual brasileira de sua geração, sua visão é mais otimista que pessimista.

Introdução

O Começo

Não tenho narcisismo suficiente para escrever memórias. Ao contrário, sofro de uma preguiça incurável que só me faz escrever sob pressão. Desde os anos 70 me pediam para escrever as experiências que vivi

— Por sua vida passam todos os problemas do seu tempo — me dizia Darcy Ribeiro.

— Ah... Sim... Um dia...

Em 1996, ganhei pela segunda vez uma bolsa do Programa Fulbright para fazer pesquisas nos EUA. Em meados de dezembro desse ano, procurei um amigo de infância para lhe dar uma bronca. Não o via há muitos anos. Motivo da bronca: ele havia trazido para o Brasil o meu grande ídolo, e ninguém soube. O nome dele: Illya Prigogine. Meu Deus! Ele, a maior cabeça do século XX depois de Einstein, já velhinho. Seria a primeira e última oportunidade de vê-lo... Nome do meu amigo: Cândido Mendes. Considero-o um dos grandes homens deste país. Admiro-o muito. Pensamos alguns projetos. No meio da conversa, ele disse:

— Quero ter no meu acervo o depoimento de quatro pessoas: Celso Furtado, Hélio Jaguaribe, Vanderley Guilherme e uma mulher, você...

Agradeci penhorada o privilégio de ser a única entre os homens...

— Ah... Sim...

As coisas estavam ficando mais sérias.

Dezenove de fevereiro de 1997. A faculdade de Artes e Letras da Universidade de Temple, Filadélfia, me oferece um pequeno coquetel de boas-vindas, como faz habitualmente para qualquer professor convidado. Eu, escritora, deveria ensinar aos alunos *creative writing*. E as perguntas de sempre:

— Quem é você, o que faz...

E durante uma hora e meia contei. Ao terminar, os trinta presentes me cercaram.

— Queremos isso aqui, gravado. Na nossa biblioteca.

O cerco se apertara. Ainda quis me livrar.

— Só faço se alguém me perguntar.

— Eu pergunto.

Era meu patrocinador, o professor Philip Evanson, historiador, brasilianista, profundamente apaixonado pelo nosso Brasil. Não podia negar-lhe isso. Aquilo me pareceu uma mão me empurrando para uma direção ainda incerta.

Lembrei da minha amiga Clarice Lispector, que à pergunta: "Para onde vou?" respondia: "vou".

Um ano depois, as fitas já transcritas, dou a Betty Mindlin o copião para ler.

— Quero a sua subjetividade. Sua subjetividade ligada ao processo de sua obra. Se não fizer isso, você não é feminista. Não é você quem prega a entrada da subjetividade como categoria epistêmica maior?

Parecia que ela havia descoberto meu crime. Eu só contara o que havia feito, e não o que havia vivido. Agira como um homem. Falar de mim me dava um medo horrível.

Estávamos na casa do pai dela, o maravilhoso José Mindlin, meu amigo. E lá estava também Manuel de Barros, o nosso poeta maior e por isso mesmo o amigo de cada um de nós de dentro para fora.

— Manuel, o que faço com a minha subjetividade?

E ele, sem hesitar:

— Põe ela de costas...

E foi assim que consegui escrever.

Quinze de março de 1999. O livro, já em sua versão final, ainda não me satisfazia. Havia um branco na minha infância. Gostaria de saber mais sobre a minha família. Nesse dia, telefonou-me alguém que eu não via há 50 anos, meu primo Roland Gebara.

— Prima! Estou procurando você porque tenho a bibliografia sobre as nossas origens.

E quando li o que ele me deu, todas as minhas memórias voltaram. Mais uma vez a mão, agora pesada...

Só o Impossível Cria

Nasci quase cega. Aos cinco anos, o médico me proibiu de continuar na escola. Na infância, estive várias vezes em perigo de morte. Até hoje tenho uma espada sobre minha cabeça que pode cair a qualquer momento. Meu pai, todos os meus tios e meu avô haviam morrido de infarto, e meu colesterol é duas vezes e meia mais alto que o permitido. Fiz o exame das artérias há três semanas e elas eram transparentes. E meu médico:

— A senhora é zero quilômetro.

— Mas eu já não devia ter morrido?

— Devia, mas a senhora é uma mulher feliz. Como diz o Dr. Adib Jatene, é a raiva que mata.

A vida é muito estranha. Nunca fui, não serei e não quero ser feliz. Isto escrevi no meu livro *Os seis meses em que fui homem* e mantenho agora. Troquei a felicidade pelo impossível.

Mas sempre fiz coisas impossíveis porque o fato de ter nascido com deficiência visual não me permitia chegar perto das pessoas normais. O que para as pessoas normais é fácil, como, por exemplo, descer uma escada, para mim é muito difícil, e o que para as pessoas normais é muito difícil, como por exemplo enfrentar o papa, para mim é fácil. Por isso a visão de vida que tenho é completamente diferente da das outras pessoas. Ou faço o impossível, ou morro! Então acho o possível chato. Essa foi a razão de toda a minha vida, ter sido diferente é a raiz da minha solidão também, porque eu só chegava até uma certa distância com as pessoas. Homens e mulheres, depois de certo ponto, não me agüentavam mais. Ficavam com medo. Mas para mim era fácil fazer coisas difíceis sem medo. Por isso até hoje não entendo o medo.

Tive uma amiga chamada Cristina Martinelli que teve poliomielite quando criança. Ela tinha uma perna menor do que a outra, e apesar disso se tornou uma das grandes bailarinas do mundo. Com ela aprendi uma coisa. Uma vez ela me disse: "Eu precisava lutar com meu defeito porque era ele ou eu." Foi aí que vi que também eu fiz a mesma escolha.

Nos anos 80, um amigo também deficiente me disse: "Olha, gente como nós ou fica a vida inteira num quarto ou acaba vivendo fora do padrão. É impossível ser medíocre." E sempre me ficou a pergunta: por que as pessoas normais que têm muito mais que nós não fazem mais? Para mim, mistério insolúvel. Não sei.

Acho que foi esse motivo que me levou a nunca querer ser feliz. Em vez da felicidade, eu queria fazer o que tinha que ser feito.

A palavra que mais me marcou na vida foi uma palavra do Evangelho: "Procura primeiro o Reino de Deus e sua justiça, e o resto será dado por acréscimo." Mesmo depois que perdi qualquer tipo de fé, o desejo de justiça continuou me consumindo. Para mim, o Reino de Deus sempre foi a justiça. E a justiça é radical, desconhecida.

Todas as pessoas que amam o impossível procuram, instintivamente, fazer isso: apostam no desconhecido para ver o que dá.

Esse desejo de fazer o que tinha que ser feito praticamente nasceu comigo. Ao contrário do que diz Freud, a felicidade não é a realização dos desejos infantis. E quem teve uma infância frustrada como eu?

A felicidade é muito mais: é a procura de uma totalidade, de um absoluto. Acho que isso só acontece com as pessoas que não foram felizes. Elas têm, mais que os felizes, o instinto da totalidade. Dos abismos. Do êxtase. Por exemplo, se eu quisesse ser só feliz não teria essa vida tão estranha que tive. Teria me acomodado na felicidade. Por isso concordo com Toni Morrison, a escritora americana que ganhou o Prêmio Nobel, quando ela diz que ser feliz é muito chato. É de fato muito pouco. Fecha-nos para a totalidade que é ordem e desordem, felicidade e infelicidade.

Minha inquietação começou a partir da minha abertura para o futuro com o desejo de entender a realidade. Para o desejo de criar. E posso dizer que esta criação foi para mim sempre mais satisfatória do que qualquer felicidade pessoal. O orgasmo da criação é mais intenso que o orgasmo sexual, mas só entende isso quem cria. Por isso a vida inteira fui atraída pelo impossível. Só o impossível abre o novo... Só o impossível cria.

PRIMEIRA PARTE

A Idade da Inocência

Introdução aos Anos 30

A Gestação do Futuro

O século XIX termina quando começa a Primeira Guerra Mundial. Esta durou quatro anos, e pela primeira vez usou-se a tecnologia avançada de destruição: automóveis, blindados, aviões. Nela morreram mais de 10 milhões de pessoas, e ao seu término a geopolítica da Europa e do mundo se viu profundamente transformada. O Império Britânico declinava a olhos vistos. O gigante americano começava a despertar, a Rússia czarista era substituída pela União Soviética. O povo alemão, derrotado, experimenta uma profunda humilhação.

Vinte e nove de outubro de 1929. A Bolsa de Valores de Nova York despenca depois de uma década de grande crescimento da economia americana e mundial. A grande depressão dos anos 30 se arrasta por dez anos e só termina com uma nova guerra mundial. O povo alemão, de secular tradição guerreira, fabrica uma das figuras mais tremendas do século XX: o pintor de paredes Adolf Hitler, que galvaniza as massas, e o Partido Nazista domina os corações e mentes do povo alemão.

Em 2 de setembro de 1939, Hitler invade a Polônia. Enquanto isso, no Brasil, o regime oligárquico agrário, no poder desde o Descobrimento, vai declinando; em 11 de novembro de 1930, Getúlio Vargas, com suas tropas vindo do Sul do País, invade o Rio, toma o Palácio do Catete e depõe Washington Luís. Nesse dia o Brasil implantou uma nova política de industrialização, tirando o poder das mãos dos barões do café e iniciando um processo de acelerada mudança social e econômica que continua até hoje. Teve início aí a gestação do futuro do Brasil.

E foi justamente nesse dia que nasci.

CAPÍTULO 1

Infância, Riqueza e Solidão

Nasci em 11 de novembro de 1930, no dia em que Getúlio Vargas amarrou seu cavalo no obelisco da Cinelândia. As ruas estavam desertas, as tropas de prontidão. Várias vezes adoeci gravemente. Eu não devia ter vivido. Estive em perigo de morte logo no primeiro ano. Septicemia. E mais tarde tive que reaprender a andar. Artrite reumatóide.

Mas, afora isso, minha família — a família Gebara — era de imigrantes libaneses que vieram para o Brasil no início do século. Durante dois mil anos, os membros de nossa família se casaram entre si. No Líbano, nenhuma família é considerada boa se não tiver uma árvore genealógica de pelo menos dois mil anos. Dizem que no Egito esse número vai a seis mil.

A família Gebara é originária do sul da península Arábica, do Iêmen, antigo reino de Sabá (o mesmo da rainha), governado durante 700 anos pela dinastia dos Ghassânidas. O último dos Ghassânidas, o rei Amre, emigrou para Houran, Sul da Síria, onde fundou um estado que incluía a Síria e a Transjordânia. Segundo Ibn Khaldoun, o maior historiador árabe, seu reinado começou no século II depois de Cristo. Protegido pelos romanos, ele se tornou o líder de todas as tribos árabes da Síria.

Os europeus ainda eram bárbaros, e os Ghassânidas desenvolveram uma alta civilização. Com o advento do Islã, se dispersaram. Muitos mantiveram a fé cristã, e grande parte das famílias libanesas descende deles, inclusive os Gebara. Durante muitos séculos os Ghassânidas se tornaram povos nômades do deserto.

O primeiro Gebara conhecido individualmente e descendente dessa linhagem foi o príncipe Ioussouf Gebara Ibn Ghassani, que nasceu em 1450. Seu filho Ibrahim emigrou para Damasco em 1519, após os muçulmanos terem conquistado Houran e massacrado os cristãos.

Em 1860, meu bisavô, Habib, pela mesma razão (perseguição do Islã aos cristãos) se fixou em Zahle, no Líbano. Em 1900, meu avô veio para o Brasil. Embora de família de prestígio, não tinha dinheiro: a terra e o espaço naquela região não eram suficientes para todas as famílias. A grande maioria delas migrou para todos os cantos do mundo. Só da família Gebara, por meio de um *site* da Internet, se tem o rastro de 35 mil pessoas, da Oceania ao Canadá, do Brasil aos Bálcãs até Cuba. Quando Ernesto (Che) Guevara veio ao Brasil, em 1961, procurou um dos Gebara. Também ele estava à procura de suas origens.

Ah, ia me esquecendo: em árabe Gebara quer dizer o Corajoso.

Migrando para o Brasil

Foi depois da abolição da escravidão que vieram os imigrantes, trabalhadores excedentes do mercado mundial, italianos, alemães, e também os libaneses e árabes, a que os brasileiros chamavam genericamente turcos. Nas cidades, o trabalho era especializado. Os italianos tinham um tipo de trabalho, os restaurantes, e os árabes ficaram com a indústria e o comércio têxtil. Os japoneses faziam tinturaria, eram todos tintureiros. Acho que o mercado era assim dividido para que eles pudessem ajudar as pessoas que vinham de suas terras.

Primeiro veio para cá a família de minha mãe, que era parente da família de meu pai. Os homens da família de minha mãe eram mascates. Foram para o interior do Mato Grosso, com uma malinha nas costas, vender quinquilharias para os caboclos. Era uma vida difícil, cheia de aventuras. Meus tios corriam todos os riscos. Como há milhares de anos os nossos ancestrais migraram através do deserto, aqui também, foram nômades em terra desconhecida... Os mascates como eles acabavam ficando ricos. Nos anos 30 já tinham muito dinheiro.

A família de meu pai veio para São Paulo, onde montou uma loja. Depois, logo após a Primeira Guerra Mundial, vieram para o Rio, quando juntaram mais dinheiro.

A loja era de tecidos. Sempre, sempre! Até hoje os que vêm da minha família para cá têm loja de tecido. Khalil M. Gebara é uma loja imensa, que substituiu as Lojas Gebara. Os tecidos eram fabricados no Brasil, pelos tecelões árabes de São Paulo. Eles pegavam todas as pontas do mercado.

Em 1929, o casamento de minha mãe foi extremamente suntuoso. Tenho fotos desse casamento. No Odeon, então um dos maiores hotéis do Rio de Janeiro, todas as mulheres cheias de jóias! Luzes! Candelabros! O casamento foi em 8 de dezembro de 1929, no início da Grande Depressão em que o mundo inteiro iria naufragar nos anos 30. Mas, para nossa família, os anos 30 foram os de maior riqueza e fastígio.

Quando nasci, em fins de 1930, meu avô já era um comerciante rico e o patriarca de uma mansão na Tijuca, com as famílias de todos os filhos. Como no Líbano. Minha avó era analfabeta. Desde os tempos ancestrais, a riqueza era transmitida pela linhagem do homem, e a mulher abandonava a sua para se tornar uma reprodutora anônima na linhagem do marido. Com minha avó não foi diferente.

Meu pai só largou meu avô quando o quarto filho nasceu. Foi morar em Petrópolis. Um ano depois mudou-se para São Paulo. Aí montou uma indústria têxtil em 1935.

Meu pai era o único dos seis irmãos que era idealista. Os outros só queriam saber de dinheiro imediato. Montar fábrica em 1935, antes da explosão industrial que marcou a era Vargas, era lutar por uma causa perdida. Como os nossos ancestrais, ele também vivia os riscos. Hoje acho que só luto por causas perdidas porque aprendi isso no berço com meu pai.

Quando chegamos a São Paulo, comecei a freqüentar uma escola de freiras caríssima, o Colégio Assunção. Ali encontrei as famílias da classe dominante de São Paulo. Lá só se falava francês. Até história do Brasil aprendi em francês. Conheci as Matarazzo, as Morgante, as Monteiro de Barros e muitas outras.

Uma Menina Cega que Adorava Ler!

Como já disse, nasci quase cega. Meu pai e minha mãe eram primos-irmãos. Acho que foi por isso, séculos de casamentos na família, que saí cegueta.

Aos cinco anos fui ao médico, o Dr. Gallo, um dos melhores do Brasil, que disse: "Essa menina só pode aprender as primeiras letras, e depois tem que voltar para casa." Fiquei danada! Fui para a escola e em uma semana já conseguia ler os livros do Monteiro Lobato.

Quando me viu lendo, minha mãe ficou tão assustada que resolveu me deixar no colégio. Foi então que meu sangue aventureiro começou a falar mais alto. Instintivamente, eu sentia que não podia ficar dentro dos limites do possível. Tinha que arriscar e jogar no impossível. Embora inconsciente e infantil, foi esta a minha primeira aposta no impossível. Nunca mais parei de ler.

Por ser cega, eu não podia brincar com as outras meninas. Foi então que me afastei do mundo, ainda criança. Porque se tinha que me afastar das crianças fisicamente, me afastaria emocionalmente também. Vivia num mundo todo meu, interior. Gostava muito do Monteiro Lobato.

Com ele desenvolvi minha fantasia. E depois me lembro de mim ouvindo novelas de rádio. Houve uma época, aos sete oito anos, que ouvia vinte e duas novelas por semana.

As novelas eram todas românticas. Os heróis e heroínas passavam por muitos obstáculos, um por causa do outro. As histórias não eram realistas como as de hoje, mas estereotipadas como os folhetins do século XIX. Eram situações bastante semelhantes aos filmes de Hollywood dos anos 30. E a relação homem/mulher era tão idealizada! Com o perdão da palavra, era tremendamente escroto o que a cultura passava para a gente. Sempre tinha um vilão ou uma vilã que impedia as pessoas de serem felizes e no final era punido ou punida. Havia uma tal de Nicota, solteirona da novela *Renúncia*, da Rádio São Paulo, que era uma peste. Minha professora de piano, solteirona também, muito talentosa, a achava uma megera.

Tínhamos uma visão do mundo como essencialmente bom, as pessoas é que eram más. Por isso o bem sempre vencia. Era exatamente o oposto da realidade. O que nos diziam então e que foi a fonte da desilusão das mulheres com a vida, mais tarde, era que a vida era romântica. Mas a realidade era decepcionante. Isso não aconteceu só comigo, mas com quase todas as mulheres da minha geração quando ficaram maduras. Nos anos 60, grande parte delas jogou para o alto o casamento estereotipado em busca do amor e do prazer. Naquela época, no entanto, nem se conhecia o prazer físico.

Ninguém Sabia que Existia a Palavra Orgasmo

As heroínas dessas novelas eram passivas. Desamparadas. Injustiçadas. E todas eram salvas pelo príncipe encantado. Idealizei muito a figura masculina por causa dessas idiotas. E nós, as meninas da escola, víamos essas novelas e trocávamos idéias sobre elas. Mas isso convivia na minha cabeça com outra maneira de ser. Eu gostava muito de estudar, ao contrário das outras, que só pensavam em namorar.

Essa contradição entre as novelas e a realidade só desapareceu depois que entrei para a universidade. Como me achava uma moça feia, por causa dos óculos de lentes grossas, nunca namorei. Quando menina, cultivava amores platônicos. Tinha medo de ser rejeitada. Ao mesmo tempo que não chegava perto dos homens, quando eles me procuravam eu fugia. Eu usava óculos, não podia, não era digna! Ninguém sabe o que é o sofrimento de uma criança quando tem alguma coisa diferente dos outros e não é amada de maneira especial.

Aí entra o problema da minha relação com minha mãe. Ela nunca me deu um amor extra por eu ser deficiente. Quem me dava esse amor extra era meu pai. Ele dizia: "Essa menina é um gênio!" Ele não podia sequer imaginar a carga que estava colocando sobre meus ombros, tão pesada que eu jamais na minha vida conseguiria carregá-la. Eu era a preferida dele, ele me tinha sempre no colo. Mas quase não o via, era um industrial muito ocupado. Quando ele vinha, no entanto, era uma relação de admiração mútua.

Mas a admiração dele devia ser verdadeira. Lembro que quando estava no terceiro ano primário eu roncava na classe, tal o meu desinteresse pelo que estavam falando. Achava aquilo tudo tão idiota! Porque eu já tinha esta vida interior. E também me interessava pelas aventuras do mundo através das novelas. Por isso, as freiras simplesmente me mudaram de ano. Passei o primeiro semestre de 1940 no terceiro ano primário e o segundo semestre no quarto. Aí sim, comecei a me interessar, porque era um desafio, e ainda passei em primeiro lugar.

E assim foi sempre. Eu era considerada intelectualmente acima da minha turma. Isso fez de mim uma pessoa crítica e ao mesmo tempo idealizadora, muito distanciada da realidade. As meninas namoravam, e eu achava aquilo tudo sem graça. Meu apelido veio a ser mais tarde "*no time for love*". Era o nome de um filme com Claudette Colbert.

Nasce um Império

Éramos muito ricos. Em minha casa havia uma família de empregados iugoslavos e outra de paulistas do interior. Tínhamos dois carros importados. Lembro ainda hoje do fastígio daquele tempo. Minha mãe é que não aproveitou. Eu já não tinha boa impressão dela desde então.

Quando criança, eu não me identificava com minha mãe porque a achava medíocre. Ela havia passado a infância no interior de Mato Grosso e não tinha, como as minhas outras tias, noção do que era a vida de uma mulher de classe dominante. Por isso, desde cedo, a feminilidade para mim estava ligada à burrice. Já o casamento das minhas tias fora arranjado pela família — o dela não. Mesmo rica, vivia como pessoa remediada. Hoje até que acho isso interessante. Para nós o dinheiro não era importante. Meus primos tinham mães ambiciosas e ficaram ricos, e nós, filhos daquele que foi rico primeiro, ficamos pobres. Mas a cabeça se faz no berço. Nunca tive ambição de ficar rica ou de ter poder, porque sabia o que eles significavam: um grande vazio. E solidão. Em suma, rejeitava minha mãe e minhas tias por motivos opostos.

Nos anos 30, não consegui encontrar nenhuma mulher que pudesse ter como modelo. Eram todas fofoqueiras, bitoladas. Minha babá era uma portuguesa analfabeta. Só nos anos 40, no Rio de Janeiro, vim a encontrar o modelo de mulher que queria ser. Era a madre Luiza. Eu tinha adoração por ela. Foi minha mãe verdadeira, minha figura feminina. Era inteligentíssima, uma grande mística perseguida pelas outras freiras, que tinham inveja dela. Desde cedo vi que a vida no convento era tensa, cheia de inveja e competição, tudo encoberto. As relações eram sadomasoquistas camufladas. E mesquinhas. Só vim ver a verdadeira solidariedade muito mais tarde, quando as freiras fizeram a opção pelos pobres. Aí sim, as que ficavam eram realmente solidárias. Só vim a conhecer a entrega profunda nas freiras de hoje. As antigas falavam de pobreza mas educavam as classes dominantes. Hoje elas passam fome com os oprimidos. E isso faz toda a diferença.

Eu tinha mais respeito e admiração pelos homens por causa do meu pai. Encontrei nele a mãe e o pai. Foi ele quem me impediu de achar que eu era inferior aos outros meninos e meninas.

Mas nessa fase o homem era totalmente ausente para mim. Só havia meus irmãos, que eram menores. E, de certa maneira, como eu era a preferida do meu pai, achava que os homens eram inferiores. Meu tio Felipe, o homem mais rico da família, me tratava também com admiração. Até hoje meus irmãos se ressentem dessa preferência.

Quando adolescente eu tinha fantasias, mas não sexuais. Para mim o afeto não era ligado ao corpo. Mais tarde, nos anos 40, vim a descobrir o corpo, e fiquei apavorada. Li por acaso numa revista a descrição de uma cena erótica e entrei em pânico. Atirei a revista do décimo andar. Ela se chamava *Diretrizes*. Era um escândalo o problema do corpo. Nos anos 30/40 era tudo de certa forma bem hipócrita, como nos filmes de Hollywood, que vieram a dar às mulheres do meu tempo uma visão de mundo que não tinha nada a ver com a realidade. A vida ficava por isso muito insatisfatória, e tínhamos que achar que tudo estava perfeito. Olha aí o embrião da revolução das mentalidades dos anos 60/70.

O Fastígio

Em 1939 eu tinha oito anos. Quando estourou a Segunda Guerra e a Polônia foi invadida pelos alemães, li no jornal a notícia. Lembro-me como se fosse hoje. Eu achava que alguma coisa muito séria tinha acontecido. Um dia antes veio a notícia do Líbano: meu avô materno, que eu não conhecia, havia morrido. Minha mãe estava chorando, mas eu estava interessada na invasão da Polônia, e não no meu avô. Era o dia 2 de setembro de 1939.

Muitos industriais paulistas eram pró-nazistas. Meu pai e meu tio ficavam felicíssimos quando a rádio de Berlim batia o gongo mostrando que mais um submarino inglês havia sido afundado. E me lembro também do Getúlio, que punha a mão para trás igual ao *Duce*. Ele queria imitar Mussolini, o queixo para a frente. Mais tarde, isso veio a dar um nó na minha cabeça, porque na escola todo mundo era a favor dos Aliados. Eu vi direitinho quando mudou. Quando a Alemanha começou a perder, os homens começaram a jogar do lado dos Aliados. E Getúlio também.

Ainda em São Paulo, em 1939, tive minha primeira grande perda. Meu avô paterno, que eu amava, morreu de ataque cardíaco no Rio. Todos os homens da família mais tarde iriam morrer do coração, e o primeiro foi meu avô. Mas a maior de todas as perdas foi quando meu pai morreu de infarto, em 1946.

Antes do meu avô morrer, no entanto, os negócios da família tinham crescido desmedidamente. Nascia um verdadeiro império. As Casas Gebara compravam praticamente toda a produção da indústria paulista. Vinha gente do país inteiro comprar tecidos lá. Uma quantidade enorme de dinheiro entrava para os cofres da família. Os Gebara eram os líderes da colônia libanesa no Brasil.

Introdução aos Anos 40

O Mundo Queima

A Segunda Guerra Mundial se alastra pela Europa, África e Extremo Oriente. De acordo com estudos recentes, morreram mais de 50 milhões de pessoas. Em 1945, Hitler, o terrível deus ariano, se suicida.

Em 6 de agosto desse mesmo ano, os Aliados explodem a primeira bomba atômica sobre Hiroxima. Estava ali a pré-estréia do Apocalipse. Os jogos estavam feitos.

Mais uma vez a geopolítica, agora do mundo, se reestrutura. Os Estados Unidos emergem como a grande potência mundial. A Europa Oriental junta-se ao bloco comunista e principalmente à China em 1949. A ideologia marxista se torna a grande esperança dos oprimidos do mundo, inclusive no Brasil.

Mas o fato mais importante dos anos 40 foi que, em um laboratório do Massachusetts Institute of Tecnology, em 1942, ainda durante a guerra e como parte do esforço de guerra, o cientista alemão Nobert Wiener constrói o primeiro computador. Estava nascendo a 2ª Revolução Industrial.

No Brasil, Getúlio decreta em 1937 o Estado Novo, devido à resistência das oligarquias agrárias. Fecha o Congresso e dá início a uma era ditatorial que durou até 1945. De 46 a 50, seu candidato, marechal Eurico Gaspar Dutra, governa num pós-guerra em que o progresso industrial e social aumentam.

Em 1950, Getúlio volta ao poder, glorioso, nos braços do povo.

E foi nesse ano que casei.

CAPÍTULO 2

A Realidade É uma Pedrada

No início dos anos 40, eu era ligada mais em matemática que nos homens. E já gostava de todas as matérias. E comecei a escrever, escrever novelas, muito romantizadas, ainda com aqueles estereótipos. Infelizmente joguei tudo fora.

Mas não escrevi poemas; poesia foi realmente só nos anos 50. Não escrevi poesia na minha infância, não era louca! Desde então, já intuía que a poesia mexia em sentimentos muito profundos. Nunca fui adolescente de cometer versinhos românticos...

Nos anos 40, meu pai continuava sendo um homem poderoso e terno. O que me atraía nele era a ternura, porque eu via a violência nas mulheres. A figura da mulher para mim nunca foi boa. Nem para mim nem para meus irmãos. E no fim da vida meu pai se tornou espírita. Vivia lendo livros de espiritismo para mim. Eu achava muito chato e até dormia. Minha mãe era meio carola e tinha raiva daquilo. Quando ele morreu, jogou os livros todos fora. Eu achei um absurdo.

Nos anos 40, houve a perda da fábrica, por causa do José Ermírio de Moraes. Parece que foi um caso típico de *dumping*. Creio que José Ermírio deve ter baixado o preço dos fios e meu pai foi obrigado a vender. Quanto valia a fábrica? Nos anos 80, um empresário me disse que o valor dela era da ordem de 50 milhões de dólares (em dinheiro dos anos 80). E foi por causa dessa venda que meu pai resolveu, em 1943, voltar para o lado da família, no Rio de Janeiro.

Em São Paulo, vivíamos em casa alugada, e quando ele comprou uma casa maravilhosa, com móveis riquíssimos talhados a mão pelo Vicente Scarlato, mudamos para o Rio. No Rio ele comprou um apartamento em construção em Copacabana, de 600 metros quadrados. Quando o apartamento ficou pronto, ele morreu. Jamais gozamos a riqueza de meu pai. Isso foi importante para a minha vida, porque sempre estive próxima à riqueza mas nunca gozei dela como tal. O resto da família sim. Nós não.

Monteiro Lobato em uma Mão e Dostoiévski na Outra

No Rio, vivemos em Copacabana até fins dos anos 50, levando uma vida totalmente diferente da de São Paulo. Morávamos perto da praia. Meus irmãos já eram adolescentes. E a vida no Rio de Janeiro era uma maravilha, a cidade era limpa, sem perigo. Linda, linda! E nós morávamos no lugar mais sofisticado. Copacabana, em uma casa muito bonita. Até hoje sonho com ela.

Fui para o Colégio Assunção, da mesma congregação do de São Paulo. Eu queria até ser freira. Continuava com uma impossibilidade grande de lidar com seres humanos, principalmente com as mulheres. Eu não tinha amigas, só uma ou outra. Achava todas muito chatas.

Todo mundo chato! Eu não sabia por que achava todo mundo chato. Eu vivia aquela visão idealizada da vida dos meios de comunicação, do rádio. Não havia ainda televisão; a televisão só apareceu no início dos anos 50. Eu vivia através do rádio, dos livros. Continuava lendo

Monteiro Lobato, mas aí já segurava Monteiro Lobato em uma mão e Dostoiévski na outra. Uma adolescência muito contraditória. Uma vez, estava em minha casa cercada de livros, e pensei, "queria que este momento não acabasse nunca, porque estou perfeitamente feliz". Nunca mais esqueci desse instante! E foi o último momento em que estive perfeitamente feliz. A partir daí apareceram os hormônios e comecei a sentir a minha sexualidade, primeiro negada. Mais tarde, quando fui para a universidade, ela explodiu.

Isso foi no fim da guerra. Naquela época, as meninas namoravam até cabide com farda, mas nem todas conseguiam se casar com militares, porque os cadetes que tinham esse valor erótico eram muito poucos. A guerra, a morte, os bombardeios, as botas dos soldados só entravam no meu campo de percepção pelo cinema, pelas notícias e pelos namorados que minhas colegas esperavam. Mas quando a bomba explodiu em Hiroxima, tive perfeita consciência do fim de mundo que era aquilo. Era o fogo do Apocalipse de que meu pai tanto falava.

A Morte pela Primeira Vez

Até meu pai morrer, eu ignorava o problema de dinheiro, porque tudo de que a gente precisava era dado. Quando ele morreu, no dia 7 de setembro de 1946, sua morte trouxe outra vida para nós. Ele morreu em cinco minutos. Foi o segundo da família a morrer de ataque cardíaco.

Foi totalmente inesperado. Eu estava lá, eu vi! No exato minuto em que ele morreu eu estava na minha cama ao lado do quarto dele. E ouvi os gritos de dor lancinante. Meu irmão foi acordado pela canalha da babá dizendo: "Acorda, Nelson, que seu pai morreu." Pode?! Ele morreu, e tudo o que eu chorei no enterro foi mentira. Tudo o que fiz na missa de sétimo dia foi um teatro. Porque eu estava em estado de choque, que só passou trinta anos depois, quando sonhei mesmo que ele tinha morrido. Eu estava em análise, e só aí meu inconsciente desligou.

Perdi tudo quando ele morreu, perdi todo o apoio, fiquei solta no mundo, na mão da minha mãe, muito insegura emocionalmente e muito insegura economicamente também.

O dinheiro do meu pai ficou nas mãos do meu tio mais jovem, e também o mais ambicioso. Ele acabou ficando dono de toda a firma. Seria o representante do Tucker no Brasil — o Tucker era um empresário norte-americano que tinha a ambição de estabelecer uma fábrica de automóveis contrariando as grandes firmas monopolistas, como Ford, Chrysler e General Motors, e acabou esmagado por elas. Esse meu tio ficou assim tão rico, com tantos milhões de dólares, porque ficou com o dinheiro dos irmãos, que empenhavam seus haveres com ele. Eles eram todos porras-loucas. Tinham muito dinheiro mas gastavam tudo. Nessa época, antes de meu pai morrer, lembro de ter visto na casa de um deles tapetes Gobelin autênticos do século XVII e um móvel de Versalhes, grandes esmeraldas, diamantes imensos, uma vasta criadagem. As lojas haviam progredido milagrosamente: nos anos 40, chegaram a faturar 1 milhão de dólares por mês. Em termos de hoje seriam cerca de 20 milhões de dólares. Nos anos 40, a família Gebara faturava 20 milhões de dólares por mês. Encontrei esse dado no livro sobre a família escrito em árabe. Não estou "chutando". Copiei de lá.

Ira Sagrada

Meu pai tinha só 45 anos quando morreu; era muito jovem. E quando veio para o Rio de Janeiro gastou seu dinheiro comprando uma fazenda de 25 mil alqueires em Minas Gerais para plantar trigo. Foi um dos primeiros a querer plantar trigo no Brasil. A fazenda ficava entre o rio Paracatu e o Paraopeba. Ela se chamava Gameleira. Uma fazenda imensa, 25 mil alqueires. E nós também não chegamos nem a conhecê-la.

Agora começa uma história de classe dominante, terrível, que afetou todo o meu futuro. Meu pai tinha vendido de boca as ações da loja para o meu tio Felipe, em troca da fazenda. Depois meu pai empenhou a fazenda com ele também, de boca. Os controles contábeis na época eram muito menos sofisticados do que hoje. E, quando meu pai morreu, perdemos tanto a fazenda quanto as ações. Não havia papéis. Minha tia cobrou de minha mãe quando meu tio Felipe morreu, também de infarto, aos 40 anos, e ela ficou com a fazenda porque não havia documentos.

Mais tarde minha tia vendeu a fazenda. E o fim da história foi deprimente. Passei pela Gameleira há vinte anos. No lugar do sonho do meu pai não havia nada, só um pasto com muitas cabeças de gado. Nos anos 40 não se conseguiu plantar trigo. Só se plantou trigo no Brasil depois, nos anos 50, no Sul do país. A Fazenda Gameleira para mim era abstrata. Mas deixou marcas na minha vida.

Eu já estava com trauma de dinheiro porque via as brigas da família por causa dele. Via como as pessoas prejudicavam as outras para ter ainda mais dinheiro. Irmãos prejudicando irmãos. Quando meu pai morreu, minha mãe precisava do testemunho dos meus tios para saber quais eram os bens dela, e eles falaram em favor de minha tia, porque para eles era mais interessante. E deixaram minha mãe na mão, sem nada. Ela perdeu tudo porque foi educada para ser dona de casa. E eles foram educados para não serem solidários. Ela sofreu muito mesmo. Até hoje.

Acho que a raiz do meu desejo de justiça nasceu exatamente aí. E também da minha opção por ficar do lado dos oprimidos. Aquele mundo de matar ou morrer não era o meu mundo. Do fundo do meu ser brotou uma ira sagrada, que iria guiar minha ação a vida inteira. Da minha família, eu era a única que tinha esse sentimento com tanta intensidade. Acho que os outros, inclusive meus irmãos, sentiam menos aquela dor aguda. E foi assim que a vida me preparou para que eu pudesse me jogar inteira no trabalho pela construção de um mundo novo.

Naquele momento, e pela primeira vez, eu estava entrando em contato concretamente com a lógica fria e feroz do capital. Não como os pobres e a classe média entram, achando que é uma ordem mais ou menos natural, mas como alguém que havia conhecido os dois lados, e, por isso, via como a lei do mais forte, que parecia mecânica e inexorável, não era, podia ser revertida se as pessoas fossem simplesmente humanas, e não escravas da própria ambição. Quem fosse mais humano dançava. Vi como aquilo funcionava, e descobri que, se pudesse enfrentar a fera, ela recuaria. Foi a partir daí que quis ajudar a construir um mundo novo. Foi nessa época da Gameleira que jurei que nunca mais lidaria com dinheiro. Não queria mais saber. Inclusive porque os meus tios tiraram tudo de minha avó. Minha avó deu a herança do meu avô todinha para eles. Quando ela morreu não tinha mais nada. Nada! Foi então que jurei a mim mesma que iria ganhar dinheiro apenas como subproduto do meu talento. E é o que estou fazendo até hoje.

Um Novo Sentido de Viver

Assim, aos 15 anos, resolvi dar outro sentido à minha existência. Rejeitei a antiga vida. Meu tio chegou a me convidar para trabalhar com ele, mas decidi estudar física. A essa altura já estava muito envolvida com a vida intelectual e com a vida militante da Ação Católica. Era o caminho novo que se apresentava naturalmente em substituição àquele que eu estava deixando para trás. Essa transição me pareceu muito natural, muito tranqüila, embora aquela coincidência fosse um fato quase impossível. O impossível mais uma vez me parecia natural.

A partir dos 15 anos, e da morte do meu pai, senti que o meu futuro se passaria em outro nível, completamente diferente do que seria o do resto da minha família.

Nos anos 70, um dos meus primos mais ricos me encontrou um dia na rua e disse: "Meus parabéns, você lutou contra tudo e contra todos e fez a carreira mais brilhante da família." Juro que me senti vingada de tanta humilhação que a parte rica da família nos impôs no tempo da minha adolescência. E fui vendo que a qualidade de vida não tinha nada a ver com o dinheiro. Muito pelo contrário. O dinheiro impedia a vida de atingir seus níveis mais profundos. Em última análise, assassinava aqueles que se entregavam a ele, como fez com meu pai e meus tios. Naquele momento percebi que a minha escolha fora acertada. Eu havia escolhido entre o dinheiro e a vida.

Os Partidos dos Ricos e o Partido dos Pobres

Mil novecentos e quarenta e cinco e 1946 foram anos de grandes mudanças políticas no Brasil. Elas me tocaram porque me coloquei ao lado da classe dominante. Naquele tempo eu era UDN.

Tinha ódio do PTB, porque era o partido dos operários. Eu era UDN como todas as meninas que conheci. Isso a gente fazia de maneira inconsciente porque não havia consciência política como hoje. Era assim como um consenso de classe. Quem estivesse fora do consenso da turma era rejeitado por ela. Era como o "politicamente correto" hoje.

Quando houve a primeira eleição, o brigadeiro Eduardo Gomes era o candidato da UDN, em oposição a Getúlio. O candidato do Getúlio foi o general Dutra, que acabou ganhando, para nossa frustração! Lembro-me do *slogan*: "Brigadeiro, Brigadeiro, é bonito, é solteiro." Podia ser bonito, nunca casou, mas o que aparecia é que ele era muito católico.

Até os anos 50, a política ainda era algo longínquo para mim. A UDN era o partido *da gente*. E eu não conhecia os grandes líderes. Não lia jornal, continuava com aquele tipo de vida ainda muito interiorizada. E achava que a política não era para mim. Então a gente votava no brigadeiro, no Juarez Távora, nesse pessoal da UDN. A política começou a chegar a mim somente no final dos anos 50, depois do meu encontro com padre Lebret, que veio ao Brasil em 1955.

Nesse tempo, o PTB era o partido dos *sem-classe*. Mais tarde, vim a ser parte dos oprimidos. Mas o PTB para nós na escola era um espantalho. Era o que tinha que ser punido porque era o partido do Getúlio. O pessoal odiava o Getúlio.

CAPÍTULO 3

Deus Entra na Minha Vida

Entrei para a Ação Católica um pouco antes da morte de meu pai, com uns quatorze anos. Aí fiquei inflamada. Minha vida mudou para sempre. Foi então que soube o que era mergulhar na Compaixão de Deus. De repente Deus aparece na minha vida. Não mais abstrato e piegas como no colégio das freiras, mas Vivo, um Deus Pulsante que me arrebatou ao dobrar uma esquina, assim, sem mais nem menos. Com garras como uma ave de rapina. E até hoje eu luto com Ele. Corpo a corpo, palmo a palmo. Como Jacó lutou com o anjo a noite inteira, eu iria lutar com Deus toda a minha vida. Mas naquela época não me dava conta disso ainda. E achava tudo muito natural. Tanto sair de uma vida de riqueza e solidão quanto entrar sem transição em outra, arriscada e compartilhada, era tudo muito natural.

Um Pouco de História da Ação Católica

No fim do século XIX, a Igreja tinha perdido as massas operárias e estava perdendo também a classe média que ia se modernizando. Então o papa Pio XI criou, em 1922, a Ação Católica. E Pio XII (1939-1958) continuou com a mesma estratégia para que as classes sociais voltassem para a Igreja. A idéia era que os leigos trabalhassem com os leigos. O papa entregou aos leigos, tirando das mãos do clero a exclusividade da pregação, ou seja, democratizou um pouco a palavra de Deus. Havia a JEC (Juventude Estudantil Católica), que eram os estudantes secundaristas, a JUC (Juventude Universitária Católica), a JIC (Juventude Independente Católica) e a JOC (Juventude Operária Católica). Comecei então a mitificar a classe operária. Eu já começava a entender e a ficar ao lado dos operários, por causa de dom Hélder Câmara. Não politicamente ainda, porque a consciência de classe só viria depois dos anos 50 para todos nós e também para dom Hélder!

As "Hélder's Girls"

Em 1945, conheci padrezinho Hélder e todas aquelas moças que o seguiam, as "Hélder's Girls". Ele foi ao Colégio Assunção para começar um grupo de Ação Católica Estudantil. Quando conheci padre Hélder, ele não tinha nenhum poder. Só começou a ter quando criou a Conferência dos Bispos nos anos 50. Padre Hélder atraía a todos pelo lado místico. Era impossível não ser atraído por ele. E todos sabíamos que era um homem que quase não comia, não bebia, rezava o tempo todo, não dormia e tinha um amor profundo. O que a gente sentia era esse amor tão profundo.

Foi por intermédio daquele padrezinho baixinho, magrinho, que Deus veio até mim. E as Hélder's Girls eram um bando de moças, umas vinte, que também tinham entendido o que ele significava e passaram a vida trabalhando com ele. Foram elas que, dez anos mais tarde, carregaram com ele o fardo do poder que Deus jogara em cima dos seus ombros magros, dizendo-lhe em silêncio: "Vire-se." E como ele se virou! Mas naquela época as meninas faziam uma revista. Para mim, a revista *Juventude* que elas faziam tinha um apelo místico muito grande. Sempre andei na vida mais pelo apelo místico. E de fato aquela era uma mística autêntica. Era um pessoal que realmente via o mundo como alguma coisa que tinha que ser amada, recuperada. Eles não entravam no jogo do Vaticano. Ao contrário, eram vítimas desse jogo.

Esses grupos tinham uma ideologia que veio a ser depois, nos anos 60/70/80, a grande ideologia dos movimentos populares. E foram eles que mudaram a cara do mundo. Nosso método era o Ver, Julgar e Agir. Primeiro a gente analisava a realidade, depois via qual o caminho que tinha que seguir, e então cada um recebia uma tarefa de transformação da realidade. Isso toda semana.

Trabalhávamos de dez a quinze pessoas em cada grupo. E foi assim que conheci aqueles homens e mulheres que viriam, dali a dez anos, a fazer com dom Hélder o que o papa João XXIII veio a considerar um dos movimentos sociais mais importantes do mundo. Eu ainda não tinha consciência política. Certo. Mas a gente já despertava para uma consciência de opressão.

Por causa de Pio XII, que era muito reacionário, provavelmente a favor dos nazistas, a espiritualidade dissociada da realidade ainda era a tônica em toda a Igreja.

A minha militância começou com a consciência da injustiça social. Mas ainda era muito incipiente, pois estava na contramão da história, uma história que começara há mil e setecentos anos e que era a história da aliança da Igreja com o Poder estabelecido. Ninguém ainda sabia, mas ali estava nascendo o embrião de uma nova maneira de ver o mundo e de transformá-lo. Dom Hélder começava a lançar as bases do que seria a grande resistência contra a opressão, no século XX. Aquela era uma imperceptível luta de Davi contra Golias.

O Primeiro Jornal

Escrevi, praticamente sozinha, o primeiro número do *Roteiro da Juventude*, o jornal da JEC. A Ação Católica inteira distribuiu, a JEC feminina também. Vendemos primeiro mil exemplares, depois chegamos a vender dez mil em colégios leigos e não-leigos, para conquistar a juventude para Cristo. Olha só?!

A Casa Gebara dava um conto de réis para completar o dinheiro da venda. E para fazer os outros números. Ninguém ganhava nada, mas era uma grande paixão. E muito divertido.

E a Ação Católica se tornou tão importante na Igreja no Brasil porque foi nesse ano de 1945 que começou a especialização dentro dos seus quadros. Até então todo mundo evangelizava todo mundo. Em 1945, a Igreja concebeu a sociedade em setores: estudantes, operários, jovens, adultos. Cada setor se evangelizava com seus próprios integrantes. Aí a eficiência explodiu. E assim começou o embrião da grande revolução das mentalidades do Brasil dos anos 70. Aqui a revolução das mentalidades não foi só comportamental como no resto do mundo. Foi também essencialmente política e religiosa, a revolta dos oprimidos para a qual foi básica a ação da Igreja de que dom Hélder era a pedra fundamental. Sem ela, esta revolução simplesmente não teria acontecido. Só hoje, tantas décadas depois, é que a verdadeira dimensão dessa nova maneira de ser, que enfrentou mil e setecentos anos de ligação da Igreja com o Poder, começa a aparecer. Foi então que me lancei no mundo. E já não me interessava mais ser feliz, e sim fazer o que tinha que ser feito. Minha vida se abria para algo maior que ela mesma. Enquanto isso, minhas colegas de turma estavam todas namorando para casar.

No fim dos anos 40, a vida intelectual para mim já não tinha tanto valor, porque pela primeira vez alguma coisa que não era idealizada mexia com a minha emoção. Era uma emoção verdadeira. Ali havia uma comunidade, e ali começou meu caminho, sempre ligado com a luta pela justiça. E foi isso que me ligou a vida inteira ao cristianismo.

Os três últimos anos do segundo grau foram tomados pela militância. E também pelo vestibular que eu ia fazer. Naquela época, os meus hormônios começaram a aparecer. Mas a minha militância não parava.

Como eu gostava muito daquilo, saí da militância local para a nacional. As reuniões eram feitas na rua México, no centro do Rio. E nos reuníamos com gente de todas as escolas da cidade. Escolas de freiras, escolas leigas, particulares, públicas... Começamos a nos reunir com os rapazes. Aí comecei a paquerar os rapazes pela primeira vez, mas ainda não estava motivada.

Virando Mulher

Já estava virando mulher. Tinha 17 anos. Para os padrões de hoje, foi tarde. Hoje as meninas viram mulheres com dez. Que horror! Elas pulam fases. Essa sexualidade precoce impede a profundidade da sexualidade. Ela se banaliza, fica superficial. Acaba sendo frustradora, mas, quando ela é transfigurada por limites, deixa de ser apenas um instinto animal para se tornar verdadeiramente humano, isto é, um êxtase. O rio sem limites vira pântano, com limites, e se torna uma força impossível de ser contida. Foi o que aprendi duramente toda a vida.

Mas então eu ainda idealizava tudo: homens, religião, política. Só desidealizei a vida na universidade, quando comecei a sofrer. Mas ainda estudava muito, era uma aluna brilhante.

Não freqüentava bailes, festas. Eu tinha me retirado. Não me permitia viver esse tipo de vida, tanto por medo da rejeição como também porque eu era realmente diferente das outras. Meu primeiro namorado foi o homem com quem casei.

Mas as moças que conhecia todas iam a bailes. Elas tinham namorados, mas não tinham atividade sexual. E os homens iam ter sexo com prostitutas. Foi em 1949 que eu soube que existiam mulheres especializadas em sexo. Hoje dificilmente se pode ter uma noção do escândalo que foi para mim saber disso, por uma colega de faculdade. Achei aquilo uma coisa absurda! Prostitutas. Eu não acreditava muito que podiam existir. E me sentia sabe o quê? Traída! Eu queria era ser prostituta. Por que elas podiam e eu não?

Pode ser que meus irmãos tenham ido fazer sexo com as prostitutas, mas eu nunca perguntei. Mas os cristãos não iam, porque tinham uma idealização do casamento cristão como forma mais profunda do amor! Eu mesma acho isso um pouco até agora. A forma de profundidade de amor que excluía qualquer relação sexual fora do casamento era uma ideologia que aqueles homens também tinham. E se eles foram às prostitutas devia ser com uma culpa louca. Mas, pelo que eu saiba, não. Os que eram da JUC eram até motivo de piadas! Mas os homens normais da turma da Miguel Lemos, que começou naquela época, namoravam era muito. E as moças também. Eles viviam juntos na praia, se bem que não era moda fazer sexo como hoje.

Só eu não fui preparada para ser mulher, fui preparada para ser uma intelectual, o que é uma tragédia. Não fui preparada para viver como mulher nem na família nem na escola. Na escola menos ainda, porque as freiras não nos ensinavam nem o aparelho urinário nem o aparelho genital. Por isso, tive durante muito tempo um buraco em matéria de biologia porque não sabia nem o que era bexiga! Muito menos ovários ou útero. Era uma repressão sexual de que não se tem noção hoje.

Eu nem estava preparada para a primeira menstruação. Nenhuma mulher da família me contou, nem minha mãe, nem as freiras. Ninguém. Quando aconteceu o meu primeiro período, estava numa aula de ginástica e desmaiei. Olhei para mim e achei que ia morrer. Aí as freiras acharam graça e me mandaram para casa, sem falar uma palavra. Nada me foi explicado. E a burra da minha babá disse que aquilo ia acontecer todos os meses, a vida inteira. Eu ficava de cama, porque a hemorragia era muito forte. Minha sexualidade era muito forte e aquela sublimação toda compunha essa força.

E essa constatação ajuda a entender o quanto tive que desconstruir meu corpo para chegar ao que sou hoje. Tive que desconstruir tudo. As meninas da classe média namoravam, casavam, e só eu era diferente. Eu queria era estudar matemática, então me preparei para ir para a universidade, onde pela primeira vez tive contato com homens.

CAPÍTULO 4

A Universidade: Um Rito de Passagem

Em 1949, entrei para a Universidade do Brasil (hoje a Universidade Federal do Rio de Janeiro). Naquela época também era preciso fazer vestibular. A Universidade do Brasil tinha grandes figuras no corpo docente. Ali conheci Manuel Bandeira, por exemplo. O físico César Lattes era conhecido no mundo inteiro. E Leite Lopes, que durante a ditadura militar foi para o exílio em Estrasburgo, na França, como professor e pesquisador. Havia também grandes físicos estrangeiros.

Meus colegas eram aqueles almirantes que iam fazer especialização em matemática, e também o pessoal do exército, todos homens já feitos. E eu, a mais nova de todos. Eram cerca de setenta homens e umas dez mulheres, se tanto.

Fui recebida por eles com grande susto, porque era a mais jovem e tinha passado em primeiro lugar, vinda de um colégio de freiras desconhecido. Passei por cima daqueles estudantes do Bennett, do Anglo-Americano, das grandes escolas. Ainda por cima era quase cega.

Durante todo o tempo em que estudei, não conseguia ver o que estava escrito no quadro-negro. Tinha que copiar das anotações dos outros aquelas equações todas. Foi aí que comecei a fazer sucesso com os homens, mas já era tarde demais. Eu era afetivamente muito insegura. Assim mesmo me apaixonei pelo meu primeiro professor. Claro que aquilo não ia dar certo. Meu inconsciente trabalhava contra mim. Era uma droga. Mas eu até achava chique ser infeliz. Combinava com carregar a minha cruz. Mas aquele primeiro amor foi assim mesmo, o meu primeiro alumbramento.

Na universidade daquele tempo, havia bons estudantes, bem preparados, de todas as classes sociais. Foi então que tive conhecimento das outras classes sociais. Saí de um mundo elitista para um mundo misturado, porque a nossa era uma universidade pública. Tinha gente dos subúrbios, tinha gente muito pobre, pessoas com uma formação completamente diferente da minha. Mas eu era tão inocente que as pessoas até me respeitavam por isso.

Na universidade conheci também estudantes como Bernardo Sandler e José Frejat, militantes profissionais do Partido Comunista. Ficaram anos e anos na universidade, repetindo os anos, sem se formar, ganhando dinheiro do Partido para manipular as assembléias e tomar conta dos diretórios acadêmicos. Conheci como eles faziam uma assembléia. Eu participava. Tinha sido preparada para isso pela Ação Católica. Mas na AC ainda estava muito ligada à parte espiritual, não fazia política, que só passou a ser feita pelos militantes católicos quando surgiu o embrião da Teologia da Libertação, em meados da década de 50. Mesmo assim, eu fazia parte dessa engrenagem que a técnica dos comunistas montava. Essa técnica era vencer pelo cansaço. A Ação Católica era anticomunista, e a gente tinha horror a eles.

Estudei em 1950 com Plínio Rocha, grande especialista em cinema do Brasil e meu professor de mecânica. Ele nos mostrou *Limite*, de Mário Peixoto, e também *Alexandre Nevsky* e o *Encouraçado Potemkin*, de Eisenstein. E a gente se escondia da polícia porque passar filmes comunistas era ilegal. Eu já começava meu aprendizado político, embora ainda muito confuso, porque de um lado havia o cristianismo e do outro Plínio Rocha, que parecia um nazista com seus olhos azuis cor de aço. Mas era um comunista teórico como tantos outros.

Assistimos a filmes na própria universidade. O auditório enchia! Foi então que conheci os artistas franceses. Um desses grandes símbolos sexuais da época foi Gérard Philippe. Ficava sentado ao meu lado e eu olhava, pensando. "O que esse homem tem para ser símbolo sexual?! Não é nada de mais!"

Quando estava no segundo ano, comecei a dar aulas nos cursinhos organizados pelo Diretório. Alguns rapazes que vieram mais tarde a ser grandes artistas e cientistas foram meus alunos de pré-vestibular, como Joaquim Pedro de Andrade, por exemplo, que não mostrava o que viria a ser depois. Alguns militares que foram importantes professores na Unicamp, na USP, também trabalharam comigo. Mas a única dessa turma que se tornou popular, além do Joaquim Pedro, fui eu mesma.

Por falar em Joaquim Pedro, em 1987, depois da briga com o Vaticano, houve um encontro entre Joaquim Pedro, Dina Sfat, Valmor Chagas e eu porque estávamos muito indignados com a invasão cultural americana. E estávamos fazendo planos para ajudar a cultura brasileira a renascer. E três de nós quatro estávamos com câncer e não sabíamos, Dina Sfat, Joaquim Pedro e eu. Os dois morreram, e só eu sobrevivi.

Em 1949, tive descolamento de retina. Perdi a visão da metade de um olho. Perdi meio ano letivo, passei assim mesmo! Foi uma experiência e tanto. Fiquei um mês de cama sem me mexer. Na época estava-se lutando pelo petróleo, "O petróleo é nosso!". Eu ficava torcendo na cama. E esse rapaz (meu primeiro professor) por quem eu tinha me apaixonado vinha ler para mim o *Principia Mathematica*, de Bertrand Russell e Alfred North Whitehead. Só isso!

Eu era muito ligada nele, mas foi assim a minha primeira paixão idealizada, que durou um ano. Não chegamos a namorar, mas vivíamos sempre juntos, não passava disso. Depois ele saiu fora e eu sofri muito. Fiquei desesperada... Aliás, vivia amargurada.

No segundo ano da faculdade, tive outra grande paixão que não deu certo. Muito esquisita também, porque ele era um rapaz da minha idade e portanto mais próximo de mim. A família dele me curtia, mas no fim de 1950 fui para a Europa. Não queria mais sofrer por amor.

Lembro de outra coisa muito interessante. Uma das moças tinha uma corte de rapazes, era minha amiga, estudávamos juntas, e eu vivia com eles. E eu queria saber por que ela tinha tantos rapazes em torno. Muito tempo depois vim a saber que ela dava para eles. Ela já começara a transar, eu não.

Primeira Viagem à Europa

Em 1950 eu já não queria mais estudar porque estava muito dividida a respeito da vida vivida e da vida idealizada. Não estava mais querendo viver uma vida idealizada. Fui então para a Europa, com o pessoal da Ação Católica e com padre Hélder. Era o ano santo de 1950. Andamos a Europa inteira. Aí conheci meu ex-marido, no dia 24 de dezembro de 1950, na Catedral de São Pedro, à meia-noite. Que loucura! Todos aqueles seminaristas, cheios de tesão reprimido. E ele vestido de padre dominicano. Em Roma, na noite de Natal...

Depois quase todos eles abandonaram o hábito para se casarem. Ficavam celibatários um, dois, dez anos, mas acabavam largando porque ninguém agüentava aquela vida. Eles não agüentavam a sexualidade. Ficavam mais os homossexuais.

Nessa viagem à Europa, conheci Pio XII, quando ele veio conversar com a gente no palácio do Vaticano, em 1950. Ele era amigo de dom Hélder. Grande dom Hélder, que se sentava em cima de um pilar e falava do papa e da conversa que tinha tido com ele com a maior naturalidade. Eu não entendia ainda o significado de tudo aquilo. Dois anos depois, em 1952, ele iria fundar a Conferência Nacional dos Bispos do Brasil.

Viajei a Europa inteira. Fui à Suíça, Bélgica, Itália, todas aquelas cidades... Mas era só ver museus, ruas, monumentos: eu e a Mabel, filha de Gustavo Corção.

Gustavo Corção

Gostaria de abrir um parêntese para falar de Gustavo Corção. Corção foi uma pessoa importante na minha vida, porque militou um tempo na Ação Católica e era um grande escritor, um grande progressista. Os livros dele eram maravilhosos e levavam as pessoas para essa ideologia progressista. Tinha participado da Semana de Arte Moderna de 1922.

Em 1956, num dia em que a gente ouvia Corção falar numa palestra, um amigo meu que era médico olhou para a cara dele e disse: "Esse homem vai ter um ataque cardíaco dentro de quinze dias. Ele vai mudar completamente. Vai mudar de temperamento e virar conservador." Aconteceu mesmo. De pensador católico progressista ele se transformou num jornalista reacionário e medíocre. O cérebro dele tinha sido lesado pela doença.

Introdução aos Anos 50

A Idade da Inocência

Os anos 50 foram os da difícil reconstrução da Europa, ajudada pelos americanos com o Plano Marshall.

Nessa década, sobe ao poder, nos EUA, o general Eisenhower, herói da Segunda Guerra. Acelera-se a dominação americana sobre o resto do mundo. É nessa década que nasce e se solidifica a sociedade de consumo. Os americanos ganham muito dinheiro e saber tecnológico com a Guerra Fria, fabricando ogivas nucleares.

Em 1957, os russos fazem a primeira viagem espacial. No Brasil, pressionado pela oposição, chefiada por Carlos Lacerda, Getúlio Vargas se suicida, em 24 de agosto de 1954. Ganha as eleições Juscelino Kubitschek, dando início ao período desenvolvimentista. O Brasil arranca com uma industrialização mais sofisticada. Cria-se a Petrobras em 1954, e mais tarde a indústria automobilística, sob o controle de firmas transnacionais.

Em 1959, Fidel Castro toma o poder em Cuba. O comunismo chegava nos pés do dragão! A América Latina inteira treme. Inclusive o Brasil.

E é então que, por graça e misericórdia de Deus, começo a participar do turbilhão. Mas, no início dos anos 50, eu ainda era totalmente inocente.

CAPÍTULO 5

Acordando Casada!

Larguei a universidade no terceiro ano. Já não agüentava mais estudar. Foi em 1951 que li Chesterton e me casei. Chesterton foi um escritor anglo-católico, muito lido no Brasil naquela época. Ele tinha a ideologia católica progressista espiritual que nós também tínhamos. Foi introduzido no Brasil por Gustavo Corção, que deve ter lido os livros dele em inglês. A sua leitura veio a ser a primeira base da nossa ideologia. Lembro-me de uma frase dele: "Louco não é o poeta que põe a cabeça na lua, mas o físico que quer pôr a lua na cabeça."

Pensei: "É isso mesmo! Não quero mais estudar física." Nesse momento decidi: "Vou escrever poemas." Isso foi em 1951, antes de me casar. Eu já estava começando a ficar apavorada com os físicos. Vários deles haviam sido internados em instituições psiquiátricas. A maioria era esquizóide ou esquizofrênica mesmo. Soube disso em uma de minhas sessões de análise, em 68.

Naquela ocasião eu os achava tão geniais, tão ordeiros! Eu não, eu era o caos vivo. Só depois vi que aquela ordem era ausência de vida. Só sobreviveram aqueles que além da física tinham outra atividade artística que puxava a emoção para fora. Plínio Rocha era crítico de cinema, Mário

Schemberg, crítico de arte, o próprio Einstein tocava violino. Estes não enlouqueceram. Os que hipertrofiaram a inteligência se afogaram na loucura. E foi assim que, aos dezoito anos, senti na carne mais concreta como a racionalidade pura era insana.

Minha vida pessoal ia desabrochando. Encontrei meu futuro marido em Roma em 1950. Eu gostava dele, cheguei a ter uma certa paixão. Mas a Mabel Corção, que foi comigo para a Europa, também tinha uma queda por ele. Ele era um brasileiro dominicano que estudava na Itália.

Mas minha grande vida boêmia, que ainda não incluía a sexualidade, foi em Paris. Ficamos três meses, eu e Mabel. Encontramos um grupo de rapazes com quem tínhamos uma relação ambígua... Eu me apaixonava e desapaixonava com a maior facilidade. Ali, tínhamos amigos como o poeta Moacir Félix, o filósofo Ubaldo Puppi, que depois se tornou um professor de filosofia conceituado, e Ângelo Luís, que ficou louco mais tarde. Eu me lembro desses três, que saíam conosco quase toda noite, embora ainda não se falasse em vida sexual entre nós.

Já havia conhecido meu futuro marido em Roma, e o reencontrei em Bolonha, num castelo medieval que era o convento dos dominicanos. Pousamos lá uma noite, quando pernoitávamos em cada cidade aonde íamos. Naquela noite, quase morri de frio. Foi a única vez que dormi sem calefação num inverno com neve. Foi horrível. Imagina como devia ser a vida na Idade Média. Com aquele frio e sem banheiro!

Dali a três meses ele veio me procurar no Brasil dizendo que queria casar comigo. Levei um grande susto. Mas, devido aos amores infelizes que tive e à idealização do cristianismo, pensei: “Vou casar com esse. Esse é cristão, vai ser um grande amor.”

E casei em 8 de dezembro de 1951. Quando saí para a lua-de-mel, usava três anéis de brilhantes que faiscavam como sóis. Pertenceram à minha mãe. Passei a lua-de-mel em Buenos Aires, e logo na primeira noite me decepcionei. “Ué! O casamento é só isso?” O que vivi não tinha nada a ver com os famosos filmes românticos dos anos 30 nem com os arroubos místicos que esperava.

Ele era pobre, mas já naquela época foi trabalhar com minha família sem vínculo empregatício, e não quis nenhum emprego formal. Corção oferecera a ele um emprego. Não quis. Foi trabalhar com meu tio César, que era um grande farrista e gastava o dinheiro com mulheres, aquelas artistas americanas, Lana Turner, por exemplo. Artistas de teatro e de revista que jogavam muito dinheiro no Hotel Quitandinha, o grande cassino da época. Era muito luxo, muita gastança, mas eu não sabia. Meu marido trabalhava com esse pessoal. Acabei tendo os filhos na casa da minha mãe, e nunca que vinha dinheiro para eu ter minha própria casa!

A Gravidez: A Verdadeira Realidade

Meu primeiro filho, Marcos, nasceu em 1º de janeiro de 1953, e até 1960 nasceram Cristina, André e Toninha. Eu estava sempre grávida ou cuidando de crianças pequenas.

Minha vida com as crianças era a outra face da realidade, mais verdadeira, mais animal, que contribuiu essencialmente para manter a minha sanidade, para me enraizar na terra.

Minha primeira gravidez foi também a primeira grande desidealização da vida. Eu me sentia igual a uma vaca ou a uma cabra, grávida ou amamentando.

Mas, a cada vez que uma criança nova era posta em meus braços, eu tinha a sensação de que algo radicalmente novo aparecia no universo, sim, no universo, e brotado de mim.

E ponho minha mão no fogo de que se os homens engravidassem, se deles brotasse a vida, se amamentassem, o mundo seria completamente outro... Não seria essa destruição que é hoje.

Mais Perdas

Como disse, nos anos 50, as Casas Gebara eram três lojas enormes. Estavam localizadas na rua do Ouvidor, na rua Luís de Camões e em Copacabana. Meus tios gastavam muito. Iam vendendo as cotas deles para meu tio Felipe, para conseguirem dinheiro imediato. Meu marido trabalhava com eles.

Em 1950, morreu meu tio Felipe. De infarto, lógico. Começou o fim do fastígio da família. Os tios herdeiros não conseguiram mais se firmar. Continuavam a gastar muito. Naquela velocidade, aquilo tudo iria à falência. Eles e minha tia decidiram vender as Casas Gebara, e ficaram com o dinheiro. Minha mãe não ganhou nada. Aquele patrimônio enorme concentrou-se, a partir dos anos 50, nas mãos dos herdeiros mais espertos. Hoje ele está pulverizado nas mãos dos filhos deles, que estão ricos e já não conheço mais. A estrela havia se apagado.

Reacionária até 1960

No princípio da década de 50, tínhamos uma mentalidade anticomunista e ao mesmo tempo católica progressista. E também uma mentalidade mística. Era isso que nós éramos. Místicos, ligados a Deus diretamente, e progressistas, lutando pela justiça e anticomunistas. É muito doido visto hoje. Ainda era uma justiça social confusa. Ela só veio a ser realmente definida em 1955 pelo padre Joseph Lebret, um dominicano francês conhecido no mundo inteiro pelas suas novas idéias.

Até 1960, fui muito reacionária! Continuei assim reacionária depois do Dutra, depois que o Getúlio chegou pela segunda vez. Não entendia ainda o que significava Getúlio realmente.

Só vim a entender na carne quando um colega de trabalho, nos anos

90, contou que o pai dele vivia de salário mínimo e sustentava com decência seis filhos. Eles estudavam em ótimas escolas públicas e só trabalhavam para comprar roupas melhores, ir ao cinema... Não fazíamos na época esse tipo de análise de política do governo central como viemos a fazer nos anos 60. Nos anos 50 começou uma análise das classes sem levar ainda em consideração o governo central.

Essa análise do governo central, que fosse uma teoria que desse conta do fenômeno desenvolvimento/subdesenvolvimento, só começou a partir de 1955. Por isso, até hoje procuro teorias novas, porque naquela época não havia uma teoria que brotasse da realidade, que saísse a partir da descoberta do padre Lebret. Pela nossa ideologia, deveríamos agir sobre a sociedade. Mas agir como? Nem nós nem ninguém ainda tínhamos consciência do que era realmente a realidade brasileira e como transformá-la. As coisas foram ficando claras nos anos seguintes, à medida que íamos agindo. A teoria veio sempre a reboque da prática.

A justiça social era ainda muito abstrata. As próprias razões do suicídio de Getúlio, que eu segui de perto, eram algo abstrato. Quando ele se suicidou, em 54, eu estava tendo a minha segunda filha, Cristina, uns dias antes.

Nos meados da década de 50 eu já estava conhecendo bem a política. Já tinha relação com os padres dominicanos, que eram politizados. E já tendia à esquerda. Não que aceitasse o marxismo, mas a sociedade de classes já fazia sentido para mim.

Comecei a fazer parte de movimentos políticos como o do petróleo é nosso. Por causa da criação da Petrobras, eu estava começando a chegar lá. Mas ainda estava muito ligada à minha vida pessoal, porque tinha filhos pequenos, a quem adorava, embora detestasse minha vida de casada. Eu havia sido enganada!

Freqüentava a Ação Católica o tempo todo. Como um ópio. Continuava com o movimento estudantil, até que tive que largar por já ser casada. Não podia ficar mais. Continuava com os outros grupos da Ação Católica, com dom Hélder. Minha ação me ajudava a esquecer a realidade. Aldo estava perdendo dinheiro. Ele e meus irmãos, em menor escala, perdiam dinheiro sempre. E eu tinha responsabilidades domésticas. Minha mãe estava comigo, ela fazia tudo. Eu não fazia grandes coisas dentro de casa, só ficava com as crianças. Até hoje sonho com essa casa em que vivi e fui feliz antes do meu casamento e com os primeiros anos em que não pensava em dinheiro. Porque a casa é a personalidade de cada um no inconsciente, o tempo de nossa vida. E ali eu não tinha preocupação financeira. Minha preocupação com dinheiro se iniciou no fim dos anos 50, quando tive que trabalhar.

A mudança da sociedade já havia iniciado, e os movimentos leigos já existiam. Eram fortes, mas não tinham tanta inserção popular. Só vieram a ficar realmente fortes quando a Igreja começou a agir para valer. A Ação Católica em peso entra nos movimentos operários e estudantis, e estes então ganham uma força tremenda.

CAPÍTULO 6

1955: O Mundo Dá uma Virada sem Saber

Eu já estava desencantada com o casamento, danada da vida. Mas fui criando os filhos mesmo desiludida. Aí sim é que apareceu, com toda a sua cara monstruosa, a ideologia do romantismo, dos filmes americanos, das novelas de rádio, a grande armadilha para fazer as mulheres viverem uma vida medíocre e servir o sistema.

Mas então veio o padre Lebret e tudo mudou. Foi o primeiro a sistematizar uma sociologia do ponto de vista do oprimido. O caminho que dom Hélder estava trilhando na prática, ele estava abrindo na teoria.

O instituto que ele fundou chamava-se Economia e Humanismo. Padre Lebret passou um tempo conosco. Já tinha escrito seu livro *Suicídio ou sobrevivência do Ocidente*. Na primeira palestra, ele nos disse: "Tomei o pulso do mundo. Estou muito deprimido, porque descobri que dois terços da humanidade passam fome e um terço come mais do que precisa." Até então, ninguém tinha consciência do que era desenvolvimento e subdesenvolvimento. Pouco antes, por exemplo, na Europa, eu vivia passeando de casaco de peles, e éramos apedrejados pelos europeus dizendo que nós éramos ricos e eles eram pobres!

Foi a partir desse ano de 1955 que o mundo mudou. Virou do avesso.

E como você é o que você pensa, acaba fazendo com que aquilo aconteça. Hoje os europeus estão cada vez mais ricos e nós, mais pobres! O padre Lebret previu que o fosso entre ricos e pobres, que na época era de 1 para 10 em matéria de renda, iria aumentar de 1 para 30. Ele foi modesto. O aumento foi muito maior. O fosso entre os EUA e o Haiti, por exemplo, é hoje de 1 para 100. E agora então, com a exclusão tecnológica, esse fosso tende a continuar se aprofundando cada vez mais rapidamente! Acabei de saber que agora, no fim do século, existem 348 pessoas que possuem mais de 1 bilhão de dólares e que juntas possuem 45% do total da riqueza do mundo. Coitado do padre Lebret. Ele morreria outra vez se soubesse disso.

E como colocar em prática em 55 o que acabávamos de descobrir? Porque queríamos ganhar os jovens para Deus. E não sabíamos que caminho tomar para trabalhar com as classes oprimidas. Depois que o padre Lebret falou, lembro que tivemos uma reunião com a JUC, a JOC, e todos concluímos: "Se quisermos ser iguais a Cristo, ou somos pobres concretamente como Ele foi, ou então seremos maiores do que Ele."

E, nesse momento, foi criada a ideologia que seria a base da futura Teologia da Libertação, da tão polêmica opção preferencial pelos pobres. Acho que era 7 de julho de 1955. Foi então que nos aliamos aos marxistas, e se começou a estudar o marxismo como uma teoria, adequada para a nossa realidade. O Partido Comunista perde então o caráter de lobo mau e ganha o caráter de aliado. Meu Deus, que mudança!

Trinta Anos com Quatro Filhos

No meio de tudo isso, eu continuava muito frustrada com a minha vida pessoal. Queria largar meu marido, mas queria também ao mesmo tempo ser fiel aos meus votos. Então só havia um jeito: tinha que carregar minha cruz. Não havia métodos anticoncepcionais, e as crianças iam nascendo. Como católica, não podia evitar filhos. Tinha menos de trinta anos e quatro filhos no braço. Quando nasceu minha quarta filha, Toninha, tive que começar a trabalhar, porque todo o dinheiro já havia ido embora. No decorrer da década de 50, aprendi muito com as crianças. A primeira coisa foi que não há depressão que resista a uma criança. O desejo de morrer se rende à vida que desabrocha. Por isso, apesar de toda a minha frustração, eu não tinha depressão forte nos anos 50. A segunda é que as crianças eram naturalmente a minha força. Soube que por eles eu faria qualquer coisa, qualquer coisa mesmo, para que eles pudessem sobreviver. Este era um sentimento profundo, compartilhado, acho, com qualquer fêmea do mundo animal.

A minha frustração, assim, não vinha das crianças, mas da casa. Sempre detestei ter que cuidar de casa, e vou detestar sempre, até morrer. Ainda hoje não sei fazer café. Quando a pobreza chegou, exatamente no fim dos anos 50, eu conseguia mesmo assim fazer trabalhos remunerados que permitiam pagar uma ou duas empregadas, mulheres mais pobres do que eu, para fazerem esse trabalho porque elas precisavam mais. E eu ia trabalhar em outras coisas.

A partir de 1959, comecei a vender cosméticos. E passei a ter problemas nas costas, porque ia para as casas de mulheres ricas vender produtos de beleza, carregando sacolas pesadas para ter dinheiro para poder jantar. E foi assim que passei a sustentar minha casa com quatro filhos pequenos. Minha quarta filha é uma mulher triste até hoje porque não me teve nos primeiros dias. Isso foi uma tragédia. Pois, depois de toda aquela riqueza, me vi obrigada a carregar cosméticos nas costas para ter dinheiro para comer. E apenas com dez dias de parida! Nunca vou perdoar meu marido por isso. E nunca vou perdoar a mim mesma por ter casado com ele.

Quando dom Hélder viu o que estava acontecendo, me chamou para trabalhar com ele. Era 60/61. Aí eu já me dera conta de que meu marido era um louco, mas não sabia como me separar. Era impossível! Era impossível naquela época largar um casamento.

Poemas para Poder Respirar

Como eu ainda continuava insatisfeita mas cumprindo com minha obrigação, comecei a escrever poemas a pedido dos dominicanos. Foram esses poemas e as crianças que me mantiveram viva naqueles anos.

Escrevi de 1955 em diante, até 1964. A vontade de escrever poemas não é brincadeira. A diferença entre escrever um poema e fazer versos é enorme. Todo mundo comete seu versinho, mas um poema expressa o inconsciente de todos e dura para sempre. Eu levava quinze dias para escrever um único poema. Já tinha noção de que eles tinham que vir de uma profundidade grande. E de que nem todas as pessoas desenvolvem essa profundidade. Mas eu não tinha ainda a noção de por que eu mesma havia desenvolvido isso... Hoje sei que foi por causa da minha falta de visão. Já muito antes daquela época, eu não queria ser feliz, queria era fazer as coisas que tinham que ser feitas. Era infelicidade e inquietação. Eu já queria experimentar todas as coisas, mas não conseguia. Então escrevia. Meus poemas eram todos místicos. Todos levando essa inquietação para um caminho desconhecido... Era um erotismo asfixiado, inacreditável! Os padres ficavam loucos. Uma vez, quando fui entregar um poema, os vinte e dois dominicanos que estavam no convento vieram me ver ao mesmo tempo. E ficaram mortos de vergonha.

Esses poemas que fiz foram todos publicados. Nunca escrevi nada que não tivesse sido publicado. No começo, saíram na revista *Mensageiro do Rosário*, que tinha uma tiragem de cinco mil exemplares. O número com a última da série dos sacramentos teve muitas edições por causa do meu último poema, um poema de amor. Aí escancarei.

Foram poemas desesperados, ligados aos símbolos eróticos. Comecei a ser escritora ali, com aqueles poemas publicados numa revista dominicana que já começava a ter o impacto político que aqueles padres viriam a exercer nos anos 60. E durante quatro anos aquilo foi meu ópio e meu alívio, minha saída. Eu já havia perdido a fé, em tudo, era uma perfeita solidão. Há poucos meses minha prima Ivone Gebara, uma das grandes mulheres da Igreja hoje, me disse que ela também se sentia assim nos anos 50, que se identificava com o que eu vivia.

Tradicionalmente havia uma ideologia na Igreja — olha só que diabólico! — de que, quando se perdia a fé, isto era uma parte do caminho místico que preparava para um caminho mais perfeito de iluminação e êxtase com Deus. A grande noite obscura da fé daria uma outra visão de mundo a partir de Deus. Então eu achava que essa perda de fé era um processo. Eu lia muito São João da Cruz. E essa noite nunca mais passou. Era uma solidão terrível, porque eu não tinha para onde ir, nem para o lado erótico nem para o lado místico. E eu escrevia assim, na mais absoluta solidão. Acho que toda a sociedade, todos os cristãos deviam estar passando pelo mesmo processo, se não esses poemas não teriam tido tanto impacto sobre eles. E isso já prenunciava inconscientemente as grandes mudanças que viriam nos fins dos anos 60: a rejeição da espiritualidade pura e a busca da justiça. É um mistério como essas grandes transformações começam num nível tão imperceptível.

Começando a Trabalhar por Amor

Mesmo perdendo a fé, eu nunca quis, nunca pude largar a Igreja. E por um simples motivo. Porque achava, e ainda acho, que o que a Igreja progressista faz no campo social é o melhor que há. Pelo que vi nessa minha vida inteira, hoje posso dizer que as pessoas que ali trabalhavam não manipulavam nada, elas davam suas vidas. Na boa. Vi dom Hélder fazer isso a vida inteira. Vi dom Hélder entrar nas catacumbas, vi dom Hélder enfrentar o cardeal Jaime Câmara sem desrespeitá-lo um minuto. E vi dom Hélder conseguir fazer a Conferência dos Bispos em 1952. Chamou todas nós, que trabalhávamos com ele desde os anos 40. Todo mundo foi. Alguns homens, mas a maioria era mulher. Quando ele soube que eu precisava trabalhar, disse: "Seu lugar é aqui. Vem para cá."

Isso foi em 1960. Minha filha Tônia ainda era de colo, chorava muito mesmo. É duro falar sobre isso. Dói fundo até hoje. Eu não queria deixá-la e sair para trabalhar.

Naquele tempo eu ainda vendia cosméticos, mas achava vender uma coisa horrível. Achava que vendendo estava vendendo a vida. Foi maravilhoso voltar a fazer o que sempre fiz, agora ganhando algum dinheiro, mas eu queria mesmo era ficar com a Toninha e os outros. Queria vê-los crescerem. Queria ser mãe e não podia.

Dom Hélder era uma das pessoas mais famosas do Brasil. Mas a nossa luta política pela justiça ainda era mais filantropia. Foi quando ele começou a construir a Cruzada São Sebastião. Casas para favelados no bairro mais elitista do Rio, o Leblon. A classe média achava um escândalo. Nós não tínhamos noção de como ele mobilizava as empresas. Ajudar os pobres ainda era nossa ideologia. A Igreja fazia oposição às idéias dele. Ficava ele com a Ação Católica e os leigos de um lado, e do outro lado toda a Igreja contra ele. Naquele tempo, quase todos os bispos eram conservadores.

Dom Hélder era bispo auxiliar, e suas convicções iam de encontro às do seu cardeal. Mas o cardeal tinha muito apreço pela santidade de dom Hélder.

Aí é que está. Quando você tem esse empuxo para cima, a esquerda e a direita são obrigadas a tirar o chapéu. É como a unanimidade hoje sobre dom Luciano Mendes de Almeida. E foi assim que dom Hélder conseguiu dinamizar a Conferência dos Bispos do Brasil nos anos 50. O cardeal entregou a ele o Palácio São Joaquim para que a Conferência funcionasse lá. Já era o tempo de João XXIII (1958-1963). Vi quando esse trabalho de educação de base começou. Criaram-se novas formas e métodos de educar os excluídos.

O engraçado é que dom Hélder era tão famoso que se tornou a grande pessoa contra Jânio Quadros, que foi eleito presidente em 1960. No Brasil não havia ninguém que agüentasse Jânio, de tão popular que ele era. Era um homem considerado de esquerda. Era personalista e imprevisível, para dizer o mínimo, e os partidos eram anti-Jânio. Não sabiam o que fazer para derrotá-lo. O nome de dom Hélder chegou então a ser cogitado para a presidência da República. Os jornais chegaram a publicar matérias sobre isso. Ele achou muita graça! E é difícil acreditar nisso hoje.

Jânio foi uma ameaça para o *political establishment*. O janismo foi um movimento da direita que tinha cara de esquerda. E deu no que deu: a renúncia dele em 61 e o movimento militar rebelde e antipátria de 64. Mas isso tudo vinha se formando aos poucos. Toda ação tem uma história. Essa ideologia transformadora se forma no fim dos anos 50, a partir da primeira tentativa paternalista de dom Hélder, e então apareceram alguns bispos dispostos a lutar pelos pobres. Tinham também uma visão progressista aqueles que eram amigos de Dom Hélder, alguns bispos do Nordeste, nenhum do Sul.

Os progressistas saíram do Nordeste, onde havia as Ligas Camponesas, com Francisco Julião já fazendo aquele belo trabalho com as Ligas, e com um panorama de injustiça social bem pior do que no Sul. Então é do Nordeste que saem Paulo Freire, dom Fragoso, dom Távora, e Julião também, que era do Partido Socialista mas que trabalhou muito com a Igreja, nas Ligas Camponesas. Já eram os anos 60. Mas é daí que se origina a educação de base, a Contag, onde vi em poucos anos se sindicalizarem alguns milhões de camponeses.

É incrível como esse movimento cresce rápido. Como de repente a minha vida de pessoa, de mulher, mãe de quatro filhos, ganha, sem transição, uma riqueza tão grande em um momento. Foi essa a segunda grande fase da minha vida. Não foram nem os poemas. Comecei a me realizar como ser humano quando a política entrou na minha vida. E, porque eu era escritora, fui para a Conferência dos Bispos como um dos membros da União Nacional Católica de Imprensa.

Introdução aos Anos 60

A Ameaça de um Continente

A partir de 1950, Jânio Quadros, um jovem político paulista, começa uma carreira fulminante: vereador, prefeito, governador, e em 1960 ganha a eleição para presidente da República. Sete meses depois, renuncia. Seu vice, João Goulart, Jango, cunhado de Leonel Brizola e amigo de Getúlio Vargas, assume o poder. Continuando na linha de Getúlio, abraça as causas populares e é considerado pelos americanos e pela burguesia o principal agente de Moscou na América Latina. Em 1964, é deposto pelos militares, que instauram uma ditadura e ficam no poder até 1985.

O golpe foi parte de um plano americano para "livrar" a América Latina da influência de Fidel Castro. Esta influência se alastrava pelo continente como fogo em floresta seca. Por isso, nessa década instalam-se as ditaduras militares em toda a América Latina. E, por outro lado, guerrilhas se organizam em quase todos os países, inclusive no Brasil. A resistência ao imperialismo e capitalismo transnacional no Brasil se intensifica, e no fim da década, os militares abatem de vez o país com o Ato Institucional nº 5. Estavam oficialmente instaladas a censura e a tortura.

E ainda por obra e graça de Deus, desde o início da década, pude testumunhar isso tudo de dentro do olho do furacão.

CAPÍTULO 7

Os Incríveis Anos 60: A CNBB e a Vozes

Eu nunca havia ido ao Nordeste. Mas eles vinham até nós. Todos os grandes líderes do Nordeste, todo mundo, o Brasil inteiro aparecia no Palácio São Joaquim, sede da CNBB, onde eu trabalhava. Eu era escritora, traduzia livros, já havia escrito poemas e era bastante conhecida dentro da Igreja.

Aquele foi um tempo glorioso. O da virada, que começara cinco anos antes com o padre Lebret e que agora chegava ao seu auge: a CNBB fazia grandes reuniões, trazendo pessoas de importância de todo o Brasil. Por exemplo, pessoas do Congresso Nacional e também das dioceses. Isso foi uma coisa nova. Reunir todos os grandes bispos num mesmo lugar e fazer uma assembléia nacional. Tudo para iniciar um trabalho sistemático pelos oprimidos.

Antes não era assim. Os cardeais anteriores eram dissociados do povo. O cardeal Leme, por exemplo. Sua fama não foi suficiente para aglutinar a Igreja e chegar a um consenso de ação. O povo nunca ouviu falar do cardeal Leme. Ele era um príncipe da Igreja. Um intelectual. Pertencia ao Centro Dom Vital, o centro de estudos e de reflexão que ele criou junto com Alceu Amoroso Lima, Jackson de Figueiredo e Gustavo

Corção desde os anos 30. Nunca nenhum deles teve a genialidade de se abrir para os pobres, como dom Hélder Câmara. Acho que a CNBB foi a primeira conferência de bispos do mundo que deu essa virada. Acho até que foi a partir da Conferência dos Bispos do Brasil que foram sendo tocadas e transformadas as outras conferências do resto do mundo. O papa João XXIII mandava suas equipes observarem o que se estava fazendo aqui. E acredito que ele escreveu as encíclicas *Mater et Magistra* e *Pacem in Terris* inspirado nesse projeto de dom Hélder, como projeto piloto.

Este foi o começo da implosão da Igreja Católica conservadora, que iria acontecer no fim do século. Ninguém mais, a partir dessas encíclicas, podia ignorar que não ser pobre era ser maior do que Cristo. E foi isso que tornou João XXIII a maior figura da Igreja do século XX. Talvez uma das maiores de toda a história da Igreja. Foi ele quem acabou com a cristandade, isto é, com a Igreja dona do Poder e a fez serva dos pobres, como foi Jesus Cristo. O que ele fez foi tão revolucionário que, mesmo com a conspiração da direita que veio mais tarde, nos anos 80, esse desejo do absoluto, essa ferida nunca mais se fechou. Até hoje sangra o desejo sagrado de justiça.

As Mulheres: Uma Nova Espiritualidade

O problema da sexualidade era ainda meio inexistente. Acho que ninguém se colocava essa questão, talvez só eu. Eu era uma das poucas casadas. E evidentemente, como não era satisfeita, era inquieta, embora nunca tenha me relacionado com ninguém, ali ou em qualquer outro lugar, pois para mim era impensável trair meus votos. As coisas nesse campo começaram a acontecer depois de 1968, mas já naquele momento a Igreja foi muito progressista no sentido de abrir espaço tanto para as mulheres quanto para os homens. E já era um grande começo.

Aquele trabalho era o melhor espaço para desabrochar a consciência de libertação das mulheres. O Partido Comunista tinha mulheres, mas elas não tinham no partido tanta importância quanto tinham na Igreja. Nos PCs, elas faziam mais cafezinho para os militantes do que outra coisa, e, quando militavam, eram os homens que sempre ficavam com a fama.

E foi então que começou o paradoxo. Os homens dominavam a Igreja. Mas, no fim das contas, eram as mulheres que em muitas instâncias decidiam. Os homens tinham suas profissões, seu trabalho, não podiam ficar ali o tempo todo. As mulheres ganhavam pouco, é claro, mas estavam ali em tempo integral e eram muito competentes.

Dom Hélder foi realmente um dos primeiros a valorizar as mulheres. O que deu força para dom Hélder fazer isso foi a santidade dele.

Ele tinha um celibato interno. Era totalmente sublimado, mesmo. Só tinha uma paixão: o ser humano. Era puro fogo. E quase não tinha corpo. Ele é um dos grandes santos do século XX. São raras essas pessoas. Por isso, quando digo que hoje não existe mais celibato, sei o que estou falando. Hoje, com a Teologia da Libertação, a relação homem/mulher tende a se consumar. A castidade foi alvo depois, nos anos 70, de severas críticas, como servindo ao sistema e ficou parcialmente desacreditada. Naquela época, ninguém nem supunha que o sistema manipulava a sexualidade e a castidade.

Aliás, a Igreja conservadora sempre transgrediu a lei do celibato, mas de maneira hipócrita. É só ver a história da Igreja: a castidade era só para os dominados. Os dominantes não. Mesmo o homossexualismo era visto pelo Código Canônico com indulgência, porque era muito comum. Mas, naquele grupo tão polêmico de todos os lados, a castidade era vista como a suprema prova de amor. E dom Hélder tinha muita afeição por mulheres. Ele tinha grandes amigas, mas todo mundo aceitava aquilo como coisa humana e importante, inclusive esse convívio espiritual mais profundo com as mulheres. Ele não era misógino.

Os Jovens: Uma Nova Política

Naquele tempo estava tendo início na CNBB uma tensão que acabaria de explodir com os militares. Muita coisa estava sendo decidida, decisões que viriam a ser essenciais para o futuro do Brasil e da Igreja. Mas nós não participávamos das reuniões dos bispos. Éramos mulheres. Não era permitido. Na Conferência dos Bispos, as coisas tinham que ser feitas com muita delicadeza. Aliás, como até hoje. E como é que se fazia a Ação Católica no concreto cotidiano? Havia duas tendências. A Igreja/Instituição e os leigos. A primeira se apoiava nos princípios humanistas da doutrina social da Igreja. Mas os leigos davam um passo à frente. Eles usavam a teoria de classes como instrumento orientador da sua ação.

Quem usava o marxismo eram os estudantes da JUC. A partir de 1960, constituiu-se uma esquerda cristã, e a JUC passou a ser uma instituição que inspirava medo ao governo.

A JUC era ao mesmo tempo marxista e católica. Difícil de entender. Quase impossível de aceitar por parte dos conservadores, que eram uma força ponderável. Por isso a JUC fundou a Ação Popular no início dos anos 60, para ter mais liberdade de fazer ação política sem ser pressionada pela hierarquia. A Ação Popular seria um partido como outro qualquer, aberto a todos os que quisessem compartilhar dos mesmos ideais, porém com suas leis próprias, livre da intervenção eclesiástica institucional. E ninguém podia questionar a sexualidade das pessoas da JUC. Nem a sua fé. O comportamento sexual do pessoal da JUC porém inspirava piadas, porque a sua sexualidade era totalmente sublimada. Uma dessas piadas era sobre um galo que vivia entre as galinhas, não fazia nada e era chamado de "o galo da JUC"! Todo mundo fazia aquilo com paixão. Era uma luta política fascinante. O Partido Comunista era assim também, sublimado. Mas sem a ideologia da recompensa depois da morte. Isso sim, era terrível! As pessoas acabavam ficando doentes, até morrerem de câncer.

Cada um trabalhava na sua área, a juventude estudantil (a JEC) começou a participar da AMES (Associação Metropolitana de Estudantes Secundaristas) e a JUC da UNE (União Nacional dos Estudantes). Já estavam em plena política institucional. E ganhando as eleições nos centros acadêmicos das escolas de quase todo o país. A JUC começava a ganhar a UNE, que era tradicionalmente dos comunistas, mas a JUC tinha os votos na mão, pois já transformava os métodos de assembléia com aquele método, do Ver, Julgar e Agir.

Aqueles primeiros grupos de Ação Católica que começaram nos anos 40 invadiram o país. E foram a origem das futuras comunidades de base; até hoje não conheço método mais perfeito do que aquele para fazer movimentos populares. Quando vieram as comunidades de base, e eram centenas de milhares já nos anos 70 durante a ditadura militar, o que elas faziam era aquilo mesmo que fazíamos antes de 64. Ou melhor, desde os anos 40.

E começou a surgir um projeto socialista diferente do comunista. Um projeto socialista começando pela base, com o povo organizado. Era como o projeto de Rosa de Luxemburgo, que vim a conhecer mais tarde, e pelo qual ela foi assassinada. Um socialismo pluripartidário, democrático, com o povo organizado a partir da base e não de cima para baixo. Acho Rosa a mulher mais importante do século XX. Com essa intuição, ela previu o que seria a organização política e social mais adaptada ao século XXI. Era um carisma profético absolutamente fantástico! Só agora no terceiro milênio o mundo inteiro começa a entender o que significa o pensamento dela. Foi preciso o comunismo cair para se entender que um modelo a partir do oprimido é viável. Um modelo oposto ao comunista. Neste sistema, o Estado era todo-poderoso e autoritário, mas no novo modelo a sociedade organizada toma as rédeas do Estado. E era aquilo mesmo que queria Marx, e que estávamos iniciando ali concretamente.

A Igreja desprezava e sempre desprezou os partidos políticos. Sabíamos que os partidos convencionais do Brasil não representavam o povo brasileiro e sim os poderosos. Não tínhamos nada a ver com a classe dominante. Um saco de gatos. Foi por isso que se fundou a Ação Popular. Como se fundou depois o PT. Eu ajudei a fundar a AP, mas tinha quatro filhos pequenos para cuidar e meu trabalho. E era escritora. Não entrei.

O *Painel Brasileiro*

Os franciscanos tinham uma revista de centro-direita chamada *Paz e Bem*. Um dia, chegou frei Leovigildo Ballestieri, pároco da Igreja de Nossa Senhora da Paz, de Ipanema, procurando alguém que escrevesse. Disseram que a escritora era eu, e ele me entregou a direção da revista, que então passou a se chamar *Painel Brasileiro*. A revista se tornou um sucesso nacional. O *Painel* tinha uma tiragem de dez mil exemplares. Era muito para aquele tempo. Todos iam vender assinaturas de porta em porta. Lembro que o primeiro número que dirigi tinha um artigo chamado "América Latina — A ameaça de um continente". Era sobre Fidel Castro. Cuba era para nós o grande modelo. A situação tinha virado. Agora os comunistas é que tinham medo de nós, da Igreja radical da esquerda.

Estranhamente, dentro da Igreja estava se passando algo muito interessante, porque ainda havia uma ala super-reacionária, mas ao mesmo tempo o movimento progressista católico era tão forte, tão forte, que era difícil para a ala conservadora não aprovar, em certo sentido, a sua ação.

É muito difícil, para quem não viveu dentro da Igreja, entender a sua lógica. Ela usa a política a seu favor. Nos anos 60, os leigos fundaram a AP, que não deu certo. Na clandestinidade, depois de 68, começaram a usar métodos violentos. Hoje, os cristãos jogam pesadamente no PT. Se este não funcionar, fundarão outros partidos. A Igreja controla o futuro! E há algo que só existe dentro da Igreja e que permite toda essa flexibilidade, tornando-a uma instituição eterna: a ideologia das catacumbas. A base da Igreja ainda era reacionária nos anos 60. Os padres que eram contra os militares eram perseguidos. Havia um padre em Ribeirão Preto que era muito perseguido por seu bispo, dom Agnelo Rossi. Veio acabar na minha casa, foragido. Havia ainda dom Angélico Sândalo Bernardino, que depois foi bispo auxiliar de dom Paulo Evaristo Arns. Eles eram perseguidos.

A Ideologia das Catacumbas

Essa ideologia das catacumbas já dura dois mil anos. A perseguição não é tomada como uma derrota, mas como um sinal de que se pode estar certo. Isso é de uma importância! Como está acontecendo agora com a Teologia da Libertação, que entra numa fase de catacumba. Por isso eu disse "é ótimo" — isso é muito bom para os progressistas. Daqui a pouco eles voltarão à superfície. Porque a catacumba é uma fase de germinação. As grandes teorias e instituições da humanidade têm que passar por essa fase de entrar dentro da terra e germinar como sementes, senão elas são falsas. Não têm vida! É por isso que os impérios nascem, crescem e desaparecem para sempre. Porque não têm esse sentimento de eternidade, e as grandes religiões têm. A Igreja é mais velha que as nações, e sobreviverá a elas...

Voltando ao início dos anos 60, o Brasil ia sofrer uma grande transformação. Depois do período desenvolvimentista de Juscelino, aparece o fenômeno Jânio Quadros, que dura pouco, como já vimos, e é logo substituído por João Goulart, que começa a jogar do lado do oprimido.

Agora a Igreja progressista tem força e uma ideologia formada. Paulo Freire já era conhecido, e as massas eram mobilizadas por uma enorme quantidade de militantes. A Igreja não se metia diretamente na política. E começa a apoiar Jango indiretamente, claro!

Nessa época já atuavam largamente as instituições que iriam se tornar as grandes inovações transformadoras da sociedade brasileira durante as décadas seguintes. O Movimento de Educação de Base, por exemplo, alfabetizava pelo rádio mais de trezentos mil camponeses no Nordeste. O método usado era o de Paulo Freire, que, depois de expulso do Brasil, em 64, veio a educar massas de analfabetos na Ásia e na África. Havia outra área, a da Sindicalização Rural. Vi ali se estimular a Contag (Confederação dos Sindicatos dos Trabalhadores Agrícolas). Já na época, milhões deles estavam se sindicalizando.

Os bispos queriam uma alternativa viável às Ligas Camponesas de Francisco Julião na Paraíba, que metiam medo aos militares, tal o seu nível de organização. No mais, havia a organização das rádios católicas, da imprensa católica (nesta eu trabalhava), que eram mais conservadoras, mas o todo, incluídos os trabalhos da juventude estudantil, era impressionante e crescia de maneira explosiva.

Naquela época, comecei a entender o que unia conservadores e progressistas dentro da Igreja. Como instituições conservadoras como a União Católica da Imprensa (Unci) e a Rede Nacional de Emissoras Católicas (Rence) e em parte o Movimento de Educação de Base (MEB), por exemplo, eram igualmente respeitados e considerados por progressistas e conservadores.

Conservadores e progressistas estão unidos diante de Deus, da Virgem Maria e dos Sacramentos, por exemplo, e separados diante da política. É uma lei que fez a força da Igreja durante dois mil anos. Quem pertence institucionalmente à Igreja não se mete na política, mas as pessoas podem fazer em particular seu trabalho político. É assim que se mantém a unidade da Conferência dos Bispos. Se não fosse assim, a Conferência já teria se desintegrado e virado um partido político, ou melhor, dois: um conservador e outro progressista.

A Espiritualidade Engajada

Em 1962, houve a polêmica entre Gustavo Corção e Antonio Carlos Vilaça sobre o padre Cardonnel. Ele foi fundamental para que se visse que era possível a esquerda na Igreja. O padre Jean Cardonnel era um padre dominicano, expulso da França por suas idéias progressistas. O que ele dizia, em suma, de maneira mais teológica, era que uma espiritualidade desencarnada, fora do mundo, legitimava toda a opressão, toda a injustiça do mundo. E que a espiritualidade ativa, engajada na luta política e social, era a mais alta forma de amor. Isso levou Gustavo Corção e os monges beneditinos para os jornais e para as rádios defenderem a espiritualidade contemplativa.

Corção tinha força na Igreja conservadora por causa da Editora Agir, na época a grande editora católica leiga. O último e mais importante livro dele se chamava *Lições de abismo*. Era uma novela de beleza inacreditável. Corção era um gênio literário, e foi um grande profeta até perder o seu dom com o ataque cardíaco. Que coisa trágica! Depois que ele perdeu esse dom, nunca mais escreveu obras de peso. Só escrevia artigos sem relevância. Perdeu seu impacto na sociedade brasileira. Só veio a ser importante outra vez quando conseguiu escrever contra Cardonnel, desencadeando uma polêmica que agitou o Brasil, a grande polêmica na qual se dizia teologicamente que é possível uma esquerda dentro da Igreja sem trair Cristo. O padre Lebret já ensinara tudo aquilo.

Os padres dominicanos em peso, por causa de Cardonnel, começaram a fechar contra os militares, e vieram a ser uma das instituições de oposição mais importantes no Brasil. A igreja na rua General Ribeiro da Costa, no Leme, Rio, e a da rua Caiubi, São Paulo, eram grandes lugares de resistência ao regime militar. O Rio era o grande centro irradiador, mas agora as coisas já aconteciam no Rio e em São Paulo E começavam a se espalhar pelo resto do Brasil.

Esquenta o Movimento Político

A JUC era tão difundida que tinha influência nas eleições do país inteiro. E a JOC já tinha mais ou menos conquistado a metade do movimento operário. A outra metade estava com os comunistas. Então, claro que o PTB tinha que ganhar as eleições de 1962. As pessoas que militavam foram fundamentais, mas não se falava nisso na Conferência dos Bispos, porque seria um horror. Poderia rachar a Conferência. Não era um assunto que se falasse lá. Então o que eu fazia?

Quando os franciscanos me vieram com a proposta de dirigir o *Painel Brasileiro*, uma revista que era de centro-direita, fiz dela um porta-voz da juventude de esquerda. Entre os colaboradores estava Herbert de Souza, o Betinho, que era tido como o Lênin daquela época, o mesmo Betinho que se tornou nos anos 90 um símbolo da humanização do sistema. Era hemofílico. Alguns anos depois que voltou do exílio, pegou AIDS. Dedicou o resto da vida a diminuir a fome dos pobres e obteve apoio de todo o povo brasileiro. Escrevia também outro fundador da AP, Luís Alberto Gomes de Souza, bem como Raul Lima, dr. Alceu, Heloneida Studart, que se tornou minha amiga pelo resto da vida. Todos eles escreviam no *Painel Brasileiro*, tamanho o respeito que tinham pela proposta da revista. E a revista se tornou um porta-voz da nova ideologia progressista. Os anos de 62, 63 e 64 foram os grandes anos do *Painel Brasileiro*, mas devo me penitenciar de uma coisa muito engraçada: votei em Carlos Lacerda, em 1960.

Carlos Lacerda tinha um charme louco para a classe média, eu incluída! Era o homem contra Getúlio! O discurso dele — contundente, espontâneo e erudito — cativou a classe média. Eu ficava fascinada. Ele tinha um carisma muito grande porque se colocava como o opositor. Mostrava Getúlio como o homem mais corrupto do mundo... Ele, Lacerda, era honesto. Foi o culpado direto pelo suicídio de Getúlio e indireto pela deposição de outros dois presidentes: Jânio e Jango. Depois que votei nele, imediatamente me arrependi, porque já começava a época da ideologia de esquerda assumida na Igreja. Só vi reacionarismo nele nitidamente quando começou a ficar do lado dos militares. Já em 64, Lacerda estava rasgando a cartilha do Movimento de Educação de Base, feita pelo metodo Paulo Freire. Ajudei a escolher fotos dessa cartilha porque entendia de produção gráfica, por causa do *Painel Brasileiro*.

A partir de 1962, a sociedade se dividiu. A conspiração para o golpe de 64 já ia adiantada. O IBAD (Instituto Brasileiro de Ação Democrática) era financiado pelos americanos e pelos empresários brasileiros, mandava uma propaganda riquíssima para toda a classe média. Ao menos no Rio era assim. A propaganda era anticomunista, daquelas bem no estilo "comunista come criancinha" A classe dominante estava toda ouriçada, achando que os comunistas iam tomar o poder.

E qual era a estratégia das elites dominantes para a tomada do Estado? Em primeiro lugar, conseguir o apoio das classes médias conservadoras. Isso se fez através do chamado do padre Peyton, mandado pela CIA, conclamando as famílias a rezarem o rosário. "Família que reza unida permanece unida", que é uma versão de um *slogan* americano "The family that prays together, stays together." Depois a conclamação das mulheres para uma grande marcha. Eu também fui chamada pelo meu colégio de freiras para marchar com todas as outras alunas na rua com o Santo Rosário do padre Peyton: pela família, Deus e a propriedade. Do colégio inteiro, acho que fui a única que recusou.

Eu já estava no *Painel Brasileiro*. Fui entrevistar a diretora da Camde (Campanha da Mulher pela Democracia), dona Amelita Bastos. A Camde estava organizando as mulheres contra o comunismo e o ateísmo. Cheguei a fazer essa entrevista porque frei Leovigildo exigiu, mas não cheguei a publicá-la. O *Painel Brasileiro* ficava localizado do lado da sala da Camde na igreja N. S. da Paz. Frei Leovigildo dirigia tanto a Camde quanto o *Painel*.

Vida Privada x Vida Pública: A Desconstrução da Maternidade

Eu trabalhava de manhã no *Painel Brasileiro* e de tarde na Conferência dos Bispos. Eram meus dois empregos, para conseguir suprir aquilo que meu marido não trazia para casa. Aí já era época de grande pobreza. Quatro filhos. Toda a riqueza tinha ido embora! Quem diria! E eu até achava que era aquilo que tinha que fazer, carregar minha cruz! Mas estava muito revoltada! Já queria ter outro tipo de vida. As crianças estavam crescendo, freqüentavam escolas. Toninha era bebê, e eu tinha que ficar o dia inteiro na rua, tinha que deixar as crianças na mão das empregadas. Nunca me passou pela cabeça conciliar a vida com as crianças com a minha vida profissional. Eu ia fazendo o que dava, ora uma, ora outra. A prioridade do momento. E até 1964 ainda vendia cosméticos. Tinha que ser. Com culpa ou sem culpa.

Não sei se fui boa mãe. Nos padrões tradicionais, acho que não. Para as crianças pequenas, aquilo aparecia como abandono. Mas o que eu podia fazer? Tinha que arriscar. Nunca concebi a maternidade como as outras mulheres. Nunca quis ser mãe devotada. Minha mãe era devotada, e melhor teria sido se não o fosse. Era presente na superfície e ausente nos níveis mais profundos.

Por isso desde cedo joguei as crianças no mundo. Hoje eles são homens e mulheres mais fortes que os outros de classe média. Sabem se "descolar" dentro de um sistema hostil, porque nunca foram superprotegidos. A minha primeira desconstrução, sem querer, foi a desconstrução da maternidade convencional.

Meu marido, de certa forma, supria o que eu era obrigada a negar: a minha presença. Ele amava as crianças. Apesar do seu desequilíbrio, sua relação com os filhos foi carinhosa.

E o resto Deus foi suprindo. A longo prazo eles foram entendendo. À medida que cresciam, minha relação com eles foi crescendo em qualidade. Eles iam entendendo o que eu fazia.

O que não ia bem nos anos 60 era minha vida interior. Não via saída para minha realização pessoal. Mas já era melhor que nos anos 50.

Nessa época eu ainda tinha amores platônicos, mas não tinha coragem de assumir nada. Estávamos construindo um novo mundo, uma nova sociedade. Aquilo era mais importante que todo o resto. Entendo isso hoje em profundidade, depois que saí da CNBB e da Igreja institucional. Vivíamos nesse ambiente eterno, ainda muito calcado na presença de Jesus Cristo. E que grande satisfação dava aquilo tudo! Por isso eu ainda escrevia poemas, alguns baseados na metáfora do sangue, do sofrimento e do deserto de onde vinham meus ancestrais... Eram desesperados. Sem esperança de qualquer saída humana. Tal como hoje, as massas se voltam para a fé evangélica. Porque não há saída humana, nenhuma possibilidade de felicidade pessoal para os pobres. Como não havia para mim. Eu ainda não sabia que só poderia viver se transgredisse as leis de Deus. Não sabia como elas eram manipuladas pelo sistema. Como as grandes massas que hoje "dão a volta por cima" por intermédio da religião também não sabem. Só nos anos 80 descobri que era a moral religiosa que mantinha coeso o sistema dominante.

Em 1962, comecei a tomar parte nos grandes acontecimentos. Nessa época a gente já tinha uma teoria desenvolvida. Ajudei, com o *Painel Brasileiro*, na construção desse pensamento, porque o *PB* dava voz à JUC, ao pessoal que estava fazendo as coisas junto com o Centro Popular de Cultura (CPC) da UNE. Mas o livro *Cristianismo e subdesenvolvimento*, uma transcrição da polêmica do Antônio Carlos Vilaça com Gustavo Corção, lançado em 1963 pela JUC, era mais importante que o resto.

Cardonnel ficava comigo o tempo todo na minha casa, juntamente com a mãe, que veio da França quando a ordem dominicana o estava expulsando do Brasil. Ele também foi expulso daqui. A Igreja conservadora estava exigindo. Eu nutria por Cardonnel uma paixão idealizada que tinha muito a ver com a parte mística. Essas paixões não tinham a ver com o corpo. Que coisa gozada!

Nessa época eu não ia mais ao Centro Dom Vital porque passou a ser um lugar da reação. Até dr. Alceu era considerado reacionário por essa Igreja radical de esquerda. Não encontrei mais com Gustavo Corção. Não adiantava. Ele achava que todos nós éramos comunistas perigosos. Escreveu contra meus artigos. Tinha um ódio de mim, mas um ódio... E eu era amiga da filha dele.

A Garotada e os Militares

Depois do golpe de 1964, os que eram moderados ficaram vivos e atuantes. Os que eram porras-loucas, a garotada de esquerda, ou foram para o exílio ou foram assassinados. Eu, que tinha quatro filhos e ajudei a fundar a AP mas não entrei porque achei que era tudo garotada, me salvei! Meu Deus, o que tinha de garotada! Eu dizia: "Vocês são muito burros! O Jango deu poder às crianças!" Eu tinha trinta e três anos, achava que o pessoal de vinte e cinco era criança. Umas crianças. Eu me recusei a ficar com eles. Achava-os muito imaturos. E eram! Ter filhos, alimentá-los são uma tremenda força de amadurecimento. E muitos homens não mexiam com essa parte da vida, por isso não amadureceram como as mulheres.

Então, quando houve aquele encontro de Jango com os sargentos, em 13 de março de 64, em que ele incitou os sargentos a se rebelarem contra seus superiores, já se prenunciava algo mais sério. Porque Jango pediu que os sargentos se rebelassem. Por isso o mês de março foi muito tenso. Não sei como essas pessoas não se deram conta de que algo estava para acontecer. Quando os dois milhões de mulheres no Rio e em São Paulo foram para a rua, coloquei em minha janela um pano preto com uma vela acesa: foi a maneira de as mulheres que eram contra a marcha manifestarem sua oposição. A tensão aumentava como o rugido de uma tempestade que se aproximava. Mas os jovens eram malucos!

No dia 30 de março, Betinho ainda estava eufórico porque as forças progressistas logo iriam tomar o poder. E esse delírio continuou até depois do golpe, que aconteceu em 1º de abril (dia da mentira) e não em 31 de março, como quiseram fazer crer depois os militares à história...

Lembro que no tempo da guerrilha de 1968, quando os jovens dominicanos convidavam o pessoal para assaltar bancos, para fazer uma escalada revolucionária, eu ainda não fazia psicanálise mas dizia: "Não contem comigo. Vocês estão lutando de pés descalços contra a bomba atômica. Vocês não têm noção do que é a tecnologia como os militares têm. Vocês não sabem as conseqüências dos seus atos, e isso vai dar em uma tragédia terrível." Eu sabia o que era a tecnologia. Fiquei quieta e não me meti com a subversão, embora depois me sentisse muito culpada por isso.

Mas em 1964 os militares se convenceram de que os estudantes representavam uma ameaça. Os militares têm sempre que ter um inimigo. Se não, perdem o prestígio e entram em decadência... Em 63/64, o pretexto para a tomada do Estado foi a "ameaça" dos estudantes ligados aos camponeses e aos sindicatos, e também aos movimentos que as esquerdas fizeram, que não eram comunistas mas que foram propositadamente confundidos com comunismo e caos.

Havia também a ameaça da opinião pública, porque os jornais em geral eram a favor dos estudantes. Jornais, televisão, rádio. Todos davam cobertura. Pró ou contra, mas davam. Os estudantes eram uma espécie de mito, de vanguarda da sociedade. Depois eles perderam esse carisma por causa da terrível repressão dos anos 70. Na ditadura militar, os estudantes que militavam politicamente já não existiam mais. E até hoje a juventude brasileira perdeu a sua força. Acho que esse foi o resultado mais terrível daquela repressão. Por ironia, também os militares perderam força. Ter militância política nos anos 60 fazia a vida desabrochar e adquirir um sentido mais pleno.

A Editora Vozes

Desde 1961, eu já estava na Vozes. Precisava trabalhar. Nesse ano apareceu na CNBB frei Ludovico, o novo diretor da Vozes, pedindo um escritor. "A escritora é ela", responderam. E ele me levou para a Editora.

Frei Ludovico Gomes de Castro era baixinho, meio careca, meio grisalho, de olhos azuis muito vivos, e me impressionou com seu hábito franciscano marrom. Eu estava longe de supor que ele iria se tornar a figura central da minha vida a partir desse momento.

A Editora estava em má situação financeira porque os padres não sabiam lidar com dinheiro. E ele era considerado a melhor cabeça comercial e ao mesmo tempo mística da ordem e da província no Brasil. Quando entrou, pouco a pouco a Vozes foi saindo do vermelho, e quando foi deposto, em 86, já era a segunda maior editora do país. Foram 25 anos que acabaram marcando para sempre a vida da Igreja e do Brasil.

Na editora, comecei traduzindo livros porque precisava. Mas o *Painel Brasileiro* foi tão importante que desde o começo frei Ludovico me deu o que ele chamava de *Coleções* para eu organizar, porque eu conhecia todo mundo. Comecei a editar livros. Uma coleção com o padre Gregori, que enfocava a parte sociológica da Igreja. Outra com o padre Nereu e o padre Paiva, que era uma coleção de catecismo modernizado. Em suma, levei para a Vozes a linha progressista da Igreja. Havia também uma coleção sobre educação, por intermédio do Osmar Fávero. E uma literária com a JUC (Sílvio Gomes de Almeida), em que já se falava de metalinguagem, prenunciando o estruturalismo. Entre as coleções, havia outra com Newton Carlos sobre política externa independente. Ele chegou a escrever para nós um livro sobre política externa brasileira.

E havia a Agenda. Em 63, fiz uma pequena agenda, com frases e fotos. No primeiro ano foram editadas dez mil, mas, depois que incluí alguns poemas, foram obrigados a chegar a cinqüenta mil.

E como os livros vendiam! Frei Ludovico ficava espantado: "Mas como esses livros podem vender tanto?!" Tanto que em 1964, quando fui expulsa da Conferência dos Bispos por causa do golpe militar, ele me levou para trabalhar sistematicamente na Editora Vozes, mas ainda não em tempo integral.

Antes de frei Ludovico, a Vozes era horrível: era uma editora que publicava livros contra os protestantes, contra os espíritas, contra os ateus. Tinha uma imensa série de livros, feitos por frei Boaventura Kloppenburg, que, como no tempo da Inquisição, defendia a Igreja Católica contra todas as correntes de pensamento que se lhe pudessem opor. Mais tarde frei Boaventura se tornou um dos bispos mais conservadores do Brasil durante a ditadura militar. Na época, comentou-se muito que ele era um dos principais informantes do Vaticano sobre nossa atuação.

A *Revista Vozes* era a mesma coisa. No fim dos anos 60, ela ficou com frei Clarêncio Neotti. Cheguei a escrever dois artigos, um deles inclusive falava sobre a Nova Ordem Mundial, que um dia haveria um colegiado mundial para governar o mundo, regulando a economia. Depois briguei com frei Clarêncio e ele se tornou meu maior opositor.

Encontrar alguém competente para dirigir uma editora não é coisa fácil. Frei Kloppenburg era um teólogo formado no exterior, e todo teólogo que a ordem designa para trabalhar na editora tem que ir. A maioria deles não permanecia no cargo pois não tinha competência. Os que tinham, ficavam, como frei Ludovico, que ficou de 1962 a 1986. E só saiu porque a ordem foi pressionada diretamente pelo Vaticano.

A ordem, em menores proporções, tem em sua estrutura o mesmo mecanismo da Igreja. Todas as ordens tinham e têm esse mesmo tipo de funcionamento, a franciscana, a dominicana etc. E em quase todas o que se via era confronto entre progressistas e conservadores. Elas estavam cindidas, mas não rachavam.

Ao mesmo tempo eu ainda trabalhava na CNBB. Era uma das diretoras da União Nacional Católica de Imprensa. Trabalhei na UNCI com mais de cem jornais. Aquilo era um horror. Eram jornais que atingiam as bases, jornais de interior que penetravam em profundidade no povão religioso. E tão conservadores. Eu embirrava com eles. Aqueles jornais pareciam todos do século XIX. Aparecia neles um tipo de espiritualidade fechada sobre a Virgem Maria, o Sagrado Coração de Jesus etc. As pessoas deviam ser imitadoras da Virgem: por exemplo, deviam converter o mundo para Cristo, diziam que o mundo comunista era o mundo de Satanás. Essas coisas. Esse era o grosso das publicações que eu recebia. Nunca recebi nenhuma que valesse a pena, no sentido de consciência de que o mundo estava se transformando e de que a Igreja tinha uma vocação entre os pobres. Então, o único veículo de esquerda era o que eu fazia, o *Painel Brasileiro*.

CAPÍTULO 8

1964: A Conquista do Estado

Quando chegou 64, não tive medo. A Igreja não estava organizada para entrar na política convencional, e sim na que ela mesma fazia, a do oprimido contra o opressor. Deus não tinha nada a ver com a política convencional. A Igreja estava lançando, pelos séculos afora, os fundamentos de uma ideologia nova. A Igreja se acha com o direito de fundar um mundo novo. E faz! E foi por isso que nós fizemos também. Outra coisa: a Igreja é eterna, ela espera o tempo que for necessário. Vou dar um exemplo do que aconteceu comigo nos anos 70 e 80. Para a Igreja conservadora me tirar da Vozes, foram necessários uns vinte e cinco anos. Até acharem um motivo, e eu dei esse motivo: o livro *Por uma erótica cristã*, que escrevi em 1985. Eles levaram quinze anos para pegar frei Ludovico também. E só pegaram quando estavam internacionalmente por cima. Nunca fizeram nada quando estavam inseguros. Porque a Igreja é a encarnação da verdade. Enquanto os conservadores não puderam ser essa encarnação, eles não fizeram nada contra nós. E só puderam ser a encarnação da verdade quando tiveram um motivo para nos mandar embora. Eles criaram condições para isso.

E isso acontece na Igreja tanto do lado dos progressistas quanto dos conservadores. Naquela época, os progressistas estavam usando essas mesmas leis da Igreja. Criando condições para fazer nascer um mundo novo, por causa da repercussão mundial do trabalho e da obra de dom Hélder. E, nos anos 80, os conservadores começaram a criar condições para acabar com esse mundo novo. Foi assim que a maioria dos bispos fechou com os militares, enquanto os 20% de bispos progressistas fechavam com o povo brasileiro.

Setenta por cento dos que foram presos eram cristãos. Os comunistas já sabiam lidar com a clandestinidade, quase todos se mandaram. Os cristãos não. Eram inexperientes, agiam às claras. E, na hora em que foi dado o golpe, foram pegos de surpresa. Um dia antes de 1º de abril, como já disse, Betinho ainda estava excitado porque, acreditava, estavam próximos de tomar o poder.

Mas eu mais ou menos esperava o golpe. Alguma coisa tinha que acontecer. Por causa do IBAD e da Camde. Os mais maduros de nós esperávamos. Recebíamos muito material do IBAD. As freiras estavam convocando as alunas e ex-alunas. Frei Leovigildo era um dos que estavam organizando as mulheres para dar apoio aos militares. Mas os militantes leigos jovens da Igreja não ouviam, porque achavam que eram as únicas pessoas que estavam com a verdade. Havia esse lado negativo também de arrogância e imaturidade dos militantes, entre eles Betinho.

Nem eu nem a Igreja progressista, no entanto, achamos que era uma ameaça contra o nosso projeto. Acreditávamos que era só um momento passageiro de catacumba.

Depois de 1º de abril de 1964, a Conferência dos Bispos continuou a mesma. Continuaram o movimento de educação de base, o movimento de sindicalização rural, o movimento de rádio: as mulheres continuaram trabalhando como se nada houvesse. O dia seguinte ao 1º de abril não foi sequer feriado.

Dom Hélder foi transferido para ser arcebispo do Recife. Algumas mulheres que conseguiam trabalhar com a Igreja progressista e com a Igreja conservadora ao mesmo tempo ficaram lá dentro. Janete Pucheu,

Marina Vera... Elas eram mais equilibradas... Eu é que era inquieta! Tudo continuava como sempre, só que eu perdi o emprego na CNBB. Um detalhe ínfimo. Perdi o emprego porque veio um rapaz de Roma que fez uma fofoca contra mim e contra o pessoal da Igreja progressista para ficar com o emprego. Fiquei tão irritada porque aquele menino tinha o espírito da Cúria Romana. Na história da Igreja, nos bastidores da Cúria Romana, os burocratas e eclesiásticos ficam fazendo intrigas, conspirando. E ele tinha essa cabeça hipócrita da Cúria Romana.

E fui expulsa também do *Painel Brasileiro*... Dois anos depois frei Leovigildo, antes de morrer, me pediu perdão, e disse: "Agora eu sei o que são os militares. Achava que eram outra coisa." E pediu que eu fizesse parte de um congresso da Ordem Terceira Franciscana em 66. Não fui porque estava amamentando a Verônica, minha filha temporã. O nascimento dela foi menos traumático que o da Toninha. Os irmãos já estavam crescidinhos. Ela teve neles pais e mães. Cristina, aos 12 anos, já ajudava a tomar conta da casa.

A minha família era diferente da família burguesa convencional. Era mais uma família extensa do que nuclear. A maternidade era compartilhada. Éramos pobres, mas vivíamos no Leblon, o lugar mais sofisticado do Rio. As crianças foram criadas na praia. Marcos já estava no ginásio. Apesar das dificuldades, eles eram maravilhosos.

O Fim da Festa

As comunidades de base não sofreram com o golpe de 64. Não houve repressão contra elas. Porque elas eram místicas, e não políticas. Mas contra a JUC e a JOC sim. A JUC acabou em 66, e toda a Ação Católica foi dissolvida também nesse mesmo ano pelos bispos. Dom Cândido Padim, bispo de Bauru e responsável pela Ação Católica, era ótimo, mas já tinha contra si os bispos conservadores, e foi obrigado a dissolvê-la.

Motivo: subversão! Para a Igreja conservadora, a JUC era considerada marxista e, como tal, contra a Doutrina de Cristo.

Mas o que a gente lia mesmo era Teilhard de Chardin e Emmanuel Mounier, que não eram muito chegados à teoria de Marx. Então, quando os cristãos eram presos, os militares perguntavam: "O que vocês lêem? Marx, Engels?", eles respondiam: "Não. Teilhard de Chardin e Emmanuel Mounier." Os militares não entendiam e achavam que o pessoal estava sacaneando. Isso pode até parecer o famoso "jeitinho" brasileiro. Mas era verdade. Eles liam Marx e Engels, mas liam também Teilhard de Chardin e Emmanuel Mounier. Mounier desenvolveu a teoria da pessoa humana que tinha que ser respeitada na pessoa do pobre. Muito no sentido de Lebret, que foi influenciado por Mounier. E Marx tinha uma teoria mais abstrata. Eles diziam: "Marx faz da pessoa, do pobre, um número. Teilhard e Mounier fazem dos pobres pessoas." Por isso os jovens os seguiam, e não a Marx. Não aceitavam o ateísmo marxista.

Foi por isso também que em 89 o comunismo acabou, porque ele despersonaliza os seres humanos. E é por isso ainda que essa tendência progressista da Igreja continua. Ela valoriza e tem respeito ao mais pobre dos pobres, que são a imagem de Cristo. Os cristãos só usavam a teoria das classes do marxismo e rejeitavam o ateísmo e a hegemonia do Estado. Só as partes sociológica e econômica, não a política, até hoje são usadas... Quem sistematizou essa nova teoria foi Leonardo Boff, nos anos 70. Mais tarde dom Hélder iria dizer que Leonardo e os outros deveriam assimilar Marx ao cristianismo como no século XIV Santo Tomás assimilou Aristóteles. Grande dom Hélder!

Nos anos 60 não se sistematizava nada. Nem se pensava em fazer isso. Era a hora da prática que precede a teoria. Sem prática não há teoria. A prática é soberana.

O Velho e o Novo Mundo

A história sempre enfatiza o governo central e os partidos oficiais. É Getúlio, ou Juscelino, ou os militares, no poder. Mas quando a gente trabalha com esse modelo novo de sociedade, contra o qual os militares estavam lutando, a envergadura é outra. Na década de 60, eles estavam tentando esmagá-lo porque só pensavam em Fidel Castro. Mas a esquerda radical da Igreja achava que Fidel Castro era muito pouco. O que a gente pensava é que os partidos oficiais eram essencialmente corruptos. Já se sabia que eles serviam ao sistema, e não adiantava lidar com um sistema político feito para reforçar a classe dominante. O que os leigos cristãos faziam naquela época — e eu entre eles mais como testemunha do que como realizadora — seria um modelo do ponto de vista do oprimido. Isso já estava claro na cabeça de todo mundo. E contra esse novo modelo é que foi feito o golpe militar. Não foi nada além disso. Não foi contra os comunistas: foi contra essa visão que só ganha força no fim do milênio. Naquela época ela era totalmente invisível para o sistema. Agora é que começa a ganhar visibilidade mundial. E só ela é apta para ser modelo do século XXI, de tão alta velocidade de comunicação.

Um dos aspectos dessa globalização do início do século XXI é que qualquer modelo do ponto de vista do opressor acaba desmoronando. Como a Ásia hoje. É um capitalismo tardio e de pouca experiência, em que os senhores ainda feudais que usaram o Estado em seu benefício caíram pela própria força da História. Os povos terão cada vez mais peso. A partir de agora começam os grandes movimentos de libertação. Aquela década de 60 no Brasil foi um dos embriões. Só hoje se pode ver isso.

A teologia adequada para o terceiro milênio só começou a ser produzida a partir dos anos 70. Não foi à toa que fui para a Editora Vozes: Deus sabe o que faz. Quando Leonardo Boff começou a pensar, já havia bastante massa crítica para ele se apoiar.

Depois de 1964

A música que mais se cantava em 64, e que chamávamos de *A marcha das viúvas da Revolução*, era uma marcha da bossa nova. "Acabou-se o nosso carnaval. Ninguém mais pode cantar canções." E era assim. Porque foi realmente um carnaval das crianças.

Mas continuamos até a reunião seguinte da CNBB, quando dom Hélder foi transferido para Recife e chegou dom José Gonçalves. Cheguei a me encontrar com ele; disse-me que não tinha o carisma de dom Hélder e que era um bispo comum, provinciano. E por isso iria colocar a CNBB dentro de uma rotina. E foi o que fez. Então os movimentos sociais perderam seu brilho. Pouco a pouco, foram se transformando, durante o governo militar, em departamentos burocráticos da Igreja. Aos poucos o movimento de educação de base foi perdendo força, pouco a pouco a Igreja se retirou do trabalho com os camponeses. Que dor quando em 1966 a Ação Católica foi dissolvida. Triste fim de um passado tão belo.

Foi nessa época que dom Eugênio Sales se tornou cardeal do Rio de Janeiro. Era um homem considerado progressista, da ala de dom Hélder, mas sabíamos que no fundo daquele progressista havia um conservador.

Dom Eugênio Sales deve ter hoje quase oitenta anos. Ainda é arcebispo do Rio de Janeiro, mas, logicamente, há uma medida de dois pesos na Igreja: dom Hélder Câmara e dom Paulo Evaristo Arns foram obrigados a renunciar com 75 anos, a idade legal, porque eram progressistas. Para os amigos tudo, para os inimigos, a lei!

Aí está a luta do novo contra o velho. Como havia duas facções na Igreja, uma ganhou e a outra perdeu. E esses movimentos iriam continuar com aquela que perdeu. Porque, nesse ponto, os bispos respeitavam os outros bispos. A Conferência, é bom que se saiba, não tinha poder de decisão sobre a ação dos bispos pessoalmente. Os bispos se reportavam diretamente ao papa. Ela era uma espécie de sindicato, uma instância para cuidar dos problemas de cada bispo de todo o Brasil, mas não mexia com a consciência deles. Até hoje é assim.

Agora é outra fase. Enfim, aquele havia sido um período de festa. Mas cheio de sofrimentos também. Depois de 64, os militantes aprenderam na marra. Quase todos os ativistas católicos de esquerda que conheci foram embora para a Europa. Estavam em pânico. Lembro de um rapaz, que era o vice-presidente da UNE, que veio para a minha casa fugindo pelo Brasil inteiro. Era Carlos Castilho, que veio a ser depois um dos jornalistas da Globo.

À medida que o tempo foi passando, aquilo que a gente achava que era o máximo do progressismo antes de 64 veio a se mostrar uma oposição moderada. Nos anos 70, eu relia o *Painel Brasileiro*, nos anos 60 considerada uma revista vermelha, e fiquei boba! "Meu Deus. Quem diria! Tão fraquinha." Quando Leonardo Boff chegou, aquilo virou. Aí realmente o pensamento cresceu. Já se enfrentavam as multinacionais. Até a educação católica, que era muito reacionária até 64, passou a ser progressista depois de 70, quando a CNBB se uniu contra os militares.

No tempo do Castello Branco havia repressão sim, mas não muita tortura. Eu não soube de tortura braba. Depois de Costa e Silva e do AI-5, aí sim, houve muita tortura. Inúmeras pessoas foram torturadas porque eram, por exemplo, vizinhas de um subversivo. Muita gente foi torturada e morta sem saber por quê. Isso eu soube de pessoas conhecidas, mas até 68 não era assim, inclusive vários amigos meus foram interrogados por minha causa. Os militares queriam saber quem era "aquela mulher". Aí diziam: "ela é apenas diretora editorial da Vozes". Foi assim que me salvei da tortura.

CAPÍTULO 9

De 65 a 68: A Queda no Tempo

Depois que fui expulsa da CNBB em 1964 e por causa da minha grande responsabilidade financeira, de 1965 a 1968, eu tinha que ter um emprego. Em 65, trabalhei para o Sindicato dos Jornalistas Profissionais, porque a pessoa por culpa de quem fui embora da CNBB ficou envergonhada e me convidou para eu diagramar e redigir um jornal. Durou pouco tempo. Enquanto isso, eu continuava na Editora Vozes.

Mas foi aí que comecei a trabalhar com Bilac Pinto na Editora Forense. Foi o Ernest Fromm, da Agir, quem disse: "Olha, tem uma vaga de editor na Forense." Era uma grande editora, a maior do Brasil na área de direito. E ele acrescentou: "Acho que uma mulher com a sua capacidade tem que trabalhar com livros." Foi assim que consegui meu primeiro emprego oficial na área editorial.

Lembranças de Paris

Quando Fromm me disse aquilo, lembrei-me do que tinha acontecido comigo em Paris em 1950. Eu e mais outros brasileiros estávamos tendo aulas na Sorbonne sobre Edmund Husserl com Jean Wahl. Não entendíamos nada, mas não importa. Um dia, uma das professoras me perguntou: "Você não quer ir ao lançamento do livro de uma jovem filósofa, sobre a mulher?" Era *O segundo sexo*, de Simone de Beauvoir. Na mesma semana, outro convite para outro lançamento. Era o livro de Norbert Wiener, *La Cybernetique*, a nova ciência do século XX.

Naquela hora, aquilo me veio à lembrança. Os dois livros tinham incendiado o mundo. Eu estava tendo um lampejo do que era ser editora. Eu também queria incendiar o mundo. Eu aceitara o emprego, mas não tinha noção nenhuma do que era editar. Fiz um programa editorial, acho que meio mirabolante. Levei o Piaget para lá, o Edgar Morin, levei principalmente Antônio Barros de Castro e Carlos Lessa, com uma *Introdução à Economia* que chegou a vender duzentos ou trezentos mil exemplares nos anos seguintes.

Nessa época, eu ensinava o que aprendia sobre editar às filhas do Bilac Pinto, a Regina Zingoni, que foi presidente, por muito tempo, do Sindicato Nacional dos Editores de Livros, e a Beatriz, que depois fundou a Forense Universitária. Esse período foi também meu aprendizado empresarial como editora. E dois anos depois, de repente, o seu Mário, secretário do Dr. Pérsio, irmão do Bilac, me mandou embora sem dizer por quê. Era 67. Ah! Eu tinha escrito meu primeiro livro.

Um Livro em Vinte Dias

Escrevi *A mulher na construção do mundo futuro* em 65. Foi publicado em maio de 66, para o Dia das Mães. Frei Ludovico, que era um gênio popular, me dissera um ano antes: "Filhinha, você é mulher. Por que não escreve um livro sobre a mulher?" Eu estava precisando de dinheiro, não queria mais viver de traduções, porque aquilo era muito chato. Então, em vinte dias escrevi o livro. Ele foi dedicado a João XXIII. Na primeira página, citei uma frase dele: "Este é o século da libertação dos países subdesenvolvidos, da classe operária e das mulheres." Isso foi dito no início dos anos 60, antes de se sonhar com o feminismo ou a Teologia da Libertação! E a frase mexeu muito comigo. Na época eu nem sabia da existência de Betty Friedan, que já havia publicado *A mística feminina*. Sabia da existência de Simone de Beauvoir. Claro! A Igreja a considerava o demônio, porque ela era existencialista, atéia e tinha uma vida devassa para os padrões morais da Igreja conservadora daquele tempo. Dali a dez anos, eu é que estaria sendo expulsa da Editora Vozes como uma pessoa devassa, a pedido da CNBB. Ninguém imagina o que é isso. Nem imagina o que é a patrulhagem sexual da Igreja.

Naquele momento entretanto tive essa intuição de ligar a opressão da mulher à opressão econômica. Pela primeira vez, nesse livro, a opressão da mulher era ligada ao problema das classes oprimidas. E não havia uma visão marxista para o problema da mulher. Nunca se tinha feito isso.

Foi um livro de intuição. Escrito "de estalo". Não fiz nenhuma pesquisa. Lembro-me de que o escrevi em vinte dias. E lido hoje, trinta anos depois, é ainda moderno, em certa medida. Mas nunca vou republicá-lo. Ele não tem a força do *Automação e o futuro do homem*, que escrevi a seguir. Foi a primeira coisa que escrevi, e não acredito que seja relevante hoje — mas para o tempo dele foi.

Feminista por Intuição

O livro falava especificamente do que era a opressão dos países desenvolvidos sobre os países subdesenvolvidos. E, depois, do que era a opressão do sexo masculino sobre o sexo feminino, estabelecendo a ligação entre as duas. Em 1965! Eu não conhecia nada, nem sabia que existia o movimento feminista. Eu já era feminista por intuição.

O que sei é que o livro vendeu dez mil exemplares em três meses. Foi o segundo livro mais vendido da Editora Vozes, sem nenhuma promoção, sem nada. Foi o boca-a-boca.

Eu tinha lido num livro francês uma frase que me impressionou muito, e a interpretei nesse meu livro: "Um país não se desenvolve se não desenvolver suas duas metades, a feminina e a masculina." Ou seja, enquanto não desenvolver a metade feminina, nada se desenvolve plenamente... Quando se fala com um homem — foi basicamente isso que coloquei no livro —, se está falando com uma pessoa, e tudo se esgota nele. Quando se fala com uma mulher, como é ela quem cuida das crianças, se está falando para a cadeia das gerações. Então, a mulher é o fundo biológico da espécie. E foi por isso que as mulheres no Brasil começaram a sentir orgulho de serem mulheres. E começaram um movimento de libertação. Era o único discurso viável naquele tempo. No final dos anos 60, esse livro já era adotado pela maioria das escolas católicas particulares femininas. Por causa dessa noção. E foi assim que comecei a ganhar as freiras para o movimento progressista da Igreja, como mulheres.

Não existia nada escrito sobre a mulher. Nem no Brasil e nem em língua portuguesa. Só teses universitárias. Existia apenas um livro da Carmem da Silva, *A arte de ser mulher*, editado pela Civilização Brasileira. Ela era famosa e escrevia na revista *Claudia*. Cheguei a conhecê-la por causa desse livro. Naquela época, nos tornamos amigas. Voltei a revê-la em 1970, no auge da repressão. Mas Carmem da Silva era lida pelas universitárias nos anos 60 e pelas donas de casa nos anos 70. Olha só por que transformação a mulher brasileira passa de 65 a 75.

Os meus primeiros livros tinham um pensamento universal e não especificamente brasileiro, como o dos intelectuais da época. Porque eu era assim. Eu já na época era a favor do teorema de Gödel. "Qualquer conjunto nunca se resolve dentro dele mesmo, mas sempre num conjunto imediatamente superior." Este teorema é a base da matemática moderna. E tem a ver com a minha formação em ciências exatas.

Mas eu achava, como na época da CNBB, que quem pudesse falar tinha que falar sobre a opressão. Lembro de um livro do John Gerassi, *The great fear in Latin America*, em que ele mostrava como os americanos estavam dominando todos os países da América Latina... Esse livro se chamou em português *A invasão da América Latina*, e fez um sucesso tremendo aqui. Sucesso merecido porque foi o primeiro livro que descreveu no detalhe como essa dominação se processava. Coloquei alguma coisa desse livro no meu porque pensei que se não se lutasse contra o capital internacional, não adiantava lutar contra o machismo... Na época não se podia falar nisso.

Em 1966, Gerassi mostrava quando a Venezuela iria perder seu petróleo porque os americanos estavam sugando o solo venezuelano (ainda não tinham sido descobertas as novas reservas do México). O cobre do Chile ia quase todo para os Estados Unidos. Bem como o ferro do Brasil. E assim por diante. Fiquei muito impressionada. E soube que o livro também teve um enorme impacto nos Estados Unidos.

Era esse o assunto do meu livro, e anexos estavam os poemas sobre sexualidade que escrevi para o *Painel Brasileiro*. O livro vendeu trinta mil exemplares, até ser proibido pelos militares, como pornográfico, nove anos depois, em 75. Eu estava surpresa com o sucesso do livro. Nunca esperei. Ganhei um bocado de dinheiro. Acho que, com esses dez mil livros, devo ter ganhado uns 10 mil dólares. Graças a Deus. Foi quando começou a minha vida pública.

Passei a ser uma pessoa mais procurada, porém a influência que esse sucesso todo teve sobre o meu autojulgamento foi nenhuma. Sempre escrevi porque precisava de dinheiro para sustentar meus filhos. Eu já sabia que não havia esperança no meu casamento. Então botava toda a minha libido no trabalho e no pensamento. Era a minha única saída. A primeira saída para a minha sexualidade foram os poemas, mas uma saída não muito satisfatória. Depois veio a política, a primeira saída verdadeiramente humana. Depois, nos anos 70, a própria sexualidade. Hoje já é outra coisa.

Quando o livro foi publicado, eu já estava na Editora Forense. Estava grávida. Minha filha Verônica nasceu em outubro de 66. O livro foi publicado em maio do mesmo ano. Me lembro até da cor do vestido que usava no dia. E do orgulho que senti por ser uma escritora bem-sucedida e mais uma vez futura mãe.

Dois Anos e um Lindo Evento

Voltando ao meu trabalho editorial. Fiquei dois anos com o Bilac Pinto... ele tinha uma admiração! Nunca falei com ele, mas ele sabia quem eu era.

Bilac Pinto era um homem inteligente e riquíssimo. Foi nosso embaixador na França. Um dia pedi a ele que arrumasse vinte passagens de avião para um grupo de teatro da Universidade Católica de São Paulo, para irem a um congresso internacional de peças de teatro em Nancy, levando uma peça de um jovem de vinte anos chamado Francisco Buarque de Hollanda. A peça se chamava *Morte e vida Severina*, e ganhou o primeiro lugar.

Era uma peça de resistência. O texto era de João Cabral de Melo Neto. Na Conferência dos Bispos, conheci a primeira mulher dele, Estela, e, por intermédio dela, as coisas de João Cabral. Achava-o um grande poeta. E foi por causa de João e Estela Cabral que batalhei essas passagens. Bilac as deu na hora. Depois, quando vi *Morte e vida Severina*, fiquei apaixonada. A peça pode ser dita de "um gênio". Acho que foi a melhor coisa que Chico Buarque fez na vida. Até hoje ainda acho isso. Não sei se é porque, com seu gênio, Chico conseguiu entrar profundamente na cabeça de João Cabral e na do povo brasileiro ao mesmo tempo. Mais tarde, ele voltou a ter outros lampejos de genialidade. Depois até estourou com *A Banda*, *Carolina*, *Sabiá*, nos festivais da TV Record, e no fim dos anos 60 ele aparece com Caetano... Mas *Morte e vida Severina* é uma obra-prima. Ele era tão tímido que não falava com ninguém, precisava beber para conseguir conversar com as pessoas. Muito bonito, as mulheres viviam atrás dele. Tinha uns olhos verde-ardósia que eu não via, mas vivia cercado de mulheres. Provavelmente até hoje! Vi Chico Buarque há uns anos, e estava mais bonito do que quando jovem. Isso acho eu, se bem que não tenho olhos para julgar. Para mim, sua genialidade é cíclica, com picos maravilhosos e paradas.

Em 67, fui posta para fora da Forense, que ficou então com as filhas de Bilac Pinto. Elas até vieram me pedir desculpas mais tarde. Seu Mário era praticamente analfabeto, mas devia entender de orçamento. Não o julgo de jeito nenhum, mas sei que tomei um porre. Tomei três doses de uísque naquela noite. Estávamos eu, meu marido e frei Ludovico, e perdi a consciência. Comecei então a desacatar as pessoas de outras mesas e fiquei três dias com gosto de guarda-chuva na boca. Foi meu primeiro grande porre (e o último). Eu não sabia o que iria fazer da minha vida. Mas logo recebi um convite de um rapaz, cujo livro publicara, para trabalhar com ele na Fundação Getulio Vargas.

Frei Ludovico já era grande amigo. Saíamos juntos. Eu o levava, ainda com meu marido, aos restaurantes, teatros, cinemas. Através de mim, ele tomava contato com a realidade leiga e profana. Nos anos 70, esse contato iria ser importantíssimo para ele depois, devido ao papel que a editora passou a desempenhar na vida nacional.

A Imprensa como Resistência

Aqui vale falar sobre o papel da imprensa na ditadura militar. Algumas pessoas conseguiram furar o bloqueio. Dr. Alceu, me lembro, falava dos ossos de dom Pedro I, que ele chamava de "os ossos do galego", que o exército estava levando por todo o país em 1972, nas comemorações pelos 150 anos da Independência do Brasil. Ele escrevia esses artigos no *Jornal do Brasil*, em plena censura, em plena tortura. Nesse tempo, Carlos Heitor Cony era também uma das poucas vozes contra a ditadura. Depois endireitou.

O Dr. Alceu já era velho na época, estava acima do bem e do mal, como Barbosa Lima Sobrinho. Ninguém ousava tocar nessas pessoas. Naquela época de censura, todos os jornais tinham censores dentro do próprio jornal. No *Estado de S. Paulo*, por exemplo, muitas vezes vinham receitas de culinária, no lugar dos editoriais censurados. E freqüentemente eles recebiam cartas de donas de casa zangadas, dizendo que as receitas não davam certo.

A censura aqui era tão forte que em 1971, já no ostracismo, dom Hélder foi candidato ao Prêmio Nobel da Paz. De 400 nomes, sobraram dois: ele e Willy Brandt, chanceler alemão. Entre os cinco jurados só havia um indeciso. Dois haviam votado nele e dois em Willy Brandt. E os militares fizeram tal pressão sobre o governo da Suécia que o jurado, acuado, acabou votando em Willy Brandt. Mas a população sueca, revoltada, deu a ele o Prêmio Nobel Alternativo do Povo. Um milhão de dólares. Entregues no momento em que Brandt recebia o Prêmio Oficial, na praça em frente ao Parlamento sueco. E ele distribuiu todo o dinheiro. E aqui não se disse uma palavra! Só a *Veja* deu uma nota, em fins de 1997. Pode?

A Fundação Getulio Vargas

No começo de 1968, fui para a Fundação Getulio Vargas; trabalhei com Benedito Silva durante oito meses. Sofri muita perseguição, e ainda por cima o trabalho era muito idiota.

Benedito Silva era ligado a Luís Simões Lopes, que tinha sido auxiliar direto de Getulio e criou o DASP (Departamento Administrativo do Serviço Público) em 1934. Ali, pela primeira vez na minha vida, vi o que era uma briga de poder numa instituição governamental. Eles não deixavam as pessoas subirem, de tão burocráticos que eram. Ali conheci o Cicom (Centro Interamericano de Comércio Exterior), o Ibre (Instituto Brasileiro de Economia), estabeleci relações de amizade com pessoas de grande porte no mundo empresarial. Foi a primeira vez que saí do mundo da Igreja e fui para o mundo leigo, mas em alto nível. Ali conheci Eduardo Chuai, militar cassado, e ficamos amigos. Nessa época, eu estava escrevendo *Automação e o futuro do homem.*

De 64 a 67, a política econômica do governo era mais ou menos controvertida. No começo do Milagre Brasileiro, o ministro do Planejamento era Roberto Campos, chamado então de "Bob Fields". Mário Henrique Simonsen era da FGV. Ele era um gênio. Naquele tempo já era sócio do Fernando, meu irmão, que também era banqueiro. O Banco Bozano Simonsen foi criado então, e pela segunda vez joguei milhões de dólares no lixo. A primeira foi quando meu tio Felipe me convidou para ser secretária dele e eu dizia que queria ser física. A segunda foi quando meu irmão disse. "Larga essa porcaria de trabalho mal-remunerado e vem ganhar dinheiro grosso. Vamos fundar um banco, vem trabalhar comigo." Eu dizia: "Não quero! Quero ser escritora, quero ser editora!" Que loucura! Devia ter aceitado. Mas nunca aceitei esse tipo de convite. Se aceitasse teria morrido. Para mim, o dilema sempre foi entre o dinheiro e a vida.

Dentro da Fundação Getulio Vargas, todos os economistas estavam com o governo militar. Havia um consenso; era uma escola técnica. Eram competentes. Eu gostava deles. Ali comecei a fazer distinção entre competência e ideologia... O Dr. Flávio Sampaio, diretor do Cicom, fazia aquelas reuniões de comércio internacional e eu achava aquilo tudo o máximo. Foi através dele que conheci Marita Magalhães, que trabalhava com ele. Ficamos amigas até hoje. Pela primeira vez estava tendo um contato naquele nível, porque eu era uma simples funcionária, de salário baixo.

Era uma época em que eu achava que a minha vida não tinha sentido: todo mundo me perseguia, simplesmente porque eu ia me encontrar com as pessoas de alto nível, espontaneamente. Eu fazia isso porque queria. Ia conversar com Isaac Kerstenetsky, estatístico e pensador, com Gerson Augusto da Silva, grande economista, professor de Antônio Barros de Castro e um espetáculo! Ficava tão impressionada quando falava sobre a ALALC (Associação Latino-Americana de Livre Comércio), que ele ajudara a criar. Kerstenetsky era totalmente diferente dos outros, do ponto de vista intelectual... Eu gostava dele, tinha a cabeça muito aberta, era progressista. Pena que foi um dos primeiros a morrer. Os bons morrem cedo. Eu até o levei para a Vozes, e fizemos uma coleção... Ficou meu amigo. Depois vim a conhecer o pessoal da Fundação Getulio Vargas de São Paulo, mas só nos anos 70.

Todos estavam do lado do governo. Eu era a única contra. Eu saía de repente da Igreja para a área econômica, sem transição. Foi um tremendo choque cultural. No meio do ano, pensei até em me matar. Eu havia caído da eternidade no tempo, na fragmentação, e não estava agüentando. Uma ressaca terrível depois daquele êxtase todo.

A Fundação era sustentada pelos militares. Eles precisavam da Fundação Getulio Vargas. Isso mostra claramente a aliança entre tecnocracia e ditadura. Foi o que mais tarde Luís Carlos Bresser Pereira escreveu em *Tecnoburocracia e contestação*, que publicamos na Vozes. Nenhuma instituição mostra isso melhor que a Fundação Getulio Vargas. Mas, no tempo em que eu trabalhava lá, escrevia o *Automação* na hora do expediente.

Um Golpe de Mestre

Ainda na Fundação Getulio Vargas, eu estava muito revoltada com meu chefe, que me perseguia. Sendo quase cega, ele me fazia datilografar textos a máquina, quando havia outras pessoas para fazer isso. Ao mesmo tempo, me deu trabalhos sofisticadíssimos, que deviam ser feitos pelos técnicos especializados, coisa que eu não era.

Foram coisas assim que acabaram tornando meu trabalho insuportável. E, para sair da Fundação, ficamos eu, meu marido e Eduardo Chuai uma noite inteira matutando. Eduardo era militar cassado, de esquerda. Ex-ajudante-de-ordens de João Goulart, foi preso na Operação Bandeirantes na época da tortura, mas, enquanto esteve na Fundação, me ajudou a arquitetar um plano. Foi um plano diabólico, que arrumei para me vingar daquelas perseguições. Eu ficava danada... alguém que lutava pela justiça ser obrigada a engolir aqueles sapos era uma coisa terrível. Mais ainda: desde que nasci, experimentei a grandeza do meu pai e do meu tio, e também a mediocridade dos outros. Instintivamente, sempre fui atraída pela grandeza. A mediocridade para mim é mortal.

O golpe era o seguinte: eu dava os pareceres sobre os livros que seriam editados pela Colted (Comissão do Livro Técnico e Didático). A Colted era o equivalente ao Instituto Nacional do Livro, criado depois. Eles financiavam os livros da FGV. Eu tinha que dar parecer para uns setenta livros. Embora o salário fosse irrisório, os pareceres eram técnicos e muito difíceis. Fui então ao INPS, por idéia do Eduardo, pedir uma licença como inválida, pois eu tinha direito legal. Era quase cega, e já poderia ter me aposentado por invalidez. Assim, eles me deram uma licença de um ano. No dia em que teria que entregar os setenta pareceres, eu disse: "Não dou. Olha, está aqui a permissão do INPS. A partir de hoje, não trabalho mais porque estou de licença pelo INPS."

Meu chefe teve um ataque cardíaco. Mas foi tão boa aquela vingança! Eu o vejo de vez em quando até hoje, mas durante muitíssimos anos não falei com ele. Foi a primeira vingança da minha vida. E a última.

Ele mereceu. O que ele fazia conosco, e principalmente comigo, era puro sadismo. Depois vi muita gente agindo assim e por isso vi que aquela atitude era mais normal do que eu imaginava. O anormal era a justiça.

Eu já estava imersa em um mundo oposto àquele em que vivera toda a minha vida. Sem querer, estava começando uma fase nova. Tinha entrado para o mundo cão, aquele que eu tanto temia na minha infância. Eu me refugiara na Igreja, com medo da competição, da crueldade da minha primeira experiência, e agora já estava dentro dela em cheio. Em 68, minha vida mudou tanto que um outro ser humano estava nascendo.

Foi na Fundação que escrevi *Automação e o futuro do homem*...

CAPÍTULO 10

Automação e o Futuro do Homem

Escrevi esse livro porque tinha formação em ciências exatas. Nunca me desliguei delas. Achava aquilo fascinante. Meu problema é que eu não queria passar a vida bombardeando átomos. Era muito chato. Mas achava a física e a matemática as áreas mais fantásticas e mais avançadas do conhecimento. E pude nessa época resgatar todo o amor que tinha pelas ciências exatas.

Naqueles anos havia uma publicação francesa de que eu gostava muito: era a revista *Planète*, meio esotérica meio de divulgação científica. Dizia que a humanidade estava vivendo uma aceleração histórica. E o modelo dessa aceleração era a equação exponencial. Comecei a comprar também livros americanos. Quem me ajudou foi Marina Bandeira, que me deu um livro sobre o Institute for Cybercultural Research. Os americanos estavam muito preocupados com a automação, com os primeiros computadores, que eram máquinas enormes. E que já tinham vindo para o Brasil. Começo o livro dizendo: "Agora que o Brasil tem quatro computadores..."

Era antes da Teologia da Libertação, um tempo em que todo mundo estava saindo da Igreja porque os grandes pensadores já estavam rejeitando o pensamento religioso tradicional e a espiritualidade dissociada que eu vivi na infância... Eram Harvey Cox, que depois conheci em Harvard, Paul Bultman, Paul Tillich, Dietrich Bonhoeffer, teólogos protestantes que falavam da morte de Deus e da ascensão do mundo tecnológico. Tudo aquilo me impressionou profundamente, e percebi que o mundo estava mudando com coisas completamente esparsas acontecendo, aparentemente, sem ligação. Pouco a pouco aquilo foi fazendo sentido na minha cabeça, e de repente, em 1968, me sentei e escrevi *Automação e o futuro do homem*.

Outro Livro em um Mês

Automação e o futuro do homem foi escrito em um mês. Frei Ludovico publicou o livro em 1969, e imediatamente foi um sucesso maior que *Mulher na construção do mundo futuro*... Escrevi um artigo enorme para o *Jornal do Brasil*, que também fez entrevistas de página inteira comigo, assim como *O Globo*. Os paulistas ainda me ignoravam: só vieram a me aceitar nos anos 70, embora meus livros vendessem mais em São Paulo.

No livro ainda não falo sobre a globalização, mas sobre o momento em que a União Soviética e os Estados Unidos se juntam e não se pode lutar mais contra a dominação. E digo que o progresso tecnológico é capaz de criar duas humanidades separadas, que não podem mais se cruzar: uma dos dominantes, outra dos dominados. Isso já no final do livro.

Quando fui para a Filadélfia, em 1997, e conheci o Projeto Genoma Humano, que é capaz de fazer isso, fiquei pasma. Porque hoje já se tem um computador de um trilhão de operações por segundo que pode viabilizar esse projeto antes do ano 2005. E percebi nesse momento que aquilo que intuí nos anos 60 estava correto. Porque no fundo aquele livro era obra da minha fantasia. Assim como os europeus também deliraram como pensadores, tenho o direito de delirar como escritora. E resolvi reescrever o livro. E vou! Há uma parte dele ainda perfeitamente atual.

O livro era profético e também ingênuo. Mas, com todas as suas limitações, era melhor que *O choque do futuro*, de Alvin Toffler, que era uma besta. Além disso, foi publicado depois, com mais informações disponíveis. Os livros de Toffler e de John Naishbitt (*Megatendências* etc.) eram sobrecarregados de informações, muitas delas sem análise de fundo. Muito superficiais para o meu gosto.

A Aceleração Histórica

O ponto principal do livro é a base das análises que faço até hoje: o fenômeno da aceleração humana. É o que ainda descrevo na introdução de todas as minhas conferências. A partir desse conceito, mostro que a lei da vida, da cultura, da história das descobertas tecnológicas, de tudo o que é vivo, é uma curva exponencial. A exponencial é uma equação em que $f(x) = e^x$, onde x pode variar de zero a infinito.

Na minha juventude, aprendi uma história sobre um rei na Índia. Um dia, o cara que inventou o xadrez foi oferecer ao rei o seu invento. O rei ficou maravilhado e disse que daria o que ele quisesse. Ele respondeu que queria um grão de arroz na primeira casa do tabuleiro de xadrez (que tem 64 casas), dois grãos na segunda, quatro na terceira e assim fosse dobrando até a casa 64. O rei pensou que ele era um otário, e mandou o encarregado do celeiro do reino atender o pedido. Passaram-se meses, e os encarregados foram à presença do rei: "Majestade, não estamos nem na casa 32 e, como a quantidade dobra a cada casa, vosso celeiro já acabou, e todo o arroz do vosso reino já é desse homem." Só quando se inventou o computador foi possível fazer os cálculos dessa história. Para fazer o que o inventor do xadrez pedia, seria necessário dar a ele sete vezes a produção mundial de arroz de hoje. Isso é uma exponencial.

Em 1968, a University of Southern Illinois at Carbondale fez um levantamento cronológico de todos os inventos tecnológicos da humanidade, e apareceu uma exponencial. Eu pedi a pesquisa. Eles mandaram, mas acabei perdendo. Depois os franceses, acho que a partir dessa pesquisa, começaram a fazer cálculos e acharam uma exponencial também em relação à energia, calculando tempo e acontecimentos. Li um artigo no *Jornal do Brasil* que mostrava que 90% de todos os gênios da humanidade estavam vivendo no século XX. Mais uma exponencial. E assim as coisas foram se juntando na minha cabeça.

Cada termo de uma exponencial é maior que a soma de todos os outros termos anteriores. E simultaneamente os antropólogos fizeram o quadro das fases da humanidade. Elas são balizadas pelo progresso da tecnologia. Cada grande invenção inaugura uma nova fase da vida humana. O resultado deu exatamente uma exponencial. Um milhão e meio de anos para a primeira fase, a do Seixo Rolado. Depois vinha o Paleolítico, que durou quinhentos mil anos, baseado na invenção do machado de pedra lascada. A seguir, o Neolítico, período do machado da pedra polida, uns cinqüenta mil anos. Depois veio o período agrário, baseado na invenção dos instrumentos de ferro. Durou dez mil anos. E foram só duzentos anos para a industrialização, quando já se vivia mais intensamente do que em todos os outros períodos juntos.

E agora a Segunda Revolução Industrial, impulsionada pelos computadores, tem menos de cinqüenta anos. E eu dizia aos que me ouviam: "A gente vai viver nesses cinqüenta anos mais intensamente do que em toda a história da humanidade." E, de fato, aí está. Vejamos apenas os últimos dez anos. Em 1988, abri o *New York Times* e lá estava, no 2º caderno: *The Greenhouse Effect* (o efeito estufa). Sabíamos disso há anos, já sabíamos da poluição dos oceanos, da destruição do meio ambiente. Mas só naquele ano esse conceito do efeito estufa chegou à opinião pública. No ano seguinte, em 1989 acaba a União Soviética. Três anos depois tem lugar o encontro ecológico do Rio de Janeiro, em que todos os países deram início a uma ação conjunta com vistas a reverter o processo do aquecimento global e da destruição do meio ambiente. Depois aparece a globalização. De proporções planetárias. E que daqui em diante será muito mais intensa. E o Projeto Genoma que pode bifurcar a humanidade? Deus meu!

No Fim do Século XX nos EUA

Fui aos EUA, no fim dos anos 90, para olhar o que ia acontecer e descobri o Projeto Genoma Humano. Através desse projeto, a indústria farmacêutica americana está fazendo o seqüenciamento dos 65 mil genes do DNA humano. E, quando conseguir, o que será nos próximos dois ou três anos, poderá manipular esses genes segundo o seu interesse. É a terceira Revolução Industrial, que vem a ser uma Revolução Biotecnológica. E a mais perigosa de todas, pois pode mudar a estrutura do ser humano. Teoricamente, já se pode construir seres humanos geneticamente "corrigidos", ou fabricar duas humanidades que não se cruzam mais: uma dos privilegiados, a outra dos excluídos. E a decisão pertence à indústria farmacêutica americana, que financia o projeto e detém as patentes. O critério é o dinheiro, o poder. A realidade é pior do que qualquer ficção científica.

Essa aceleração histórica mudou minha cabeça. Em 1968, eu fazia futurologia, hoje ninguém mais tem coragem de fazer isso. Não conseguimos nem prever os próximos dois três anos. Não faço mais que isso. Hoje só se faz presentologia. Mal dá para processar as informações do presente.

Automação e o futuro do homem vendeu muito bem, foi adotado em trinta universidades, até os militares acabarem com ele. Vendia três, quatro mil exemplares por ano. Sem parar. Eram as universidades que compravam. Nesse livro, nem falei sobre a condição da mulher. O livro foi proibido como pornográfico em 75. Eu quis, por intermédio dele, dizer alguma coisa para os brasileiros. Achava os brasileiros tão isolados que tinham obrigação de conhecer os grandes problemas do mundo, que os militares não deixavam. Sempre foi assim. E o que fui fazer nos EUA em 1997? Fui ler tudo o que podia e conversar para fazer mais minha cabeça. E vou conservar uma boa parte do *Automação* que não envelheceu.

CAPÍTULO 11

1968 para 1969: Guerrilha e Repressão

Em 68, eu estava na Livraria Vozes na rua Senador Dantas, centro do Rio de Janeiro, quando o estudante Edson Luís Lima Souto foi assassinado pelo exército, em frente ao prédio do *JB*, na antiga sede na avenida Rio Branco, 114. O acontecimento deu origem à Marcha dos 100 Mil, que também teve lugar ali na Cinelândia, próximo à Vozes.

O ano de 1968 teve uma importância única aqui no Brasil e no mundo inteiro, e a televisão informava instantaneamente tudo o que acontecia. E foi assim que a revolta dos estudantes de maio de 1968 em Paris originou a mesma revolta no mundo inteiro, inclusive no Brasil. Lembro que a avenida Rio Branco estava cheia de estudantes, e os cavalos da polícia eram jogados sobre eles. Os cavalos escorregavam, patinando nas bolas de gude. Os estudantes jogavam as bolinhas para evitar que os cavalos avançassem sobre eles. Nesse ano a América Latina ardia inteira. Os americanos estavam planejando e apoiando financeiramente todas as ditaduras latino-americanas.

Em todos os países, a resistência era inspirada pelo êxito de Fidel Castro. Castro era o grande espantalho da maior nação do mundo.

No confronto de agosto de 1968, em que o Edson Luís foi assassinado, alguns estudantes iam se esconder na Vozes. Eu estava ali, e vi frei Ludovico acolher a todos eles com o maior amor.

Logo depois aconteceu a Marcha dos 100 Mil. Lá estavam os padres, as CEBs, os artistas. Quase todos os artistas estavam na escadaria do Teatro Municipal. Lá também havia uma grande quantidade de pessoas e organizações da sociedade civil, para evitar mais matança. Todo mundo participou (eu também) da Marcha.

As coisas se passavam na frente do Teatro Municipal. O prédio da Vozes ficava atrás do teatro... Foi uma coisa maravilhosa. Pelo menos a sociedade estava resistindo. Começou então uma terrível repressão.

A Repressão Pesa

A repressão mesmo começou em 1969. Minha experiência pessoal dela foi mudar de amigos a cada dois anos. Porque ou eles eram mortos ou saíam todos para o exílio. Nesses anos não pude ter amigos; comecei também a ter um contato maior com os padres dominicanos, que mais tarde caíram na clandestinidade e foram presos. Eles nos chamavam para ajudar na escalada revolucionária, e eu disse que realmente não podia.

No dia em que o AI-5 foi assinado, eu estava na minha mesa, na Editora Forense, e tive uma intuição terrível! Em fim de 1969 aconteceu a morte de Carlos Marighela. Os dominicanos foram colocados em um carro para servirem como isca. Outro dominicano, frei Chico, que tinha sido um mito da juventude no início dos anos 60, veio a ser meu assistente, porque na Vozes a gente também ajudava os clandestinos. Por acaso os padres tiveram mais sorte que os leigos. Como eles trocavam os nomes para entrar na Ordem, podiam manter seus próprios nomes nos passaportes e carteiras de identidade. Quando Chico quis fugir para a Europa, conseguiu se safar por causa disso, e só voltou em 1979. O nome dele era Áureo.

Em 1968, eu já era conhecida como escritora e encontrei uma pessoa — Luís Maranhão. Essa é uma das histórias mais incríveis da minha vida. Ele era o presidente do Comitê Central do Partido Comunista, amigo de Heloneida Studart, que já se tornara minha grande amiga. Ele me procurou na minha casa perguntando se eu não podia fazer a ligação do Partido Comunista com os líderes da Igreja progressista. Eu disse: "Faço." E chamei os dominicanos. Luís Maranhão montou comigo e com Heloneida, que também já era uma escritora premiada, uma editora chamada Encontro, que publicou as encíclicas de João XXIII. Ênio Silveira, dono da Civilização Brasileira, então a editora mais polêmica do Brasil, fazia a distribuição. Era uma maneira de iniciar o diálogo. Essa editora durou até a morte de Luís Maranhão, por tortura, no início do anos 70. E mesmo sob tortura, ele não falou nada sobre nós. Um grande mártir. Até hoje minha vida está marcada por esse homem.

Eu era vigiada também, mas, como lidava mais com a Igreja e os militares tinham medo da Igreja, eles não sabiam o que fazer comigo. Fui vigiada em 1971 por causa do feminismo e das aulas que dei no Instituto Villa-Lobos, a nossa universidade alternativa. Aí sim, por seis meses eles me seguiram direto, mas não entendiam nada, então não tinham como me prender. E depois eu vivia na televisão e nos jornais. Isso para os militares era amedrontador. Eles não queriam mexer com gente pública, quanto menos pública a pessoa, melhor.

Foi em 68, publicando meus artigos, fazendo minhas entrevistas, que conheci Fernando Gabeira, então diretor de pesquisa do *Jornal do Brasil*. Ele era um menino, tinha vinte anos. Logo depois entrou para a AP, e começou toda aquela história dos seqüestros dos embaixadores.

Mas a resistência começou realmente a ser esmagada depois do AI-5, que saiu por causa desses acontecimentos e também por causa de uma greve dos metalúrgicos da Cobrasma, em São Paulo. Aí foi demais para os militares.

Quanto à guerrilha, fui chamada para participar dos seus grupos de apoio. Eu e meu grupo, cheio de gente conhecida. A gente se reunia toda semana para refletir... Era um grupo de reflexão do tempo da Ação Católica, que não era mais só da Ação Católica, mas gente de responsabilidade na sociedade. Reuníamo-nos para refletir sobre a própria sociedade, porque a vida durante o regime militar era asfixiante. Éramos meio clandestinos, nos reuníamos às vezes no Colégio São Vicente, ou em lugares onde pudessem se reunir vinte, trinta pessoas. E foi aí que os dominicanos vieram conversar conosco. Sobre como dar apoio à escalada revolucionária e, no fim das contas, à guerrilha que estava sendo armada no Araguaia.

Nunca fui chamada pelos agentes de segurança para responder a perguntas. Só em 74 quando fui pedir passaporte para ir para os Estados Unidos. Eu ia fazer a cobertura da primeira reunião preparatória à que iria se realizar em 1975 na cidade do México, comemorando o Ano Internacional da Mulher. Quem me convidou foi o Vlado Herzog, então diretor da revista *Visão*. Quando fui pegar o passaporte, a minha ficha no DOPS era tão grande e tão idiota, um caderno. Eles me descreviam como fazendo baderna em São Paulo, e eu ia muito pouco a São Paulo; ajudando a fuga de comunistas, tudo pura invenção. Não pude ter o passaporte em 74.

Foi nesse ano também que conheci madre Cristina, diretora do Sedes Sapientiae, uma das pessoas mais famosas de São Paulo na área de Igreja. Ela dava fuga aos cristãos que precisavam da clandestinidade, ao pessoal da AP. Nesse tempo a AP já era marxista mesmo, não tinha mais fé. E o que acontecia com a madre Cristina era muito engraçado. Toda vez que ela era detida no DOPS, faziam a ficha dela. Depois dom Paulo entrava no DOPS, tirava a ficha e queimava. Isso aconteceu uma porção de vezes. Ela era cega como eu.

Dom Paulo Evaristo Arns ainda era padre franciscano quando trabalhou comigo na Vozes. Foi nomeado diretamente bispo de São Paulo e, depois, cardeal. Sua ação foi incrivelmente importante nessa época. Durante toda a ditadura, foi o maior e mais respeitado defensor dos direitos humanos no Brasil. Foi ele quem entregou, em 1985, a frei Ludovico o livro *Brasil nunca mais*, que denunciava a tortura e os torturadores. Ele e a Comissão de Justiça e Paz. A Comissão de Justiça e Paz de São Paulo começou a fazer o fichário da tortura desde o seu início. Essa comissão foi muito importante nessa época, porque só eles tinham possibilidades de fazer esse fichário sobre torturados e torturadores. O fichário ia para a Europa clandestinamente, à medida que ia sendo redigido. Era mantido em absoluto sigilo, e veio a dar origem ao livro, que considero um dos livros brasileiros mais importantes do século XX. O pastor James Wright também participou, com dom Paulo, desse projeto monumental. Ele coordenou os trabalhos. O irmão dele havia morrido na tortura.

A paranóia mesmo começou em 69, depois do AI-5. As coisas ficaram muito mais difíceis para nós. Todo mundo vivia com medo.

Em 1969, entrei para a Vozes como empregada. Frei Ludovico dizia: "O que eu posso fazer por você?" Ele me via trabalhando pesado. Eu lhe respondi: "A única coisa que o senhor pode fazer por mim é assinar minha carteira para eu trabalhar com segurança e poder criar meus filhos."

Ele via que eu era ousada demais. Aí me dei conta da sua genialidade. Ele tinha uma santidade tão grande quanto a de dom Hélder, mas ao contrário, porque a ousadia dele chegava até a dissidência, até as últimas conseqüências.

Um Novo Livro e um Velho Amigo

Outro homem incrível, que em 66/68 fez comigo o livro *As mais belas orações de todos os tempos*, foi frei Raimundo Cintra. Ele também protegia os que estavam na clandestinidade.

Eu o conhecia desde os anos 50. Foi o ser humano mais solidário que já vi. Me ajudou o tempo todo enquanto eu estava casada com Aldo. Via lucidamente todo o meu problema e me dava trabalho para que eu pudesse ter dinheiro, sustenta. a casa. Quando Verônica nasceu, inclusive, tive que trabalhar na maternidade, diagramando o *Mensageiro do*

Rosário, para ganhar dinheiro e poder voltar para casa com o bebê nos braços. A nossa falta de dinheiro era desse nível. E ele nos ajudava sempre.

Quando todos os dominicanos estavam contra Cardonnel, foi frei Raimundo quem ficou do lado dele, incondicionalmente. Mais tarde ajudei também os que entraram na clandestinidade.

Em 1965, ele voltou de um curso de história da religião na França trazendo um calhamaço de papéis. Eram centenas de orações de todos os tempos e de todas as culturas. Fiquei deslumbrada: "Frei, o senhor tem na mão o mais lindo livro de poemas que já vi em toda a minha vida!" E assim combinamos escrever um livro. Escolhíamos juntos as orações e eu as traduzia em forma de poemas. Quando o livro ficou pronto, fui procurar o José Olympio, um velhinho simpático e gordinho.

"Você quer publicar um *bestseller* para 500 anos?" Ele aceitou rindo. O livro foi dividido em dois volumes. O primeiro se chamou *As mais belas orações de todos os tempos* e o segundo, *As mais belas orações do nosso tempo*. Acabaram vendendo 200 mil exemplares. E tanto foi verdadeira a minha proposta que nos anos 90, depois de a José Olympio ter passado por muitas dificuldades, publiquei as duas antologias na Rosa dos Tempos. Continuam sendo um dos carros-chefes da editora.

O livro se tornou a paixão do meu amigo Carlos Vereza, grande ator e místico, que fez dele em 1996 um espetáculo maravilhoso, *Canto às criaturas*. Vereza quer continuar dizendo esses poemas em CD, o que mostra que o livro ainda tem alguns séculos de sucesso pela frente.

SEGUNDA PARTE

Nascimento e Ascensão da Bruxa

Introdução aos Anos 70

1968: Nasce uma Bruxa

Maio de 1968. Os estudantes levantam barricadas em Paris, reivindicando qualidade de ensino e liberdade de viver. Do outro lado do mundo, quase um milhão de jovens americanos desertam da Guerra do Vietnã, movidos pela mesma paixão de não mais servir ao sistema. As mulheres e os negros já haviam começado sua rebelião. Estava tendo início o que chamo de revolução das mentalidades, que iria se tornar o fato mais importante do século XX.

Essa revolução teve um combustível: a aceleração histórica e tecnológica, principalmente a tecnologia das comunicações, que fazia — e faz — com que tudo o que se passasse em um canto do mundo fosse conhecido pelo mundo inteiro no mesmo dia. O planeta estava se tornando a aldeia global de Marshall McLuhan.

Na minha vida também o centro passa da política para o comportamento. Nesse ano, sem saber, virei uma bruxa.

CAPÍTULO 12

Ainda 1968: A Festa Começa

Mil novecentos e sessenta e oito foi um divisor de águas no século XX. Na minha vida também. Foi a época das grandes transformações. As vidas daqueles que pertenciam àquela geração mudaram completamente, mas os da minha geração, que era imediatamente a anterior, não seguiram as transformações do tempo. Por que as pessoas que conviveram comigo na Conferência dos Bispos são hoje iguaizinhas ao que eram em 1960? Por que as pessoas com quem convivi e a quem até amei continuam no mesmo lugar onde estavam, e por que só eu mudei tanto? É uma pergunta que não sei como responder. Por exemplo, as moças que conheci e com quem trabalhei na Conferência dos Bispos continuaram fazendo o mesmo trabalho progressista a vida inteira. Mas não mudaram o seu comportamento. O que está errado comigo? Meus colegas de universidade continuam nos mesmos lugares. Por que eu mudei? Creio que foi meu desejo radical de justiça que entrou em ação. Eu tinha visto a injustiça e a morte de dentro da riqueza. Agora achava que minha vida era também injusta. Muito injusta. Achava que não merecia todo aquele sofrimento. Deus não podia ser um sádico!

Enquanto estava junto com dom Hélder, esse problema ficava encoberto por um ideal maior e muito mais satisfatório que a minha vidinha pessoal. Mas agora que eu havia caído da eternidade no tempo, sobrava apenas a minha vida cotidiana.

E foi então que tive a intuição: a errada não era eu, e sim a Igreja. Deus não era injusto, mas a instituição Igreja era!

A minha perda de fé e o rolo compressor da Igreja conservadora sobre a luta pelos pobres me fizeram cair na real. Senti que teria que escolher entre meu amor pela justiça (Deus) e a Igreja. E, se ficasse com Deus, seria agora realmente a solidão. Teria que sair da Igreja e enfrentá-la concretamente. Teria de desistir de ser bem-comportada para conseguir o céu e ser rebelde para viver a minha liberdade. E fiz essa opção naturalmente. Hoje, acho que foi porque eu havia conhecido a verdadeira natureza da riqueza, que era a injustiça. Parecia-me que muitas pessoas que não conseguiam obter riqueza compensavam querendo o céu, que seria a felicidade perfeita (riqueza). A felicidade que os ricos têm nesta vida, eles teriam no céu. Por isso, o bom comportamento para conseguir o céu me parecia o bom comportamento — a sujeição ao sistema — para conseguir a riqueza. Aquilo me dava horror. No nível inconsciente, o céu me pareceu tão injusto quanto a riqueza. Então eu não queria o céu. E o que sobrava? O aqui/agora. Em vez de cair numa desesperança profunda, explodi de alívio. Estava livre, livre para viver!

Aquilo, porém, não abalou minha relação profunda com Deus. Só fez purificá-la. A partir de então, eu soube que meu caminho seria, daí por diante, o caminho de uma busca muito difícil, porque completamente solitária. Nômade. Sem muleta alguma. A Noite Obscura começava a dar seus frutos de lucidez. Eu perdera a culpa, e não podia mais ser manipulada.

Então começou um estranhíssimo caminho, que só iria se tornar claro alguns anos depois, quando eu já estava na Editora Vozes. Como fiz aos 15 anos, rejeitei minha vida, como uma cobra rejeita a pele velha, e comecei outra completamente nova. Mais uma vez, abracei o impossível. Esse processo foi lento, levou anos, mas tudo tudo explodiu.

Como Tudo Começou

A minha quinta filha já havia nascido e eu não agüentava mais a falta de esperança, não com as crianças, mas com meu marido. Eu pagava as dívidas dele, e freqüentemente me via às voltas com oficiais de justiça na minha casa.

Quando casei, acho que foi para fugir de uma vida de que não gostava. E quem se casa assim vai juntando frustrações. Com os poemas, e depois com a política, consegui, no começo, passar por cima dessas frustrações. Mas, quando veio a ditadura militar, senti que não tinha mais o que fazer. Eu tinha que partir para a vida mesmo, para agüentar os êxtases e as perdas, o desconhecido. Até então eu tivera amores platônicos, queria cumprir a minha responsabilidade, não amar outros homens.

De repente, em 1964, eu estava muito deprimida, e fui conversar com um dos padres dominicanos mais sábios, mais santos, cujo celibato devia ser verdadeiro. Ele me disse: "Não vou mandar você carregar a cruz não. Você tem direito a viver. Deus quer a vida, e não a morte!" E em dois minutos foi embora.

Fiquei muito emocionada. Porque o que estava acontecendo naquele momento era revolucionário. Com aquela frase ele estava indo contra o enorme edifício ideológico do poder da Igreja, que durante séculos manipulou em seu favor a nossa infelicidade pessoal. Este edifício inteiro está construído sobre o nosso sofrimento. Porque gente feliz não se escraviza, não se manipula... Espantosamente, o sofrimento não era a raiz da salvação, mas da escravidão. Eu fora enganada a vida inteira. Foi nesse exato momento que começou meu processo de transformação.

A Primeira Paixão e... as Outras

Pouco depois daquela descoberta, me apaixono por um homem que era parecido comigo. Ele também tinha problemas no casamento. Como eu, vivia uma vida sem futuro, sem motivos para viver. Acho que a maioria das pessoas que se casaram por motivos "místicos" porque era para viver uma vida "cristã" estava tendo problemas parecidos. Começo a sair com esse homem, mas nunca chegamos a ir para a cama. Durante um ano, fomos até as primeiras fases da sexualidade, mas sempre no fim a gente não ia. Mesmo assim, incompleto, aquele momento era muito novo para mim...

E chegou outro momento em que achei que aquilo não era mais o que eu queria. Conheci outro homem, mas ele era muito tímido. Sempre as pessoas com quem me relacionei naquela fase eram pessoas tímidas, sempre era de maneira séria, e eu era em geral a primeira na vida deles. Que coisa interessante! Eram casados como eu e eu era a primeira relação deles. Quer dizer, os homens também estavam mudando. O tempo começava a ser outro para eles também. Não eram galinhas não! Todos eram fiéis a seus compromissos.

Com o segundo homem, aí sim, foi uma relação completa. De corpo e alma. Depois das primeiras vezes ele começou a se embriagar, e daí a um ano me largou. Vim a saber mais tarde. Ele achava que eu não gostava dele porque não tinha orgasmo. Eu não tinha noção do que era orgasmo... Por que tinha que acontecer isso? Porque eu tinha uma sensação do corpo inteiro. Ela não era genital, era sensual de corpo inteiro, mas não era localizada. E a partir daí levei um susto tão grande. Mas, com ou sem orgasmo, aquela havia sido a relação em que realmente eu entrara dentro do meu corpo. Tinha conhecido o prazer. Mesmo com culpa, já estava transgredindo aquilo que ainda achava que era a lei de Deus. Minha primeira transgressão foi a minha primeira libertação. A idade da inocência terminara. Eu não sabia ainda, mas estava nascendo uma bruxa!

A terceira relação: ele era um galinha. Era. Mas nunca consegui ter relação de galinhagem. Gostava realmente dele, e me afastei quando me convidou para fazer uma orgia. Fiquei tão escandalizada! Esse era meu aprendizado. Fui embora e custei a superar aquela dor. Aí vieram vindo as pessoas na minha vida.

Já era início da década de 70. E uma vida nova teve início para mim. No final dos anos 60 entro oficialmente para a Editora Vozes, com carteira assinada. E, enquanto estive lá como editora geral, minha vida afetiva foi tumultuada. Os homens se sucediam, e começaram a vir os homens mais jovens. Sempre os mais jovens e os mais sensíveis, os poetas. Era uma coisa incrível, minha vida afetiva sempre um aprendizado. Em etapas. Primeiro os amores platônicos, depois os inícios da sexualidade, e depois ainda a sexualidade intensa. Eu só não conseguia galinhar porque quando sentia tesão já estava apaixonada. Todas as vezes que aparecia uma relação só de corpo eu acabava agredindo o cara e ele ia embora. Achava aquilo chato. Ao contrário das minhas amigas da época, que achavam que a gente não precisava se sentir apaixonada para ir para a cama com alguém.

O que eu sentia é que também os homens estavam aprendendo a viver. A Revolução Sexual dos anos 70 nos fez, a todos que a vivemos, abandonar os antigos padrões de sexualidade convencional e criar os padrões novos.

Mas como foram difíceis aquelas primeiras experiências. Ninguém sabia nada! Os padrões velhos já não serviam mais, e os novos eram desconhecidos. No entanto aquele talvez tenha sido o tempo mais importante do século. No mundo inteiro estávamos procurando integrar corpo e mente. A divisão dos dois existia há oito mil anos e era a base do patriarcado e da sociedade de classes, mas nós ainda não sabíamos. A mudança era muito, muito mais profunda do que parecia. Aquela porra-louquice, aquela festa... Iríamos sofrer as conseqüências uns anos depois.

Ainda estava vivendo com meu marido. Mas já queria deixá-lo há muito tempo. Desde antes de minha quinta filha nascer eu já queria me separar dele. Por isso entrei em análise em 1968, e foi meu analista quem me estimulou a continuar nessa vida dupla. Eu tinha muita culpa de fazer aquilo, mas meu analista dizia: "Ou você desenvolve uma segunda vida mais prazerosa, gratificante, ou nunca vai deixar seu marido." Então eu trabalhava em análise essas relações todas, trabalhava tudo.

Sexualidade aos 38 Anos

Comecei a viver meu aprendizado da sexualidade aos 38 anos. Porque na minha vida de casada a sexualidade era frustradora. Não que fosse uma sexualidade convencional, mas eu estava insatisfeita afetivamente. Então não adiantava ter uma vida sexual que fosse boa. Meu marido tinha muito desejo. Mas não era o que eu queria; achava aquilo uma coisa tão limitadora. Eu não podia me exprimir intelectualmente no meu casamento, o que atrapalhava a própria sexualidade. Com as crianças sim, que eu amava muito, sempre quis muito. Desde que vieram, passaram a ser as pessoas mais importantes para mim. Foram elas que me deram energia para trabalhar, militar. Eu fazia coisas impossíveis sempre. E por amor aos meus filhos.

Em 1969, Cristina fez 15 anos. Já namorava. Demos uma grande festa. Nesse dia Marcos começou a namorar Viviane, com quem iria se casar em 78. Vivíamos junto à praia do Leblon. Meus filhos foram criados na praia. Sem drogas. Acho que, apesar dos problemas entre Aldo e eu, eles tiveram uma adolescência boa. E, como eram livres, não se tornaram drogados ou marginais, como muitos adolescentes hoje. Verônica ainda tinha três anos. Era linda. Eu continuava sonhando com ela. Era viajando com a menina, fugindo com a menina, voando com a menina... Todos os meus sonhos de libertação tinham a ver com a menina.

Em 1970, Marcos fez o vestibular para a Faculdade de Medicina da UERJ. Ele estudava numa escola pública — a André Maurois —, e passou entre os primeiros, numa concorrência enorme. Naquele tempo, as escolas públicas ainda não se tinham degradado como hoje. Em muitas delas o ensino era melhor que nas particulares.

Por isso, em 1º de janeiro de 1970, dei outra grande festa. Era o aniversário dele. A festa foi com peru e tudo. O nome da festa foi "o peru do gênio".

Depois de 1968: O Instituto Villa-Lobos

Durante a ditadura, as coisas estavam mudando para mim num contexto de uma vida intensa. Entrei em análise em agosto de 1968. Não poderia ter vivido tudo aquilo sem análise.

Comecei quando ainda estava na Fundação Getulio Vargas, com aquelas pessoas medíocres querendo se afirmar pisando nos outros. E o meu casamento e meus namorados não davam certo. Então fiquei deprimida. Houve um momento em que quis me matar. Minha vida não tinha saída, era tudo muito medíocre para o meu gosto. Principalmente depois que deixei a militância na Igreja. Mesmo com todo aquele trabalho com gente brilhante, na FGV, eu achava tudo medíocre.

Um dia, estava na calçada em frente à Editora Vozes, e me vi atravessando a rua e caminhando para debaixo de um ônibus. Meus pés indo, minha cabeça não querendo. O ônibus parou em cima de mim, e ainda levei um esporro do motorista.

No dia seguinte iniciei a análise. Na primeira sessão, contei essa história e mais o que eu queria fazer e como estava tudo emperrado. Sentia que não podia me mexer. Estava paralisada.

E meu analista, depois de ouvir uma meia hora, disse: "Olha, acho que tem alguma coisa errada aí. Você é uma pessoa de porte, de primeira categoria, mas está no meio de pessoas medíocres. Largue isso tudo e se refira diretamente às pessoas mais relevantes que elas saberão te reconhecer." "Mas eu não tenho curso universitário completo, mandei o ministro enfiar meu diploma no rabo! E não tenho doutorado, nada." E ele disse: "Não é isso! É uma questão do inconsciente. As pessoas precisam de outras pessoas do seu próprio nível. Você vai ver que elas te reconhecerão."

E uma coisa posso dizer: tudo que fiz, toda a carreira que consegui ter, todo o dinheiro que ganhei, a qualidade de vida que aumentou, tudo realmente começou depois daquele dia de outubro de 1968. Todas as coisas que tive a coragem de fazer depois, a ousadia de enfrentar o sistema de peito aberto. Eu dava pontapés na fama o tempo todo, porque não era aquilo que eu queria. Eu já estava fazendo o que tinha que ser feito. Desde sempre. Nunca esqueci o que o padre Lebret dizia: "Nunca pare para cheirar as flores do caminho." E eu não parava. Então a fama foi e voltou, foi e voltou, quantas vezes quis, e nunca tomei conhecimento dela.

Acho que aquele conselho do meu analista foi uma das coisas mais importantes que aconteceram na minha vida, e isso tem que ser dito, porque muita gente deve ter passado pelo que passei e não teve quem orientasse. Ai, meu santo analista!

E outra coisa que aconteceu naquela mesma sessão também se referiu à minha mãe. Eu dizia que ela era burra, que era isso, que era aquilo. Meu analista disse: "Mas não! Você ainda está fixada na sua mãe!" Naquela hora desmaiei. Foi nesse momento que consegui elaborar a minha relação com ela. Meu primeiro sonho de análise foi o seguinte: eu estava com a minha filhinha de dois anos, a Verônica. Eu sonhava muito com ela, e essa menina para mim era o símbolo de tudo o que estava no fundo do ser, do meu feminino. Lembro que estava com a menina no colo, nesse sonho. E que queria esquentar a menina, que estava com frio. Minha mãe vinha e dizia: "Não. Não se esquenta no colo, criança se esquenta na geladeira, põe ela na geladeira." Isso mostrou que a parte minha que era identificada com minha mãe estava em briga feia com a que era identificada com a minha filhinha, símbolo do meu afeto. E eu querendo resolver a questão entre as duas. Foi esse meu primeiro sonho de análise.

E todo o resto... não preciso contar porque todo o resto saiu daí. Perdi nesse dia a noção de onde estava. Olhava para a cara do meu analista e não sabia quem ele era. Quando saí desse transe tive a certeza que a análise ia dar certo, que ela iria a termo, como realmente foi, e que um dia eu iria conseguir ter as minhas emoções na palma da mão. Até então eu não tinha. Esse trabalho interno começou em 68. Eu não tinha dinheiro. Por isso ele me fazia a análise por um preço baixo.

Logo depois ele iniciou um grupo com pessoas famosas e/ou ricas, empresários, artistas, intelectuais, e eu estava no meio. Esse grupo durou para mim dois anos. Foi exatamente o tempo em que fiquei no Instituto Villa-Lobos.

O Instituto Villa-Lobos

O Instituto Villa-Lobos era uma universidade alternativa. Em 1968, a ideologia da juventude que estimulava os jovens a abandonar a sociedade tinha vindo dos Estados Unidos para o Brasil, a partir da Guerra do Vietnã. Era por causa de todos os que fugiram da guerra. Foi quase um milhão de pessoas, que fizeram uma sociedade alternativa nos EUA. Aqui também o pessoal, sob a influência do movimento estudantil de maio de 68 na França, juntou os dois fatos acontecidos em lugares tão diferentes. O século deu uma virada. A Revolução das Mentalidades havia começado.

Reginaldo Carvalho, músico, irmão de um padre dominicano e meu amigo antigo, foi nomeado diretor do IVL. Ele veio me convidar para dar aulas porque ganhara um dinheiro do governo, e como eu já era mitificada, ele queria pessoas com o meu perfil para dar aulas lá. O Instituto ficava no antigo prédio da UNE, lindo, na Praia do Flamengo, 132, e que havia sido parcialmente incendiado pelos militares. No primeiro andar ficava a Escola Nacional de Teatro, e o palco estava todo queimado. Foi conservado assim até o fim, quando o edifício foi demolido, nos anos 80.

Em 1969 começavam a migrar para o IVL os jovens que iam abandonando as universidades porque não queriam mais servir ao sistema. Vinham de todos os lados. Cheguei a ter uns mil alunos. Havia o pessoal da área tecnológica, das ciências humanas, e apareciam basicamente artistas, músicos, pintores, cineastas... Alguns vieram a ser famosos depois. Paulinho da Viola foi meu aluno, Paulo Coelho também, e vários diretores de teatro.

Comecei a dar aulas à tarde e à noite. A temática do curso era o livro *Automação e o futuro do homem*. Escrevi-o enquanto dava o curso. Nem mais nem menos.

No Instituto Villa-Lobos, tive experiência com agentes de segurança. Quando eu falava, era dedurada, e vinham os agentes. A partir daí, toda vez que eu falava, a conselho de frei Ludovico, mandava gravar direto, antes de os agentes chegarem, porque eles sempre chegavam para gravar o que eu falava. Aquele conselho salvou minha vida nessa época, porque eu falava muito, e já ia para muitos lugares para falar. Frei Ludovico dizia uma coisa absolutamente genial: "Filhinha, eu vivi na Alemanha nazista e lá, se você não gravasse suas coisas, os *gauleiters* (vigilantes dos bairros) denunciavam e você ia preso. Então grava. Manda gravar tudo o que você fala." Não sei como eles gravavam na Alemanha nazista, mas ele me disse exatamente isso. E daí em diante, gravei tudo.

A Fase Dourada

O Instituto Villa-Lobos foi o embrião da nova cultura. Mas não só. Ali se fizeram todas as experiências sexuais das quais não tomei parte. Eles me convidavam mas eu tinha família, não podia viver com aquela garotada. Não dava. E eu já sabia o resultado daquilo tudo. Era filme já visto: "A gente trepou ensaboado. A gente tomou ácido lisérgico, você não veio!" No entanto eu tinha mil alunos e havia aquela fitalhada toda gravada. Os militares apareciam por lá para ouvir o que eu falava, mais a mim do que aos outros, porque eu era muito dedurada.

Quando falava, colocava o gravador ali ostensivamente. Toda vez que os militares vinham, o Reginaldo mandava ouvir as fitas. E eles acabavam desistindo! E eram as fitas do *Automação e o futuro do homem.*

Foi nesse ano que conheci Celso Correa da Cunha, que além de meu aluno veio a se tornar meu amigo para o resto da vida. Ele era tão rico que até os 14 anos nunca tinha abotoado um sapato. Tinha um *valet de chambre*. Depois ficou pobre, pobre, pobre, de marré, marré, marré, como eu.

Naquele tempo ele ainda era rico e parente de todos os condes, viscondes e marqueses que dão nome às ruas do Rio de Janeiro. Ficou pobríssimo e sofisticadíssimo. Junto com ele conheci Dilson Bento de Farias, ex-riquíssimo que viveu 10 anos em Roma e no Oriente Médio, divertido e original como ele só. Uma maravilha. Tinha gente de todos os tipos no IVL. *Hippies*, ex-aristocratas, futuros artistas, bichas místicas, tudo. Futuras estrelas de televisão. Tudo.

Baixa a Repressão

Era 1970, depois do AI-5. E o que os militares fizeram? O IVL estava ameaçando as universidades. E tinha influência não só no Rio de Janeiro como no Brasil inteiro. O Villa-Lobos era ao mesmo tempo um foco de resistência e um foco da nova era. Aí sim viviam-se os estados alterados de consciência. Tudo o que se fazia nos Estados Unidos era feito lá do jeito que tinha que ser feito, bem à brasileira. Então os militares quiseram acabar com o Villa-Lobos. Era uma ameaça real à ordem estabelecida, a primeira manifestação concreta e localizada da Revolução das Mentalidades.

Primeiro tiraram o dinheiro. Aí tínhamos que dar aula de graça e dávamos. Depois começaram a dedurar que ali se fumava maconha. Então escolheram um dos músicos e o acusaram como molestador de menores. Usaram um menor e o fizeram dizer que esse músico o tinha molestado. Mais tarde dei um depoimento a favor dele, porque sua vida ia ser destruída. Todos sabíamos que ali tinha dedo do DOPS. Foram manchetes em todos os jornais da época, todos. E o Instituto Villa-Lobos foi fechado.

Depois disseram que foi por causa de droga, que acharam droga lá. Mentira! Mais tarde soube que esse Nelson Duarte, o policial que fechou o Villa, era ele mesmo um traficante e a ação dele foi planejada só para fechar o Instituto, porque os militares não sabiam como lidar com aquela realidade desconhecida e incontrolável. E fecharam tanto o Instituto quanto a Escola Nacional de Teatro.

Fiquei espantada quando soubemos que Nelson Duarte era traficante. Foi um ano depois. Que coisa, hein? Mas aqueles dois anos foram uma época áurea, um tempo que para mim foi vital, para me fazer assumir a Revolução das Mentalidades.

CAPÍTULO 13

O Mergulho na Loucura

Foi no Instituto que vi começarem as primeiras grandes experiências de desconstrução do corpo. Uma vez tive um aluno mas, não por acaso, esse aluno era uma bicha. Ele gostava muito de mim e disse: "Vamos ao Aterro ficar sentados lá de olhos fechados para ouvir os sons?" Então fomos e ouvimos aqueles sons surpreendentes porque o Villa era uma escola de música. Estávamos ali treinando o ouvido, e uma maneira de treinar o ouvido era essa, íamos para o Aterro, colocávamos uma venda nos olhos, nos abraçávamos e ficávamos ouvindo durante horas o som da cidade.

Fui contar isso no meu grupo e acho que as pessoas ficaram com uma inveja tão grande que começaram a vociferar: "É mentira! Você está inventando!", principalmente uma mais velha que eu, grande artista, mas que tinha uma vida muito reprimida. Outra dizia: "Você conta essas experiências de trepação, você conta isso tudo. Sabe quantas vezes eu trepei na minha vida? Cinco!" Isso porque eu estava ouvindo sons no Aterro, desconstruindo meu corpo. Eles é que inventavam que era trepação, mas não era. Aí o grupo começou a me agredir, foi um ano de agressão porque eu levava minhas vivências do Instituto Villa-Lobos para dentro do grupo. No IVL nós fazíamos ioga, expressão corporal... havia gente que tinha vivido na África e ficado dois anos sem falar com ninguém. Pessoas completamente originais. Foi aí que começamos a descobrir esses estados alterados de consciência. E a gente praticava aquilo... o pessoal do grupo de análise ficava enlouquecido. Simplesmente, eu tinha aqueles mil alunos e via o mundo mudando de qualidade... a coisa mais fantástica. E eles não!

Os estudantes do Instituto eram os rebeldes dos anos 60/70. E o meu grupo de terapia era a grande burguesia estabelecida. Então, o que acontecia? Eu levava essas experiências e o grupo me agredia. E um deles, que era o homem mais forte de lá, e também o mais rico, berrou comigo tanto que eu passei três dias chorando, até que pensei: "Meu Deus, aquele cara berrou comigo na análise e eu estou chorando há três dias. Acho ele um escroto. Então por que estou chorando?" Eu estava vivendo uma bela regressão. Meu analista achava ótimo o meu sofrimento. E era inveja dessa vida, que todo mundo queria ter mas não tinha coragem. E meu analista dizia: "Não se importe, a única pessoa que está fazendo análise aqui é você." Porque eu ia lá, pegava um detalhe e ia praticar, igual ao Ver, Julgar e Agir. Eu não conseguia assimilar tudo o que minha análise estava me dando, mas sensatamente trabalhava o que podia. É, às vezes doía muito. Foi aí que me preparei para enfrentar a loucura. E foi aí que vi que eu ia conhecer os dois lados da loucura.

Então o grupo não agüentou. Meu analista teve que me tirar do grupo e voltou a fazer comigo análise individual, porque a minha vida era desestabilizadora para o grupo. Para ele não. E foi assim que continuei a análise e sem ela não teria entrado no feminismo. Aliás, na época do feminismo eu ainda estava nesse grupo, e era outra coisa que deixava o grupo louco. Porque aí estava o mundo inteiro em cima da minha cabeça, os militares, a Igreja, o Estado, a mídia, tudo. E eu estava ali firme por causa do meu analista.

Amor e Loucura

Fui procurar minha profundidade na loucura. Chegou um ponto, em 1971/72, no auge das drogas e da Revolução Sexual, que cheguei a achar que por ali também não era o caminho. Então fui buscar através da loucura. Esta é uma história fundamental na minha vida. Não é uma história sexual.

Estava na minha casa sentada num sofá com muita gente, e havia um rapaz sentado ao meu lado, conversando comigo. Era primo de outro rapaz de que gosto muito, um senhor que hoje tem cinqüenta e tantos anos, homossexual, e que continua sendo meu grande amigo.

Esse rapaz estava me contando a vida dele com uns olhos lindos mas um rosto estranhíssimo, e eu pensava: "Meu Deus, essa é a vida que eu queria viver. Ele vive os seus abismos! Por que ele teve essa chance e eu não tenho? Por que eu não tenho essa liberdade profunda que ele tem?" Ele me contava como ia pelas estradas, como tinha coragem de atravessar todas as barreiras, fazer tudo o que queria, enfrentar as conseqüências, enfim, falou quatro horas. No dia seguinte recebo um telefonema desse meu amigo dizendo: "Olha, o Lauro surtou. O Lauro foi internado." Eu disse: "O quê?!" e ele: "O Lauro nunca fala com ninguém. Ele falou quatro horas com você e não agüentou. Ele está no hospital do Engenho de Dentro."

A família dele é uma família rica, e depois eu soube que ele era esquizofrênico e não era a primeira vez que surtava; já era a oitava vez que era internado. A família estava cheia, e o colocaram num hospital terrível que é o Engenho de Dentro, onde trabalhava a Dra. Nise da Silveira. Larguei tudo na hora e fui para o hospital ver o Lauro. Ele estava cheio de aloperidol. Comecei a conversar com ele. Pedi licença para o médico: "Não sou parente dele, mas ele surtou na minha casa. Quero saber, tenho o direito de saber." O médico deu licença: "É bom que ele tenha visita, é bom que alguém venha conversar com ele."

Freqüentei o hospital durante meses. Toda segunda, quarta e sexta à tarde eu largava meu trabalho, largava tudo, e ia ver o Lauro. Lá conheci a Dra. Nise e comecei a conviver com os outros loucos. Entendi o que é a loucura. Meu analista dizia: "O que é que você vai fazer num hospital psiquiátrico?", eu respondia: "Vou viver tudo o que não consigo viver com ninguém, que é a minha sensibilidade." Eu dizia a *minha sensibilidade* e não os meus abismos. E ele dizia: "Ah, agora sei! Hoje você vive a sua sensibilidade, que é a sua profundidade, com os loucos. Um dia você vai viver com pessoas sadias. Então vai."

Fui, e a primeira impressão é que, somente quando as portas do manicômio se fechavam atrás de mim, eu estava vivendo. Porque a loucura nada mais era que a vivência da emoção sem a censura da inteligência. E eu tinha uma necessidade louca daquilo! O que eu procurava nos homens encontrei ali.

Lá encontrei pessoas de uma criatividade enorme. Fiquei amiga da Dra. Nise. No manicômio, os dirigentes entendiam muito pouca coisa da loucura. Só a Dra. Nise da Silveira entendia. Ela construiu o Museu de Imagens do Inconsciente. Vi muitas coisas, muitos símbolos. Os símbolos ali estavam soltos por causa dela. Ela me ajudava a entender os loucos e loucas. Por exemplo, se uma mulher queria uma criança, ela vinha e roubava a criança. Isso é loucura, é sair das regras da sociedade. E vi outro exemplo, um homem que olhava para minha cara e começava a xingar: "Sua filha da puta! Eu quero te matar!" Então pensei: "Bom, o Lauro tem visita, ele não tem, então ele está xingando a vida dele." Eu conseguia decodificar a loucura e ficava completamente apaixonada com o que via.

Foi o que deu profundidade à minha vida nos anos 70. Eu dizia: "Lauro, você me ama?" E ele me contou uma história e tanto. "Eu me apaixonei uma única vez na vida, e durante três anos falei por telefone com essa garota. Ela se identificava como mulher loura, branquinha, estudante. Três anos depois apareceu uma jovem negra com o retrato dela dizendo que eu podia sair com ela porque a do retrato era paralítica. Então eu saía com essa moça que não amava e na cama eu a maltratava muito, quase a matava. Quando soube que a moça da fotografia nunca existiu e que a moça negra era a mesma com quem eu falara durante três anos, enlouqueci. Foi a primeira vez que fui internado. E para mim o amor tem a ver com a morte. Eu não posso amar ninguém sem matar. E se eu amar você eu te mato. Na hora. Então, porque eu a amo muito, quero estar longe." Eu soube que a família dele era muito problemática.

Isso me emociona, foi a primeira vez, depois dessa fase mística, que cheguei às minhas zonas mais profundas, onde eu queria viver. Gostava do Lauro, mas não quis ficar com ele porque ele não estava no meu projeto de vida. Mas porque ele foi aceito um momento por alguém, não surtou durante oito anos. Soube há pouco tempo que ele se matou, depois de vinte anos.

É muito pesado para mim um esquizofrênico. Tinha cinco filhos, todo esse trabalho com a Igreja, e achava que já havia feito o que podia. Lauro me deixou obras de arte feitas por ele. Ainda as tenho, e sempre me lembro dele.

Freud dizia que, se a humanidade perdesse seus esquizofrênicos, perderia sua profundidade. Quem vivia a profundidade realmente quebrava. Eram os mais sensíveis que quebravam, os esquizofrênicos, aqueles que dissociam para a emoção. Ali eu vivi com os esquizofrênicos, assim como antes vivera com os místicos. Só que os esquizofrênicos vivem essa profundidade de maneira negativa, inconsciente, sofrendo muito. E para os místicos a presença de Deus, que para muitos é delírio, ao contrário, redimensiona a realidade. Só isso já é para mim uma prova incontestável de que, de uma forma ou de outra, Deus existe.

De uma maneira estranha, depois de muitos anos, a fé me volta através da loucura. Mas agora era uma fé ao contrário da convencional, que me permitia entender e dizer a palavra de Lúcifer: "*Non serviam.*" Não servirei!

A Bruxa: Transgredir ainda É Amar

Aprendi com toda essa vivência que só se podia viver transgredindo a lei de Deus, ou o que pensávamos que ela fosse. Transgredir a lei de Deus ainda é amar a Deus. Talvez muito mais que os que não a transgridem. Esses santos são hipócritas. Transgredir é ainda ter Deus como centro. Foi aí que escolhi o dissenso. E o dissenso veio marcar o resto da minha vida. De mística passei a ser a mística ao contrário: bruxa. A bruxa é a mulher livre, que descobre os novos caminhos. Que faz a humanidade crescer. É só ver a história. A bruxa, e não os técnicos. Estes sim, estes desafiam a Deus. As bruxas são perseguidas e queimadas vivas. Eles não... As bruxas na Idade Média eram as mulheres que tinham orgasmo e poder. As duas transgressões mais graves que uma mulher poderia viver. Na Idade Média, todas as mulheres que sentissem prazer e fossem inteligentes mereciam a fogueira. Porque só podiam ter aprendido aquilo com Satanás.

Meu analista dizia: "O outro lado do místico é o físico que dissocia para a racionalidade. É aquele que diz: 'Se meu amigo não fez a bomba atômica, eu faço porque preciso do dinheiro.' Totalmente dissociado." E eu também vivi com os físicos dissociados que enlouqueceram. Pouco a pouco, fui aprendendo que estes eram os verdadeiros demônios. Servem ao poder. Para eles, Deus não existe. Esta é a loucura que vai explodir o mundo.

E, falando em loucura, lembro-me de Michel Foucault. Foucault, sim, era um louco. Mas ele não escreveu nada sobre loucura. Só escreveu sobre política da loucura. Ele viu a loucura de fora. Quem escreveu sobre a loucura de dentro naquela época foi Ronald Laing. Fui editora de Foucault e de Laing, e conheci os dois. Vivi a loucura, não como louca, mas como testemunha.

Passei com os loucos alguns meses. Depois saí, mas saí rejuvenescida. Não pude passar anos porque a Igreja estava me observando, querendo me expulsar da Editora Vozes porque eu era, veja só, devassa. Uma virada de 180 graus. De mística a bruxa... mas o amor era o mesmo. De vez em quando vinha alguém de alguma instância da Igreja pedir minha cabeça, mas frei Ludovico não dava.

O que, em suma, aprendi com a loucura? Por causa dela, minha cabeça mudou a respeito da sociedade. Foi o período mais sacrificado para mim. Tive que dar um amor incondicional, não um amor homem/mulher, mas o amor humano pleno. Depois vi que era o amor que dom Hélder dava o tempo todo a todo mundo, e que é muito difícil. E eu levei esse menino Lauro para a minha casa e pedi a meus filhos que me ajudassem a tratar dele. Depois devolvi para a família. Fiquei com o Lauro o tempo que foi possível... Antes de levá-lo para minha casa, eu dizia para a família dele: "Se vocês continuarem com ele aqui no Engenho de Dentro, eu chamo os jornais." Eles então, com medo de escândalo, levaram para um sanatório de classe média. E nesse sanatório já não existia mais o imaginário da classe pobre, era um imaginário reprimido e com mais recursos. Não vinha mais um inconsciente em estado bruto, mas abafado. Era chata a classe média. Até na loucura!

Nesse momento aprendi que doentes não são os loucos, doente é a sociedade inteira. Porque a sociedade, ao reprimir a profundidade, faz com que todas as coisas se tornem mecânicas. As pessoas ficam obcecadas pelo trabalho, pois não têm esse contato profundo consigo mesmas que os loucos têm, ainda que de maneira quebrada. Mas têm mais do que nós. E nós, "normais", queremos tapar esse buraco com trabalho. E é isso que alimenta o sistema. A nossa insatisfação fundamental que nada cura é o desejo do abismo. Se todos fôssemos satisfeitos, o sistema explodia. Ninguém trabalharia. Por isso a loucura é fascinante e desestabilizadora. Na época eu não sabia pensar direito, mas tudo ficou na minha cabeça.

Até que no ano seguinte, em 74, encontrei Ronald Laing, em Minas, num congresso, junto com Stan Groff. Era o auge da antipsiquiatria. Discuti com ambos aquela minha vivência, e ambos me disseram a mesma coisa. Muitas vezes a loucura é a degradação da psique, muitas vezes também ela é a manifestação de uma psique mais sintonizada que os outros com a vida mais profunda. E por isso ela quebra. Era o que tinha acontecido com o Lauro.

CAPÍTULO 14

O Feminismo nos Anos 70

Foi em 71 que começou o feminismo à brasileira, quando Betty Friedan veio ao Brasil. Naquele tempo, minha vida era uma loucura. De noite no Instituto Villa-Lobos. De tarde com a Igreja, na Vozes. E de manhã em casa, indo ao supermercado com as crianças que eu adorava. Nesse ano Leonardo Boff chegava da Europa.

Quanto à militância na resistência política, eu continuava rejeitando fazer qualquer coisa pela guerrilha, porque sabia que aquilo estava condenado. Eu tinha certeza... Nessa época eu acabava de escrever *Automação e o futuro do homem* e já tinha noção do que era a tecnologia, por isso tinha uma intuição aguda da ingenuidade deles. Eu não ia me meter numa furada.

E foi quando entrei na análise, com a culpa de não poder ir para a clandestinidade, de não poder ajudar. Estava me sentindo culpada, trabalhei isso com meu analista, e ele disse: "Então por que você não entra no feminismo?" "Como? Entrar no feminismo?!" "Você tem medo de perder a sua feminilidade?" "Não!" "Você não acha um trabalho politicamente importante?" Porque as feministas eram chamadas de lésbicas e chatas. "Acho." "Então por que você não faz isso?" E foi assim que ajudei a introduzir o feminismo no Brasil, para mim uma alternativa à ação armada.

Minha entrada para o feminismo foi original e teórica. Madre Cristina me dera *The Feminine Mystique*, de Betty Friedan, em 1969. Quando acabei de ler, pensei: "Acho que os Estados Unidos são uma sociedade em que alguma coisa vai acontecer. E uma sociedade em que o homossexualismo deve ser forte. Porque aquelas mulheres autoritárias, aquelas *moms*, só podem ser mães de homossexuais, não é possível! Vou traduzir esse livro!" Assim fiz, e ele foi publicado em 1971.

No início dos anos 70, eu achava os EUA uma sociedade assustadora, como ainda vejo hoje. Ali eu via o homossexualismo, que estava por baixo de tudo. Era fruto de uma fortíssima repressão por parte dos estereótipos. Tive essa intuição naquele momento, com o livro de Betty Friedan, que não foi feito para revelar o poder *gay*, mas no fundo do livro aparecia uma sociedade homossexual. Ou monossexual, o que vem a ser a mesma coisa. Homens e mulheres me pareciam dissociados entre si, vivendo até em confronto numa sociedade competitiva e agressiva.

Quando descobri que era verdade, achei terrível, não porque rejeite o homossexualismo, mas porque sonho que a sociedade deve ser governada pelos princípios feminino e masculino juntos. Sou aliada dos homossexuais porque eles também são grandes oprimidos. Mas não quero uma sociedade em que homem e mulher sejam dissociados. Basta ver o estrago do patriarcado.

Um Batismo de Fogo para o Feminismo

Ser feminista no Brasil em 1971 não foi fácil. Ibrahim Sued escreveu um artigo me malhando, dizendo que não casava comigo porque eu era feia e lésbica, pode? Nunca passou pela cabeça dele que alguém pudesse rejeitá-lo. Ele era feiíssimo, e barrigudo. Eu tinha medo desses jornalistas de fofoca. Era tímida naquela época, e eles tinham muito poder. Construíram para mim uma imagem de mulher contra os homens que fui aceitando com o tempo, porque não ligo a mínima para a imagem que a mídia faz de mim. Sempre gostei dos homens. Achava que sendo uma pessoa honesta, verdadeira, com o tempo tudo se esclareceria. Como está se esclarecendo.

Nesse ano de 1971, a Vozes iria completar 70 anos de fundação. Frei Ludovico queria trazer um escritor estrangeiro e me lembrei do teólogo americano Norman O. Brown, autor de *Life against Death*, que fez a cabeça de uma geração nos Estados Unidos, e a minha também. Li aquilo e publiquei. O livro foi um sucesso. Vendeu muito.

Eu queria trazê-lo para o Brasil, ou então Michel Foucault ou Betty Friedan. A menos dispendiosa era Betty Friedan. Ela vinha só pelas despesas. Não pediu dinheiro, e foi ela que trouxemos. Então preparei a vinda dela, preparei o lançamento do livro no Museu de Arte Moderna no Rio e na Biblioteca Mário de Andrade em São Paulo.

Achava que o lançamento iria se esgotar só naqueles eventos, mas uns dias antes de ela chegar a coisa ferveu. Ela era muitíssimo conhecida no Brasil por causa do feminismo americano, que estava no bojo da Revolução das Mentalidades, dando uma nova cara àquele país.

Minha Entrevista ao *Pasquim*

O *Pasquim* me chamou para uma entrevista, que dei para preparar a vinda dela. Paulo Francis, Ziraldo, Glauber Rocha, Jaguar, Borjalo, Fortuna, essas pessoas é que me entrevistaram. Algumas já morreram, mas fizeram história. Digo uma coisa: jantei aqueles homens todinhos, que tinham uma idéia machista do feminismo. Eu já conhecia bem a ideologia feminista e o que eles iam dizer. Foi uma entrevista memorável. Paulo Francis era louco. Ele tinha uma personalidade dividida. Por um lado, dizia-se uma pessoa contra o sistema, e, por outro, bajulava esse mesmo sistema. Tanto que nos últimos anos da vida dele, quando eu ia aos EUA, ia visitá-lo de vez em quando — ele vivia lá e achava os Estados Unidos muito melhores que o Brasil. Era etnocentrista. O consciente dele ia para um lado e o inconsciente para o outro. Não sei como ele tinha tanto impacto sobre os leitores aqui no Brasil que ele esnobava solenemente.

Paulo Francis começou como jornalista nos anos 60. Depois, em 69, ele e os outros foram para o *Pasquim*. Assim como para mim foi o Instituto Villa-Lobos, o *Pasquim* foi para aquele pessoal: Ziraldo, Jaguar, Sérgio Cabral... O primeiro número do *Pasquim* saiu com uma entrevista com Leila Diniz, cheia de palavrões, substituídos por estrelinhas, que imediatamente fez do *Pasquim* o jornal mais popular do Brasil. E o *Pasquim* não só foi a grande resistência contra o regime militar na área da imprensa, mas também marcou a mentalidade da juventude. A gíria da juventude até hoje é o "sifu", "mifu". E gírias ainda hoje correntes tiveram origem no *Pasquim*, há mais de vinte anos... O Jaguar era um doido! Conheci Luís Carlos Maciel também. Foi por intermédio dele que encontrei Norman O. Brown.

Quanto a Glauber Rocha, só o vi durante a minha entrevista. Gostava de Glauber. Agora, posso estar maluca, mas pelo que lia nas entrevistas, via que ele tinha declarações de um esquizofrênico mesmo.

Finalmente Betty Friedan

Quando Betty Friedan chegou ao Rio, fui com ela primeiro ao *Pasquim*. Ali, ela deu uma entrevista a Millôr Fernandes, que era profundamente antifeminista. Ele a provocou tanto, que ela deu uma cacetada no gravador, que foi parar longe. Aí, ele se aquietou e conseguimos terminar a entrevista. Ele pôs o rabo entre as pernas. Depois fomos aos outros jornais do Rio e de São Paulo. O *Jornal do Brasil* veio até me entrevistar no cabeleireiro. Fiquei surpresa. Por que tanta coisa por causa daquela mulher?

Quando ela chegou, encontrei uma mulher feia, agressiva. E morri de susto. Ela ficou três dias comigo. Demos uma entrevista coletiva no Rio de Janeiro, outra em São Paulo, e fomos a todas as televisões, durante três dias... Os jornais nos davam as páginas centrais.

No Rio, a entrevista foi no Copacabana Palace, e em São Paulo, na Biblioteca Mário de Andrade. O lançamento estava cheio. Um espaço lindo que o Jair Canizela, gerente da Vozes em São Paulo, arranjou. A mídia toda estava ativada. A *Veja* fez uma matéria enorme comigo e com a Heloneida, deu páginas amarelas para a Betty. E o livro não vendeu essas coisas porque ainda era muito assustador.

Naqueles três dias fiz Betty Friedan ver tudo, as mulheres que marcharam em 64, a favela, onde ela encontrou avós de 32 anos, mulheres que sustentavam as famílias sozinhas. Ela queria saber se aquelas mulheres eram iguais às das comunidades negras nos Estados Unidos. Levei-a para ver os torturados, como Marcos Arruda, recém-chegado da tortura. Fomos almoçar com Roberto Civita, com Adopho Bloch, tudo em três dias.

Eu já conhecia o Adolpho Bloch. Tinha trabalhado para a *Manchete*, era amiga de José Itamar de Freitas. Bloch era neurótico, judeu antigo, o típico judeu patriarcal, mais parecido com os árabes do que com Roberto Civita, o judeu moderno. Roberto Civita era americano, tinha aquela finura da modernidade. Bloch ficou amigo da Betty Friedan porque descobriram que as famílias deles eram do mesmo lugar da Ucrânia, Kiev. Por isso ele deu a ela um espaço enorme. Nesse dia estavam na sala umas modelos, meninas lindas e idiotas, debochando da feiúra dela, as mais velhas diziam: "Esperem quando chegarem aos 50 anos." E todas se calaram.

E ela disse que na minha entrevista ao *Pasquim* eu fizera pouco dela, mas no fim confessou: "Mas eu perdôo você porque o que foi feito aqui foi tão imenso que o resto não tem importância." Na verdade não fiz pouco dela, mas ela era mesmo muito agressiva. Eu dizia para ela: "Você fala tão mal dos militares. Não sabe que eles vão perseguir a mim que sou mais fraca?" Ela só dizia: "Não quero nem saber. Sou cidadã americana livre!" Por outro lado eu dizia: "Betty, eles estão ironizando o feminismo." E ela dizia: "Estão fazendo uma coisa muito importante a nosso favor, *keep doing*!" "Vai fazendo." E aquele "*keep doing*" ficou para sempre na minha cabeça. É por isso que continuo dizendo ainda hoje que, se o que tem que se fazer é o que tem que ser feito, então vai fazendo. Quando ela saiu, o país parecia devastado. E os militares me vigiaram durante seis meses.

O Primeiro Feminismo

Em 70 conheci Romi Medeiros. Já conhecia Heloneida Studart, que continuava sendo minha grande amiga. Ela trabalhava na Bloch. Também conhecia a Carmem da Silva, que era da Abril. Elas me davam quanto espaço podiam, porque eu era a louca que fazia o que elas não podiam. Então me davam a maior força.

Ter a Igreja nas costas naquela época era ter uma certa garantia de liberdade. Porque Heloneida foi presa. Carmem da Silva, se falasse um pouquinho mais, porque era marxista, iria presa também. Romi Medeiros tinha passagem entre os militares. Era uma mulher maravilhosa. Conheci também Helleieth Saffioti, que na época veio a ser a primeira grande teórica marxista de estrita observância sobre a mulher. Ela também se tornou minha amiga para sempre. Ainda não existiam os grupos feministas... Moema Toscano (grande Moema!) ficava apavorada com Romi Medeiros, porque ela não dizia coisa com coisa em termos ideológicos. Era uma mulher sem nenhuma formação teórica, uma brilhante advogada. Tinha feito a famosa lei junto com Nelson Carneiro em 1962, que dava liberdade à mulher casada. Era a única de nós que tinha passagem entre os militares.

Naquela época comecei a conhecer as grandes estrelas, mulheres e homens do Brasil. Então, com Romi, em 1972, fizemos o Primeiro Congresso de Mulheres do Brasil. E foi aí que vieram as artistas: Pinky Wainer, filha da Danuza Leão, Odete Lara, Leilah Assunção, que já eram minhas amigas também.

A esse Congresso vieram as filósofas, o pessoal da USP, quase só havia estrelas. No primeiro dia, saiu em todas as primeiras páginas dos grandes jornais. Ao verem a repercussão, os militares mandaram acabar com o Congresso e me prender. A Romi então pegou todas as mulheres de classe dominante que estavam com ela organizando o Congresso. Foi para o DOPS, e disse: "Vocês vão prender a Rose. Mas antes terão que prender nós todas." Eu só soube disso depois. Os militares ficaram apavorados, deixaram o Congresso ir até o fim, mas ninguém mais falou uma palavra sobre ele nos jornais. Foi a solução que encontraram para nos desqualificar.

E foi por causa da Romi que comecei minha amizade com Zuzu Angel. Ela foi o grande símbolo da mulher durante a ditadura militar. Seu filho, Stuart Angel Jones, pertencia a uma dessas organizações clandestinas, e foi morto durante a tortura em 71. Zuzu reclamou o corpo dele junto a todos os generais, foi para os Estados Unidos queixar-se aos senadores americanos. Era uma estilista de moda que vendia sua roupa para o Bloomingdale's, para o Sacks Fifth Avenue, para todas as grandes lojas de departamentos americanas. Ela fez, com Elke Maravilha, um desfile de roupa toda branca com canhões negros, em Nova York, que deu um rolo danado. Incomodou todos os militares, nunca desistiu de procurar o corpo do filho. Era também mãe de Hildegard Angel, que ficava preocupada com as atitudes dela. Zuzu me levava às festas que saíam nas colunas sociais, para todos os grandes desfiles dela. Éramos amigas. Eu gostava muito dela, achava-a parecida comigo. As pessoas parecidas se ligam. Saíamos juntas quase sempre.

Um dia Zuzu disse: "Eu vou morrer. Ou de acidente provocado ou de ataque cardíaco, porque estou brigando muito com a Hilde, ela tem medo dessa minha atividade antimilitar." Três dias depois o carro dela caiu do túnel do Joá, hoje Túnel Zuzu Angel. O acidente foi noticiado nas rádios e mostrado nos noticiários de televisão, mostraram o carro amassado do lado contrário, quer dizer, ele tinha sido jogado para fora da pista pelo carro da polícia. Foi assassinato. Porque ela tinha ido até Henry Kissinger quando ele veio ao Brasil. E os militares não hesitaram. Mandaram assassiná-la assim direto porque não agüentavam mais com a Zuzu. Zuzu foi a grande heroína, a maior de nós todas. Que sofrimento! Isso foi em 76. Todo mundo no Brasil sabia. Ela já era um mito.

Sozinha, procurando o corpo do filho como uma Mater Dolorosa, foi mais danosa para o Regime do que toda a ação armada.

Eu Falava, Falava, Falava

Quando se falava de mulher era comigo, porque ninguém tinha coragem de falar uma palavra. Era o auge da ditadura militar e da tortura. Só eu era louca o suficiente para ir parar nas TVs. Eu ia para a TV Globo colocar a mão no nariz dos militares, ia brigar com o Sílvio Santos etc.

O feminismo brasileiro não tinha nada a ver com o feminismo americano. Desde o início, o nosso feminismo era ligado à luta de classes. Eu assim fazia, Helleieth, Heloneida e Carmem da Silva, todo mundo era de esquerda, menos a Romi. A gente não metia a pobre da Romi em confusões, uma santa, muito ingênua mas muito solidária com as mulheres mesmo de esquerda, porque eram mulheres, por causa da Zuzu. Em 1972, não havia nenhum grupo funcionando porque era proibido. Dizia-se que não podia ter grupo de mais de uma pessoa. Todas as feministas que conheci no início dos anos 70, que poderiam estar trabalhando, estavam escondidas.

Ainda em 1972, a *Manchete* fez uma pesquisa de opinião pública nas universidades perguntando por que as mulheres estavam entrando para o ensino superior. Elas diziam que queriam ter primeiro uma inserção no mundo, uma carreira, e só depois de terem conquistado seu lugar no mundo público é que queriam uma família e filhos. Elas não desejavam mais sair do ginásio e esperar marido. E não era por acaso que aquelas eram as grandes reivindicações feministas que fazíamos na imprensa.

Era o momento do milagre brasileiro, e não só as mulheres estavam entrando em massa para a universidade como também estavam entrando em massa no mercado de trabalho, e precisavam se qualificar. Elas eram seis milhões em 1970 e passaram para 12 milhões em 1976. Foi por isso que essas idéias não paravam nunca de estar nas primeiras páginas dos jornais, não só aquelas discussões alternativas sobre androginia, mas toda a discussão sobre a opressão da mulher e a luta de classes. E eu falava, falava, falava.

Uma Nova Fase da História da Mulher

De 70 a 75, o que parecia, a mim pessoalmente, é que eu não estava falando para ninguém. Meu trabalho feminista não tinha nenhum retorno. Aquilo dava muita depressão, era um enorme silêncio. O retorno apareceu quando fizemos um relatório em 75 para mandar para o México e obtivemos os seguintes números: em 1969, havia uma mulher para cada dois homens nas universidades. Eram cem mil mulheres para duzentos mil homens. Em 75, as mulheres pularam para quinhentos mil, isto é, aumentaram quatrocentos por cento. E os homens vieram a ser também quinhentos mil: isto é, pouco mais que dobraram. O Brasil foi o único país do mundo em que isto aconteceu, e não existia um movimento feminista organizado.

Senti alívio ao tomar conhecimento daqueles números. A luta tinha sido silenciosa mas muito fecunda! Foi só nesse ano que o movimento deslanchou. Em 1975, as Nações Unidas ajudaram a fundar a primeira organização feminista aqui. Então o Brasil foi o único país no mundo em que o feminismo caminhou sem ter sequer um grupo feminista, só com esse movimento de opinião pública, graças à ajuda anônima dos homens e mulheres que realmente queriam transformar a sociedade. Foi uma coisa fantasticamente comovente na ditadura militar. Os militares não podiam lutar contra isso. Era um trabalho anônimo, de formiga, de consenso, e, portanto, poderosíssimo.

Libertação Sexual da Mulher

Em 1970, publiquei meu primeiro livro abertamente feminista, em que fala sobre machismo, mas o livro era muito voltado para a contracultura. O movimento feminista estava em seu auge nos Estados Unidos e na Europa.

Libertação sexual da mulher foi o livro que introduziu no Brasil as teses que as feministas estavam defendendo no mundo inteiro. Nele, procurei dar uma visão geral do que estava acontecendo com as mulheres no resto do mundo. Depois fiz um estudo sobre repressão sexual, um pouco baseado nas idéias de Herbert Marcuse, de quem eu gostava muito. Isto já prenunciava o que iria desenvolver nos anos 80 e 90.

Já não era só o sistema econômico e a opressão da mulher que eu criticava, e, sim, a repressão sexual como base do poder e, principalmente, pela primeira vez alguém sistematizava no Brasil a crítica aos estereótipos que fabricavam a mulher convencional: beleza, magreza, juventude...

Fiz uma apologia da volta à nudez como ela era vivida entre os índios, mostrando que, se tivéssemos uma consciência menos abstrata do corpo, os valores da civilização ocidental teriam sido completamente outros. E mostrando como o poder precisava da anulação do corpo para se perpetuar. E tudo isso numa editora de padres... Só frei Ludovico, com seu gênio, podia nos entender, a mim e ao Leonardo. Esse livro tinha ainda uma visão universalista, mas voltada para a realidade brasileira.

Só comecei a ter uma visão brasileira da sexualidade a partir dos anos 80. E por isso é que o *Sexualidade da mulher brasileira* é ainda leitura obrigatória, e ninguém fez nada parecido, nem antes, nem depois (graças a Deus!). Ao fazer e analisar essa pesquisa, descobri que os homens e as mulheres se tornaram incompatíveis. E vivi nos anos 70 a incompatibilidade entre o homem e a mulher fabricada pelo sistema antes de ter meu pensamento articulado a esse respeito, o que aconteceu no *Sexualidade da Mulher Brasileira* (ver p. 263).

1975: Nasce o Movimento Feminista Propriamente Dito

Mil novecentos e setenta e cinco foi uma data importante. Um divisor de águas para o movimento de mulheres. Nesse ano, fundou-se o movimento feminista através do Centro da Mulher Brasileira. Como era tão difícil organizar grupos e tendências de pensamento no tempo da ditadura, não se podia fazer nenhum movimento, quanto mais feminista. Então, uma dessas moças que eu conhecia, Mariska de Oliveira, já em 74 conseguiu o patrocínio da ONU para a primeira reunião feminista do Brasil. Aí as feministas começaram a aparecer. Conheci Branca Moreira Alves, Eva Blay, Marta Suplicy, todas as que vieram a ser militantes. Mil novecentos e setenta e cinco era o Ano Internacional da Mulher, e apareceram mulheres de todos os cantos do país. As organizadoras convidaram até Celso Furtado para falar, além de muitos outros homens e mulheres. A reunião foi em 14 de julho de 1975 no auditório da Associação Brasileira de Imprensa — ABI. O auditório estava superlotado.

Celso Furtado tinha coisa para falar. E ele disse que sentia admiração pelo feminismo porque ele representava para as mulheres o mesmo que os sindicatos haviam sido para os operários no século XIX. É pouco ou já chega?

Não sei quem o convidou porque não fui eu que organizei o seminário. Aliás elas nem me avisaram dessa reunião. Porque achavam que eu era uma estrela e que no feminismo não podia haver estrelas. Fui como público. Mas eu era muito fotografada. Então, fiquei na minha lá na platéia, e, quando elas convidaram as pessoas depois da reunião para fundar o Centro da Mulher Brasileira, apareceram setenta mulheres do país inteiro, e eu fiquei lá, entre as outras, com Carmem da Silva e Heloneida, as três tranqüilamente, como povo. Até hoje, nas organizações femininas eu não me meto, fico como povo.

Gênero x Classe

O dinheiro que receberia para ir ao México, e não fui, dei para o Centro da Mulher Brasileira, para alugar uma sala, fazer as reuniões. E a partir daí comecei a fazer parte ativa do CMB. Eu tinha recebido o convite da diretora do Fundo Nacional de Desenvolvimento Educacional (FNDE), a maravilhosa Ecilda Ramos de Souza, naquele tempo a mulher mais poderosa do Brasil porque era responsável por um fundo que geria quase tanto dinheiro quanto a Caixa Econômica. Ela era feminista silenciosa. Ecilda financiava toda a educação no Brasil com o FNDE. Ela dirigiu esse fundo com a maior honestidade durante toda a ditadura militar. Nunca ninguém conseguiu encontrar nada sobre ela, mas depois, no governo Collor, ela foi demitida. Morreu pobre. Com ela conseguimos fundar o primeiro centro de reflexão das mulheres. Até o fim de sua vida, Ecilda nos ajudou como pôde. Graças a ela, pudemos começar a nossa história.

Queria me dar passagem e tudo. Pedi que desse o dinheiro às feministas. E desde esse momento houve uma briga séria entre elas. Havia as que trabalhavam com gênero. E havia as do PC, que queriam "aparelhar" o CMB para a luta de classes. Mas as que queriam "politizar" o feminismo acabaram entendendo que este não era uma construção burguesa, e que a opressão da mulher estava por baixo da opressão do homem. Com o tempo, quase todas se tornaram feministas. Elas entenderam que o feminismo era uma forma básica de luta pela justiça. Foi lindo!

Quanto à categoria gênero, ela apareceu mais tarde, nos meados dos anos 80. E no fim dos anos 70, uma amiga minha, grande cientista social indiana, dizia: "Nada dá conta da nossa situação, precisamos criar categorias novas!" E ninguém achava categorias novas nos anos 70. Isso só aconteceu nos anos 80.

Então, as que trabalhavam com a condição da mulher, com violência contra a mulher, foram atropeladas por outros tipos de mulheres que vinham do Partido Comunista e talvez por causa da minha presença mesmo, ou de outras, Heloneida, Romi...

Quando voltei dos EUA em 77, dois anos depois da fundação do Centro, eu já era o membro de conciliação entre a "direita" e a "esquerda" no Centro da Mulher Brasileira. Somos sempre instrumentos da história, temos que deixar as coisas acontecerem como elas têm que acontecer. Depois comecei a ser aceita normalmente pelas feministas. O Centro da Mulher Brasileira viveu com esse dinheiro que fui arrumando até quase os anos 90.

O que É Gênero

Nos meados do século XIX, Marx descobriu a categoria classe social a partir de sua observação da luta entre patrões e operários, opressores e oprimidos. Desenvolveu um corpo técnico sociológico e econômico a partir dessa descoberta. Na primeira parte do século XX, a Europa pegou fogo. Na primeira metade do século XX, metade do mundo se torna marxista-leninista.

Nas últimas duas décadas, as teóricas feministas sentem falta de uma categoria semelhante a classe social mas que desse conta das relações de opressão entre os dois gêneros, o feminino e o masculino, tanto nas ciências como também nas instituições, Estado, mercado econômico etc. E pouco a pouco foram criando um corpo teórico não só sociológico e econômico, mas também psicológico, literário, jurídico etc., que pudesse dar conta da situação real de homens e mulheres dentro das classes. E descobriram que, enquanto a mulher fosse oprimida, a opressão das classes não cederia. Essa foi uma das grandes descobertas do fim do século XX. Em suma, gênero é uma categoria criada para explicar como se articulam as relações entre homens e mulheres e como elas influem nas instituições, na filosofia, nas ciências, na sociedade. Suas conseqüências ainda não foram plenamente avaliadas. Mas serão.

Feminismo em São Paulo: Fui Proibida!

Nos anos 70, as mulheres de classe média tentavam trazer algumas mulheres de sindicato para o feminismo. Em 1975, as mulheres do Partido Comunista de São Paulo me chamaram. Entre elas, Albertina Duarte, uma mulher importante na minha vida depois, porque ela participou em 80 do *Sexualidade da mulher brasileira.* É uma grande médica de São Paulo, e fez parte da pesquisa no campo, como uma estudante qualquer. Elas me procuraram para ajudar a fundar o Centro de Desenvolvimento da Mulher Paulista.

Eu estava na mesa do plenário da Câmara dos Vereadores de São Paulo, num debate com dom Paulo Evaristo Arns, fundando o Centro da Mulher Paulista junto com as mulheres, tanto as freiras como as mulheres do Partido Comunista, quando recebo um telefonema. Era frei

Ludovico: "Filhinha, a polícia levou todos os seus livros." Era 9 de outubro de 1975. "E aí, frei?" "Entregamos." Aí eu chego no auditório e digo: "Senhores, acabei de ser proibida pela ditadura militar." O pessoal levantou e bateu palmas. Foi bom aquele apoio!

Acho que foi uma maneira que eles encontraram para punir, ou avisar as feministas de que elas não podiam se reunir, porque estavam tocando nos sagrados valores da família, e na repressão sexual. E quem sofreu fui eu, a mais porra-louca, a que estava sempre na mídia. Os militares não gostavam nem um pouquinho de mim.

As Prisioneiras

Em 76 entrei em depressão por causa da proibição da minha obra, e me preparei para ir para os EUA. Sem poder escrever eu me sentia como se estivesse morrendo por asfixia. Nesse ano não aconteceu nada assim de espantoso. Só a minha tristeza. Não é todo ano que acontecem coisas como em 75. Sei que fui proibida porque, naquele ano, fui parar até na prisão de mulheres para falar sobre o Ano Internacional da Mulher. Fui falar no Talavera Bruce a pedido do seu diretor, dr. Jessé. As mulheres reivindicavam lesbianismo e cuidado dos filhos, porque elas não podiam receber a visita dos maridos para não engravidar. As guardas batiam nelas. Fui falar isso no jornal, em agosto, e, talvez não por coincidência, meus livros foram proibidos em outubro. As presas políticas estavam lá, fiz uma ligação entre elas e as presas comuns. Era interessantíssimo o que se via na prisão das mulheres. Não duvido que os militares tenham ficado irritados com aquela minha visita ao Talavera Bruce.

Só havia umas duzentas mulheres presas no Rio de Janeiro, e o número de homens era doze mil, uma imensa desproporção. E havia muitas mulheres presas por coisas de fazer chorar: uma delas tinha dado um cheque sem fundos de cerca de dez dólares (em moeda americana, para ver como o cheque era mínimo!) e ficou não sei quantos anos na cadeia. Outra era uma alemã que estava traficando cocaína e dizia para mim: "É, eu fui pega, mas aqui é interessante para mim porque sou bissexual." E encontrei ali também a única que vi que era mesmo marginal e criminosa. Ela se chamava Sandra e me disse: "Minha filha, eu passei a vida inteira aqui. Quando fui posta em liberdade, de repente me vi com uma navalha na mão e voltei para cá logo. E quero ficar aqui para sempre." Ela era lésbica e chefe de gangue na prisão.

E a prisão era até bonita, limpa, parecia um hotel. Não era como essas prisões que põem vinte e cinco homens num quarto. Era uma prisão espaçosa, inclusive as mulheres podiam ter seus filhos ali e cuidar deles. Mas me lembro das caras das guardas, cruéis, verdes. Caras tão cruéis quanto as dos carcereiros homens. Não sei como essa prisão estará hoje.

Como já disse, era muito pequena a proporção de mulheres presas em relação aos homens. Sempre por latrocínio... havia ali uma ou outra assassina, mas a maioria era presa por crimes leves, o que me dava uma pena muito grande. Porque a natureza dos crimes pelos quais as mulheres eram presas não era a mesma natureza pesada dos crimes dos homens.

Quanto às presas políticas, havia uma dúzia de moças que tinham sido torturadas nos movimentos subversivos. E elas faziam ali o que os homens presos políticos me contaram que faziam quando estavam na prisão da Ilha Grande. Eles tinham contato com os presos comuns e os educavam. E as presas políticas ali não podiam ter contato com as presas comuns, porque elas eram muito desestabilizadoras. Elas faziam grupos de conscientização política... Depois que fui lá, o dr. Jessé deixou as presas políticas ensinarem as presas comuns a ler, deixou darem aulas de tudo. E era o que tinha que ser feito mesmo, pois as presas políticas eram inteligentes. Algumas até participaram depois de livros.

O Feminismo na Mídia

Conheci Eduardo Suplicy no início dos anos 70, por intermédio do Luís Carlos Bresser Pereira. E Marta, que entrou no feminismo por minha influência. No fim dos anos 70, ela tinha um quadro num programa de televisão da TV Globo, o *TV Mulher*. Eu me apresentei muitas vezes nesse programa. Foi quando o feminismo se difundiu na cultura de massas. Isso foi no início dos anos 80, mas vale falar agora para se ter uma visão mais abrangente do que foi a luta feminista. Era nesse programa que Marta Suplicy ensinava sexualidade ao povo. O programa chegou a atingir dois milhões de pessoas, e era importante como fator de consciência do corpo. Por ele a consciência corporal, que estava restrita a círculos alternativos, se difundia para as grandes massas. Uma vez, a Marta ensinou as mulheres a se masturbarem, e disse: "Você levanta a roupa e procura um grãozinho." Isso na televisão, às oito horas da manhã. E na TV Globo! A mãe de um amigo meu ligou a televisão nessa hora, viu e disse: "Estarei sonhando?" Cada vez que Marta ensinava uma técnica nova, no dia seguinte, em quase todas as delegacias do Brasil, apareciam mulheres com olho roxo; mulheres do povo que iam fazer aquilo e o marido batia perguntando: "Sua prostituta! Onde é que você aprendeu isso?" Foi muito importante na década de 70 o aprendizado da sexualidade pelas mulheres de classes populares. Com esses e outros programas, a cabeça do povo brasileiro mudou. Tornou-se diferente do resto da América Latina, que é muito atrasada em matéria de sexualidade até hoje.

E Marta só foi afastada da televisão mais tarde, em 1986, quando começou a entrevistar essas mulheres de classe popular e viu que elas estavam se organizando. Roberto Marinho deve ter achado aquilo perigoso. E foi essa mesma realidade de organização informal das mulheres que apareceu na minha pesquisa sobre a sexualidade dos anos 80. E o *TV Mulher* foi substituído pelo programa da Xuxa. O *TV Mulher* era um programa revolucionário, mesmo para os anos 70. E o da Xuxa era só entretenimento.

As entrevistas de que eu participava eram sempre sobre sexualidade, sobre os livros que estávamos publicando, sobre problemas referentes à mulher. Eu falava muito sobre organização das mulheres, qual era a diferença delas para as organizações dos homens. Dizia que organizando mulheres organizava-se o povo gerações afora, ao passo que, organizando os homens, se fazia apenas um trabalho momentâneo. Construíam-se pontes, estradas, edifícios, mas o longo prazo era principalmente construído pelas mulheres, que tendiam a educar as gerações futuras. Era o que estava escrito em *Mulher na construção do mundo futuro*. Era importante para as mulheres brasileiras descobrirem o valor que tinham. Esse foi um trabalho ideológico feito pelo feminismo nos anos 70 e 80.

Entre muitos outros, gravei um programa, em 1981, com Eduardo Mascarenhas, bastante badalado na TVE do Rio, que ele fazia só com pessoas famosas. Essa entrevista, que durou quase duas horas, acabou sendo uma psicanálise que ele fez de mim no ar. Lembro-me de que também quis psicanalizá-lo. E quando ele no fim me pediu uma mensagem ao público, falei do fundo do coração: "Se eu que sou cega, limitada, fiz tanta coisa, imaginem o quanto vocês que são normais podem fazer!" Todo mundo chorou no estúdio de gravação. O programa se chamava *Interiores*. Era 1981. Teve uma repercussão enorme.

Foi também nesse ano que fizemos o famoso piquete para impedir que os juízes absolvessem o Doca Street. Ele tinha assassinado Ângela Diniz e levantado uma polêmica nacional porque os juízes o haviam absolvido em primeira instância. O crime foi considerado lavagem de honra. Essa condenação que conseguimos chamou a atenção da mídia e do país inteiro, porque a consciência de que as mulheres estavam sendo assassinadas injustamente já havia emergido do inconsciente para o consciente do povo brasileiro. E a partir daí os assassinatos por lavagem de honra começaram a ser condenados. Éramos quinze mulheres reunidas em Cabo Frio, pedindo para condenar o Doca Street, e no *New York Times* saiu que éramos quinze mil. Mas eram só quinze, inclusive a Romy Medeiros, lado a lado com o pessoal do MR8. A esquerda mais fanática com a direita mais convicta. Foi uma beleza!

Travei outra luta importante na mídia antes de sair o Centro da Mulher Brasileira. Era uma briga direta com os militares. Sempre que podia, ia para a televisão enfrentar a ditadura. Eu estava em análise, e também sabia que se fizesse aquilo na televisão nada me aconteceria. E foi por isso que quando chegou a época da proibição do Leonardo eu dizia a ele para falar com o maior número possível de pessoas. O que, aliás, ele fez, e muito bem.

O Feminismo se Espalha pelo Brasil

Em 1979 realizou-se em Fortaleza o Congresso da Sociedade Brasileira para o Progresso da Ciência (SBPC), a grande reunião anual de todas as ciências... Em 80 eu já não achava mais graça naquilo, mas nos anos 70 era uma farra. Nesse ano apareceram feministas do Brasil inteiro, e fizemos uma reunião coordenada por Albertina Duarte. O feminismo nesse ano de 79 se espalhou por todo o Brasil. O movimento então existia só no Rio e São Paulo.

Nesse congresso, encontramos mulheres de todos os estados do país, e elas fundaram os primeiros grupos feministas fora do eixo Rio—São Paulo. Foi um ano importantíssimo para a difusão das idéias feministas. Em 1979, se realizou também o grande Congresso das Metalúrgicas em São Paulo, e ainda o Primeiro Congresso da Mulher Paulista. A essa altura já havia muitas feministas, e já estávamos discutindo com os partidos de esquerda sobre o que era mais importante, a luta de gênero ou a luta de classes. Lembro bem o que eu dizia: "Vocês tiveram quinhentos anos para fazer o que queriam e não fizeram nada. Agora deixem a gente trabalhar." O feminismo estava crescendo, e essa discussão entre gênero e luta de classes foi o que deu origem a eu rasgar o primeiro projeto que fiz com Yeda Wiarda, quando estive nos EUA, em 77, e com o qual ganhei dinheiro da Fundação Rockefeller e fazer outro que deu origem ao livro *Sexualidade da mulher brasileira — Corpo e classe social no Brasil.*

CAPÍTULO 15

A Teologia da Libertação

Enquanto isso, no início da década de 70, a Vozes estava se tornando uma editora definitivamente progressista. Isto aconteceu a partir de 1969, quando frei Ludovico conseguiu finalmente, depois de grandes manobras, me colocar como editora-chefe. Eu era a única mulher no meio dos padres nesse cargo, não tinha um só homem leigo! Entrei oficialmente para a Vozes em maio de 69. E imediatamente levei Eduardo Chuai para cuidar da parte financeira, a pedido de frei Ludovico. Só a partir de 69 é que comecei um trabalho editorial sistemático. No começo publicava livros muito sofisticados sobre tecnologia, editei uma coleção chamada *Perspectivas do futuro* em que foram incluídos *Automação e o futuro do homem*, além de um livro de Arthur Clarke e mais outro chamado *Inteligência no universo.* E vendeu tudo.

Os franciscanos aceitaram a nova linha leiga porque aqueles livros estavam vendendo. E não havia livros sobre sexualidade. O problema da Igreja não era a política, ou a tecnologia, era a sexualidade. Mesmo assim, esses assuntos de tecnologia não estavam dentro da tradição franciscana. Mas os franciscanos não interferiam, não decidiam. Eu decidia sozinha. E então começou, por parte dos conservadores, um movimento surdo e silencioso contra mim, que terminou só em meados dos anos 80 com a expulsão de nós três: Leonardo Boff, frei Ludovico e eu. Até lá no entanto ninguém pôde fazer nada. O que estava acontecendo era um milagre.

Fazia dez anos que frei Ludovico me conhecia, fazia dez anos que ele vira meu trabalho na Conferência dos Bispos. Durante seis anos eu levara a Igreja progressista para a Vozes.

Mas os padres não estavam satisfeitos porque uma mulher dirigia as publicações da editora. Em 1970, trouxeram um jovem padre que se doutorava na Alemanha, muito brilhante, e que chegou querendo conversar comigo. Em cinco minutos nos entendemos. Ele queria publicar livros alemães, e eu disse: "Não, primeiro você vai para a favela passar um tempo, conhecer a realidade brasileira, depois volta para conversar comigo." E ele era suficientemente inteligente para isso. Foi, e quando voltou veio com um livrinho debaixo do braço, chamado *Jesus Cristo libertador*. Naquela hora percebi que aquele rapaz que eu achava meio ingênuo era um gênio. A partir daí ele se responsabilizou pelas publicações religiosas da editora, e eu fiquei com o setor universitário e leigo. Comecei a lançar as publicações feministas políticas, nada ainda sobre sexualidade. E simultaneamente ele começou a lançar a Teologia da Libertação. Seu nome: Leonardo Boff.

Antes de Leonardo

Na linha religiosa antes, em 1967/68, veio Carlos Mesters com os *Círculos bíblicos*, que eram uma explicação política da Bíblia para os oprimidos. Vendiam centenas de milhares de exemplares. Foi então que vi o que eram publicações populares. O sucesso delas se juntava ao dos livros publicados por mim. Por isso frei Ludovico me deu carta branca. E foi a partir dos chamados *Círculos bíblicos* que se solidificaram as comunidades de base no Brasil.

Nos meados dos anos 70, os bispos já estavam desiludidos com os militares. Também tinha acontecido o encontro de Medellín em 1968. Então essa linha da Igreja progressista tomava uma outra força mesmo antes de o Leonardo chegar.

Foi em 1968 que ocorreu o Segundo Encontro da Conferência Episcopal da América Latina (Celam) em Medellín, Colômbia, ainda muito influenciada pela santidade de dom Hélder, principalmente como uma tentativa de colocar em prática os ensinamentos do Concílio Vaticano II. Foi presidido pelo papa Paulo VI. Foi a primeira vez que o papa viajou para as Américas. Isso deu muito chão fértil para a Teologia da Libertação crescer. O nome *Teologia da Libertação* foi criado por Gustavo Gutierrez em 72. Mas ele mesmo admite que as bases se encontram na prática e nas reflexões dos cristãos leigos e brasileiros sob a influência de dom Hélder, nos anos 60. Nessa esteira se situa Leonardo Boff, que sistematizou os principais conteúdos da Teologia da Libertação. Nascia então, depois de quase dois mil anos, a teologia do ponto de vista do oprimido, aqui na América Latina, no Brasil, na Vozes. Viu que luxo?

Havia uma conjuntura extremamente favorável para tudo isso, mas fomos nós que fizemos essa conjuntura. Já existia o que eu chamava de a revolução das Mentalidades. E a Teologia da Libertação também fez parte dela, foi a sua contribuição brasileira, porque foi a Revolução das Mentalidades para a classe oprimida, e sem ela essa revolução teria sido falha.

Um Grande Prazer: Editar

Nessa época, frei Ludovico pediu que eu fizesse mais livros leigos, porque ele estava achando que se ficasse só com a linha religiosa a editora iria estagnar, como de fato aconteceria. Então em 1970 fiz, como editora, a minha primeira viagem a São Paulo, à USP. Foi quando conheci Luís Carlos Bresser Pereira, Marilena Chauí. Ela me aconselhou a editar o recém-lançado *Anti-Édipo*, de Deleuze e Guattari. E não editei. Me arrependo até hoje. Quer dizer, já nessa época queríamos publicar as vanguardas, a gente ainda publicava livros estrangeiros, mas pouco a pouco o grosso das nossas publicações veio a ser os livros brasileiros. E houve mesmo um momento, no fim da década de 70, em que desistimos de publicar livros estrangeiros para publicar apenas livros brasileiros. Isso aconteceu justamente quando a ditadura quase tinha acabado com a cultura no Brasil, quando tinha esmagado o pensamento do ISEB (Instituto Superior de Estudos Brasileiros), do Nelson Werneck Sodré, do Darcy Ribeiro.

Encontrei Darcy Ribeiro em 1968. Ele saiu da loja da Vozes na rua Senador Dantas com meus livros debaixo do braço, e nesse mesmo dia foi preso e mandado para o exílio.

Eduardo Chuaí entrou para a Vozes vindo da Editora Civilização Brasileira, e também do gabinete militar do Jango Goulart. Ele conhecia Darcy Ribeiro, Nelson Werneck Sodré, conhecia as melhores cabeças da militância teórica de esquerda. Trouxemos várias para a Vozes. E uma das grandes aquisições desde o começo foi Nelson Werneck Sodré.

A Civilização Brasileira

Essas pessoas sabiam o que estava acontecendo nas outras editoras, mas sofreram uma grande repressão. Só restou a Civilização Brasileira, porque as outras fecharam com a ditadura militar. José Olympio, por exemplo, só editava romances, não publicava material ideológico. Por isso, sobreviveu. Jorge Zahar publicava livros para universidade, também não sofreu. Quem sofreu mesmo foi o Ênio Silveira, porque publicava livros avançados, era homem de luta. Aquela revista dele, a *Civilização Brasi-*

leira, veio a dar origem à Editora Paz & Terra ainda nos anos 60. E a Paz e Terra ainda é viva e atuante hoje.

Ênio era uma grande figura. Eu o conheci porque era pai de uma aluna minha, a Sílvia Silveira, e o conheci justamente no início dos anos 70. Não tinha muito contato com ele porque eu continuava sendo uma pessoa meio tímida. Desde aquela época em que o pessoal do *Pasquim* foi preso, Ênio também foi muito perseguido. Bombardeavam a editora, negavam dinheiro para ele nos bancos. Em 74, o sogro dele morreu, e Ênio teve alguma folga de dinheiro para se sustentar, mas no fim teve que vender a Civilização Brasileira para a Bertrand de Portugal. Durante os anos 70, sua editora foi um brilho só. Publicou todos os intelectuais marxistas do mundo. Em 1972, apresentei a ele meu amigo Celso Cunha, do Villa-Lobos, que produziu para ele 1.200 livros nessa fase áurea. "Ele foi o melhor produtor que já tive", me disse Ênio no fim da vida. E acho mesmo que Celso foi um dos maiores produtores gráficos e editoriais do Brasil. Nos anos 90 eu o levei para a Editora Rosa dos Tempos.

Voltei a ver Ênio Silveira em 1990, um homem que tinha tão grande influência quanto frei Ludovico e que foi outro grande produtor cultural do século XX. Eu o encontrei numa salinha em que só cabiam uma mesa e um sofá pequeno. Quase chorei de pena. Ele era empregado da Bertrand Brasil e não podia mais levar adiante seu projeto porque não tinha dinheiro. Ele tinha que viver do seu estoque. E me dizia que o livro que dava mais dinheiro era o *O velho e o mar*, de Ernest Hemingway. Os livros marxistas tinham se esgotado e não eram mais reeditados. Ele tem uma versão maravilhosa de *O Capital*, e da obra de Antonio Gramsci.

Lembro que encontrei na casa dele Paulo Francis e Jorge Zahar. Ênio tinha como autores Moacir Félix, Antônio Callado. Entre outros grandes, Chico Buarque, que davam o brilho à Civilização Brasileira. Nós na Vozes fizemos o trabalho complementar.

Ênio era do comitê central do Partido Comunista encarregado da parte cultural... Era genro do Octales Marcondes, dono da Editora Nacional, riquíssimo, casado com a filha dele, a Cleo, também riquíssima.

A antiga Civilização Brasileira pertencia ao Octales, tinha grandes *bestsellers*. Havia alguns grandes livros que sustentavam a antiga Civilização Brasileira. Esses livros que vendiam como pão quente eram os *bestsellers* eternos. Assim, ele era sustentado por esse tipo de livro. Enquanto os bancos não lhe negaram dinheiro, por imposição dos militares, ele conseguiu se manter.

Vocação de Editor

Acho que nasci assim. Nasci que nem cachorro, farejava tudo. Em 1948, procurei o ISOP (Instituto de Seleção e Orientação Profissional) que orientava os jovens para suas profissões. Na conversa com Mira y López, seu diretor, quando fiz o teste de avaliação do meu QI, ele me disse: "Você vai ser muito infeliz porque dá para tudo. Você pode fazer qualquer coisa. Então não vai parar em profissão nenhuma, porque vai se interessar por tudo." Mas, ao contrário do que ele dizia (claro que larguei as profissões especializantes, como a física), na minha vida inteira tive uma única profissão: a de editora. E sou muito feliz e estável nela, porque é uma profissão que fuça tudo. O que posso fazer se tenho uma cabeça irrequieta? É de certa maneira uma maldição, porque quem é irrequieto intelectualmente é irrequieto existencialmente também.

O interessante é que sou escritora e pretensa pensadora, e tenho interesse em vários campos. Geralmente pessoas que têm essa vocação não são ao mesmo tempo editores. Mas eu era e gostava.

Nunca tive conselhos editoriais. Quase todos os editores têm: Luís Schwarz tem um, a Random House também.

Acho que no Brasil, para fazer alguma coisa, temos que saber fazer de tudo. Para fazer alguma coisa funcionar, temos que ter uma consciência abrangente acerca do saber. Claro que se pode fazer de uma outra maneira. José Olympio e Ênio Silveira sabiam o que publicar, entendiam seus escritores, mas não eram nem escritores nem pensadores.

Mas, no caso da Vozes, a editora cresceu, e tanto Leonardo quanto eu éramos editores, escritores e pensadores. Ambos podíamos ser definidos como "intelectuais orgânicos" no sentido gramsciano. Para Gramsci, o intelectual orgânico é aquele que primeiro detecta o problema, depois sistematiza e organiza os movimentos. Eu podia ser definida como uma intelectual orgânica para as mulheres, e ele, para a Igreja. A coincidência foi tão grande que a entendo como uma sincronicidade. Foi por isso, e graças a frei Ludovico, que, nos anos 70, nasceram em nossas mãos os dois mais importantes movimentos no Brasil do século XX: o Feminismo e a Teologia da Libertação. Aquilo que desde 1948 eu intuíra como sendo editar livros estava acontecendo comigo e com ele: a sociedade estava se mexendo! Era para aquilo que eu tinha nascido. Desde o início a gente se entendeu, éramos muito amigos, muito iguais. Então na hora em que um foi proibido o outro também foi.

O Maior Produtor do Século XX

Nos anos 70, a Vozes cresceu a níveis jamais atingidos. Em quatro ou cinco anos, veio a ser a segunda editora do país, e graças a quem? Antes de mim e de Leonardo, a frei Ludovico, que segurou o Vaticano, que segurou os militares, que segurou a Ordem Franciscana e a Editora Vozes, porque era muita gente contra nós. E foi por causa dele que fizemos tudo o que fizemos. Era uma pessoa misteriosa. Um homem com uma espiritualidade fortíssima e um homem com espírito de catacumbas. Ele tinha uma sabedoria, tal como dom Hélder. Só que não tinha o pensamento articulado que dom Hélder tinha. Era também verdadeiramente um empresário. Místico mas ao mesmo tempo muito pragmático. Por isso deu certo como resistência ao regime militar. Porque o que nós publicávamos eram obras libertadoras. E foi frei Ludovico quem nos fez. Tanto eu quanto Leonardo devemos tudo o que somos a frei Ludovico. Ninguém foi como ele. A partir dos anos 80, ele cresce como editor de maneira surpreendente.

Em 1969, por exemplo, os militares vieram queimar uma agenda que eu havia feito. Na introdução, coloquei uma carta dos bispos da Ásia, onde diziam que o cristianismo era mais próximo do comunismo do que do capitalismo. Ele só fez o seguinte comentário: "Filhinha, os militares vieram aqui e levaram sua agenda." "O senhor vai me tirar do emprego?" "Imagina!" Os militares nunca foram à editora para pegar livros do Roland Corbusier, nem do Darcy Ribeiro, nem do Nelson Werneck Sodré, nem de ninguém. Sempre foram pegar e queimar os meus livros.

No Começo Era Frei Ludovico

Em 1961, quando frei Ludovico Gomes de Castro, aos 52 anos, chegou à Editora Vozes, estava apavorado. Era considerado pela ordem no Brasil o padre franciscano mais ousado. Havia construído antes, sozinho, um seminário em Agudos, no interior de São Paulo, sem pedir dinheiro a ninguém. Havia sido um verdadeiro milagre. Nesse ano, a editora estava à beira da falência. Ele foi nomeado, e, quando chegou, eu soube que no começo chorava e ia falar com José Olympio e com os outros editores, porque não entendia nada de editora. Ele me pegou logo em 1962 para fazer as coleções, que aliás deram muito certo. Aí, pouco a pouco, depois com Carlos Mesters e os outros, a editora começou a dar lucro (e muito!), saiu da falência e começou, além de dar lucro, a sustentar projetos culturais sem retorno financeiro.

Frei Ludovico fez da Editora Vozes quando acabou o seu tempo em 86, ao sairmos, a segunda editora do Brasil, de acordo com o *Leia Li-*

vros. A primeira era a Record em termos de faturamento, e a segunda, a Vozes. Mas a Vozes era mais importante, porque enfrentava os militares, tinha mais influência cultural e histórica do que todas as outras editoras brasileiras. Graças a frei Ludovico. Sempre.

Depois, a última vez que vi o *ranking* das editoras no *Leia Livros*, em 1992, quatro anos depois de ele ter sido destituído, a Vozes tinha despencado para décimo quarto lugar, sem contar que a sua linha editorial não condizia mais com a realidade brasileira. Hoje não sei. As Edições Paulinas tomaram o lugar da Vozes como a melhor editora religiosa do Brasil. Elas tinham também adotado a linha progressista.

A Igreja conservadora, quando começou a agir nos anos 80, a primeira coisa que conseguiu tomar foi a Editora Vozes e depois a Diocese de São Paulo, de dom Paulo. Ou seja, os principais lugares de criação, de contestação, dos anos 70/80, são esmagados. Assim como o Villa-Lobos foi esmagado pelos militares no início dos anos 70, a Vozes foi esmagada pelo Vaticano em meados dos anos 80. E depois que viajei pelos EUA, no correr da década de 80, vi toda essa nova Revolução das Mentalidades ser esmagada pelo sistema. Esses anos todos de trabalho e militância foram triturados pelo rolo compressor do sistema neoliberal. Os anos 80 foram anos terríveis, mas a Vozes ainda resistiu até 86. Também nos EUA, em 1980, tudo havia acabado. A festa dos anos 70 tinha sido substituída pela ressaca dos anos 80.

O Verdadeiro Mistério

Frei Ludovico era um padre que ninguém entendia. Estudou em Friburgo, na Alemanha. Ouviu o maior filósofo do século, Martin Heidegger. Escreveu uma tese em alemão sobre a SS. Trindade em São Gregório de Nissa, grande teólogo grego ortodoxo do século IV, citada até os dias de hoje pelos especialistas. Dominava o grego e o latim. Escreveu o mais famoso manual de latim, o *Ars Latina*. Era também um superior muito duro. Por outro lado, era um homem tão de vanguarda, que ninguém de nós chegava aos seus pés. Eu o levava ao Villa-Lobos em 1970 para que ele pudesse ver de perto as transformações que estavam acontecendo. Depois, em 1985, ele permitiu a publicação de *Sexualidade, libertação e fé: por uma erótica cristã*, um livro em que foi posta em questão a moral tradicional católica e que foi imediatamente banido pelo Vaticano. Eu o conheci muito doce, tão mais avançado do que eu. E ao mesmo tempo agüentando, entre muitíssimas outras, toda essa porra-louquice da Betty Friedan que ele agüentou em 1971.

Foi muito engraçado o caso dela. A mulher ficou zangada com ele em pleno aeroporto porque o dinheiro com o qual ela tinha pagado a passagem (U$ 1.300,00) fora depositado na sua conta bancária e não diretamente entregue a ela. Ela sapateava e ele dizia em português: "Parece um cavalo brabo." Mas pacientemente deu um jeito de entregar o dinheiro a ela em dólar no mesmo dia. E tudo acabou bem. Só ele! Pagou o dobro mas ficou em paz.

Ninguém sabe como ele conseguiu ser assim tão compreensivo. Foi a própria graça de Deus. Leonardo o chamava de "filósofo do *trottoir*" e de "empresário cósmico". Frei Ludovico não podia ver uma calçada que desandava a filosofar. Saía frei Ludovico no meio, eu de um lado e Leonardo do outro, íamos almoçar e o frei filosofando.

Ele era do Rio de Janeiro. De olhos azuis, carequinha. Foi a única figura masculina da minha vida que se pareceu com meu pai e a única figura que realmente me fez ficar viva durante a ditadura militar e depois até, quando ele teve câncer e eu também.

A sua grandeza era maior que a de todos os seres humanos que conheci. E era de uma grandeza intuitiva, não-intelectualizada. Por exemplo, era a única pessoa que me aceitava como eu era. Naquela época, graças à minha análise, eu conseguia viver a minha sexualidade sem culpa. Minha vida era tumultuada, mas séria. Ele intuía que eu estava buscando a minha profundidade através da sexualidade e não estava conseguindo encontrar, e, como grande místico que era, achava o caminho natural. Enquanto isso, os outros me acusavam, inclusive a Igreja institucional. Mas ele não ligava, e me protegeu sempre.

Meu Deus! Meu Deus! Foi com ele que aprendi, antes que esse pensamento estivesse sistematizado, que o pecado não estava na sexualidade e, sim, no poder! Ele soube disso antes de todo mundo. Por isso protegeu Leonardo, que lutou contra uma instituição poderosíssima, que controlava a dimensão sagrada do poder, que era a Igreja, e protegeu a mim também, que estava tentando acabar com o patriarcado (só isso!). Não duvido nada que ele tenha sido tão grande quanto os grandes profetas antigos. Só a História poderá dizer.

De certa forma devo a vida a frei Ludovico. Acho que ele morreu por minha causa e de Leonardo. Ele teve câncer por nossa causa (eu acho), e porque a Igreja foi muito terrível com ele e ele tinha aquela fé... e se culpou a si mesmo. Ao morrer, em 1992, Leonardo me contou que ele repetia constantemente: "fui fiel até o fim", como se em qualquer lugar do seu inconsciente ele soubesse que a Igreja tinha sido injusta e ele não agüentou a decepção. É muito duro morrer por uma causa pela qual se viveu e no fim da vida viu que ela estava errada.

Foi no fim dos anos 60 que frei Ludovico começou a assumir o lugar de grande profeta do futuro que havia sido deixado vago por dom Hélder, agora servindo no Recife como arcebispo, famoso no mundo inteiro, mas aqui no Brasil, sob censura absoluta. A mão de Deus é realmente imprevisível. A partir de 1969 ele veio a ser o dom Hélder ao contrário, o grande transgressor que possuía o sopro do Espírito e por isso continuou a construir o mundo novo. Na minha opinião, ele foi mesmo o maior produtor cultural do século XX aqui no Brasil.

Foi com ele que a editora tomou um caráter não só nacional como internacional. A Teologia da Libertação começava a explodir no mundo. Leonardo, que escrevia em alemão, publicava no exterior grandes artigos. Seus livros eram traduzidos em oito, nove línguas desde o início, porque era uma coisa radicalmente nova no mundo, a ciência de Deus do ponto de vista do excluído. A teoria nascida de dom Hélder, já sistematizada, se espalhava pelo mundo. E aquilo ameaçou a Igreja conservadora. Enquanto isso, a Vozes era uma editora situada em Petrópolis, uma cidadezinha provinciana no estado do Rio de Janeiro, mas que não dava a impressão de ser uma editora carioca, e sim uma editora nacional e internacional. Por causa da Igreja. A Igreja nunca tem um caráter nacional, ela sempre, por mais que esteja no interior de um lugarzinho desconhecido, tem caráter mundial. Pois era o que acontecia.

A editora tinha já esse caráter universal porque era a maior produtora da nova ideologia da Igreja a partir do oprimido para o resto do mundo, e tinha também caráter nacional porque eu corria o país todo. A Vozes tinha representantes em todo o Brasil, gerentes de lojas. E usávamos esses gerentes para contactar os intelectuais no país inteiro. Fiquei amiga de muitos, e conseguimos captar originais maravilhosos, não só dos dois grandes centros culturais, Rio e São Paulo, mas de todos os outros centros do Brasil também.

Trouxemos quase todos os grandes intelectuais brasileiros para a Vozes. Por exemplo, tínhamos uma coleção de lingüística que publicou o maior lingüista do Brasil, Mattoso Câmara, trazido por Miriam Lemle, e também Noam Chomsky. Publicamos Michel Foucault e os sociólogos do Cebrap. Realmente o que havia de mais criativo na cultura brasileira.

Otavio Ianni publicou muita coisa conosco. Ele ficava assim me olhando, meio surpreso meio admirado... Eu queria trazer Marilena Chauí, mas não podia tirá-la da Brasiliense: eu gostava muito do Caio

Graco. Mas levei Eva Blay, que depois foi senadora, e mais tarde ela me disse: "Entrei para a política por sua causa..." Por intermédio dela veio o grande Milton Santos, um dos homens mais inteligentes, não só do Brasil como do mundo.

Darcy Ribeiro levou sua obra para lá. Roberto da Matta fez uma coleção em que publicamos livros de Lévi-Strauss, Victor Turner, Irwing Goffman. E Nelson Werneck Sodré levou sua obra, só não levou seu livro clássico *A formação histórica do Brasil*, mas pouco a pouco foi trazendo seus livros. Pierre Weil começou ali uma linha de psicologia transpessoal, trazendo primeiro todos os seus livros da Civilização Brasileira, que vendem muito até hoje. Começamos essa linha que chamam hoje de esotérica mas que é transpessoal.

Publiquei Rollo May. Estive com ele num congresso e perguntei: "Depois de Freud, qual foi o grande *breakthrough* da cultura no século XX?" E ele respondeu: "Foi quando no Esalem Institute, na Califórnia, se ligou a ciência com o pensamento religioso ocidental e oriental." Publicamos essa linha pela primeira vez no Brasil antes que todo mundo tivesse noção de que isso existisse. Essa linha editorial foi da maior relevância! E está sendo até hoje.

Levei também o estruturalismo, a teoria de sistemas, eu fuçava tudo. Principalmente, levamos a contracultura, com o clássico de Theodore Roszak, *On the Making of a Counterculture*, que foi publicado por indicação de Bresser Pereira; e, acima de todos, *Vida contra morte*, de Norman O. Brown, até hoje o maior libelo que conheço contra a ética protestante. Viria a tomar sua plena dimensão nos anos 90, quando essa ética mostrou-se a base da globalização econômica. Publicamos também o livro de Jacques Monod, *O acaso e a necessidade*, que provocou reações no Vaticano.

Depois do feminismo e da Teologia da Libertação, que eram tendências maiores, esses foram os grandes movimentos que apareceram nos anos 70. E foram formando as condições de trazer os livros de maior porte, que apareceram nos anos 80. Aí sim, ninguém segurou a gente! Começamos a interferir na cultura brasileira quando se trouxe a contracultura, quando foram trazidas para a área universitária todas essas novas linhas de pensamento, inclusive Michel Foucault e Algridas Greimas, não tanto os americanos mas principalmente os europeus. E mais os brasileiros. Depois que a ditadura destruiu o pensamento nacional de antes de 64, a Vozes foi a primeira a dar um voto de confiança ao novo pensamento nascente e pagar o preço. Publicamos mais de 1.000 brasileiros.

Tenho lembranças de Foucault. Vou contar uma fofoca: ele era pervertido, sexual e intelectualmente. Era louco varrido! Em 74 esteve no Brasil, e era nosso autor, tínhamos publicado *Arqueologia do saber* e mais tarde *Vigiar e punir*. E a gente ia assistir às palestras dele porque ele estava falando sobre as raízes da história da loucura, a história da medicina, que depois ele veio a publicar. Eu estava ao lado do Hélio Pellegrino e comecei a fazer uma pergunta. Foucault se levantou e quase me agrediu. Fiquei morta de vergonha. Achei que ele tinha alguma coisa contra mim e fui embora.

Primeiro pensei que ele não queria ser questionado, mas os homens podiam fazer perguntas à vontade. Depois imaginei que fosse algum problema comigo. Uma amiga minha teve essa mesma experiência com Foucault, ele chegou a botar o dedo na cara dela. Ela ficou apavorada... foi a única vez que fiquei apavorada e sofri tamanha vergonha na frente dos intelectuais brasileiros. Então vi que o problema não era comigo nem com ela, era com a mulher, ele era misógino ao último grau. Morreu louco, num asilo e com AIDS.

Ele foi um dos três anti-humanistas que enlouqueceram e morreram de maneira trágica. Nikos Poulantzas se jogou do sexto andar onde morava, com toda a sua obra nos braços. Althusser ficou louco e matou a mulher. Olha, tem lá as suas razões... conheci Robert Linhart, conversei com ele e com vários intelectuais franceses sobre isso. As razões são meio desconexas, mas acho que na sua depressão Althusser queria matar tudo o que fosse testemunha da vida dele, depois submergiu na loucura. Aliás, nunca vi tantos intelectuais deprimidos como os franceses.

Isso foi no começo dos anos 70. A gente já publicava mais brasileiros que estrangeiros, sempre, mas a cultura brasileira já estava se desenvolvendo tanto que depois que pudemos publicar só brasileiros, não publicamos mais quase nenhum estrangeiro.

E no fim da década de 70, estávamos inclusive com os livros de Stan Groff já traduzidos, e o livro do Fritjiof Capra, *O Tao da física*, traduzido e pago, mas não publicamos. Seriam mais tarde imensos sucessos editoriais, com Diaulas Riedel, dono da Editora Cultrix. Como na época o pensamento brasileiro já era tão forte, a ditadura militar já estava tão enfraquecida, inclusive pelas idéias que a gente publicava, decidimos publicar só livros brasileiros.

Em suma, no começo da década de 70, publicávamos quase só estrangeiros porque ainda não tínhamos nenhum grande autor leigo brasileiro. Depois começamos a publicar brasileiros e estrangeiros, até que no fim da década, em 79, já eram quase só brasileiros.

Homem Não Entra

Em 1974, Cidinha Campos, que já era uma grande comunicadora, chamou a mim e a Heloneida Studart, que éramos as escritoras em voga, para fazer uma peça chamada *Homem não entra*. Essa peça atraiu multidões. Era uma peça de teatro feminista, e as mulheres responderam em massa. Foi a partir daí que os militares passaram a me vigiar concretamente. Antes a vigilância não era tão cerrada. A peça era um monólogo cômico em que Cidinha interagia com as mulheres do auditório e estas se expunham, contando seus problemas sexuais, afetivos, domésticos e de trabalho. Era uma catarse surpreendente. E uma grande novidade que nunca mais foi imitada. Ganhei bastante dinheiro com essa peça. Mas, logo depois que ela foi apresentada em Brasília, veio a proibição da minha obra inteira Havia uma série de conjunturas que levaram os militares a proibi-la. Primeiro, porque aprontei muito no Ano Internacional da Mulher. Segundo, porque correu o boato de que as mulheres de militares não gostaram nem um pouco daquela peça. Hoje ela seria considerada uma peça ingênua. Depois a Cidinha quis fazer outra chamada *Agora entra tudo*, mas já não dava mais para fazer porque os militares não gostaram do título.

CAPÍTULO 16

Personalidades

Conheci Vianinha (Oduvaldo Viana Filho, teatrólogo) quando morei em Teresópolis, mas Vianinha já estava com câncer, e o vi uma vez só. Conheci muito bem os cineastas Domingos de Oliveira, Joaquim de Assis, Alberto Salvá, Teresa Trautmam... E Paulo Pontes. Paulo Pontes e Vianinha morreram de câncer, e morreram muito jovens. Eles eram do Partido Comunista, e acho que, muitas vezes, o partido tende a levar seus participantes a não viver a sua sexualidade plenamente. Falo sexualidade, mas não é só a sexualidade, é não viver a libido. A vivência plena da libido pode até excluir a sexualidade, mas ninguém vive plenamente se excluir aquelas regiões mais próximas do *self*, de onde brotam qualquer plenitude, qualquer criação, qualquer grande afeto. O Partido Comunista no Brasil tirava tudo dos militantes, até a própria casa. Mas não é só isso, era preciso dar a própria vida. Foi o que eles fizeram.

O ano em que conheci Paulo Pontes foi 75, por causa da Cidinha Campos. Eu estava insatisfeita com a minha participação em *Homem não entra*, e pensei em escrever uma peça sozinha. Fui à casa dele levar um roteiro. E ele disse: "Eu sei quem é você, vem cá. Deixa isso aqui por 24 horas. Vem aqui amanhã nessa mesma hora." Quando voltei, ele olhou para a minha cara e disse: "Isso aqui é o mais lindo *script* de comédia musical sobre a condição da mulher que já vi. Vamos trabalhar que eu vou te ensinar a escrever teatro." Ele me ensinou dramaturgia, e comecei a escrever minha peça chamada *Titio Hitler*, mas ele morreu em 77, pouco depois de eu voltar dos EUA. Fiquei tão traumatizada que não mexi mais no texto. Escondi numa gaveta. Agora, nos anos 90, apesar de ela ainda não estar pronta, o diretor de teatro Gabriel Vilela amou o texto. E ele ainda está com essa peça.

Paulo Pontes e Vianinha eram pessoas sofridas. Muito reprimidas. Aí é que está: o culpado foi o sistema, não só o sistema capitalista, mas também o sistema comunista, que vêm a ser a mesma coisa, que não deixam a pessoa viver a sua profundidade, então a pessoa acaba adquirindo câncer. Isso porque tanto um quanto outro se baseiam na opressão, e não na libertação. Ambos são patriarcais e, portanto, repressivos. Olha a sabedoria da igreja, do capitalismo e do socialismo, a sabedoria de todos os sistemas que afirmavam ao nosso inconsciente: "Só sobreviveremos com a repressão da sexualidade, do afeto, da profundidade! Vamos impedi-los de viver, fazer com que se matem de trabalhar para cobrir a insatisfação profunda, porque, se viverem plenamente, não trabalharão, e nós implodiremos."

Minha Boemia em São Paulo

Por ocasião das minhas viagens profissionais a São Paulo, conheci muita gente. Quando Luís Carlos Bresser Pereira me apresentou Eduardo Suplicy como "o meu melhor aluno", ele me abriu São Paulo, me abriu o Cebrap. Bresser era professor da Fundação Getulio Vargas. Fui procurar os professores da Fundação em São Paulo e fui muito bem recebida, porque eles conheciam o trabalho que estávamos fazendo.

Convivi com Otavio Ianni e Florestan Fernandes numa fase em que

Florestan andava meio solitário, ele, o pai da sociologia brasileira, um pouco marginalizado pelos seus alunos mais brilhantes do Cebrap. Um esplêndido ser humano. Várias vezes fiquei próxima dele, inclusive nos EUA, quando ele estava dando aulas em Yale.

Eu tinha então uma vida no Rio e outra em São Paulo, inclusive uma vida boêmia com Leilah Assunção, na casa de quem eu me hospedava. Ela era muito bonita (havia sido manequim de Denner). Vivíamos naquelas *premières* teatrais maravilhosas, jantávamos no Gigeto, o restaurante onde a classe teatral de São Paulo ia badalar.

Bresser era chiquérrimo, elegantérrimo, e já trabalhava com Abílio Diniz. Eduardo era um Matarazzo, e carregava o peso da tradição da família. Já era casado com Marta, uma mulher inteligentíssima e linda. Ele era e é tão original que arrebentou todos os padrões. A revista *Playboy* o definiu muito bem: "Filho de milionário, marido de sexóloga, professor de economia, pai de roqueiro e defensor dos oprimidos." É isso que ele continua sendo até hoje, e veio a tornar-se um símbolo, acho que não só de São Paulo, mas do Brasil inteiro: o homem honesto e confiável que não se vende por preço algum. Ele é o político que todo o povo brasileiro gostaria que todos os outros fossem. Marta, a meu ver, já mostrava que viria a ser uma das mulheres mais bem-sucedidas do Brasil. Obrigada a trabalhar para viver porque não tinha auxílio do pai riquíssimo, andou sempre na contramão do sistema: foi feminista numa sociedade conservadora, defendeu os homossexuais numa sociedade machista, pertence ao PT sendo rica, conseguiu dobrar o sistema. E hoje é a mulher mais viável para concorrer e chegar legitimada pelo povo à Prefeitura de São Paulo, e quem sabe, um dia, à presidência da República. Que esplêndido exemplo (ambos) de uma cabeça de classe dominante lutando em favor do oprimido. Até hoje os considero dois dos meus melhores amigos no decorrer da vida.

Era muito interessante aquela viadagem teatral de São Paulo. Conheci Ruth Escobar nessa época. Ruth foi a mulher mais afirmativa que já conheci. De uma coragem que às vezes tocava as raias da insanidade. No período mais terrível da repressão, trouxe o mais maldito teatrólogo francês do século XX, Jean Genet, ao Brasil, e, na sua peça *O balcão*, chamava o burro de Ernesto. Quando a censura veio reclamar, passou a chamar o burro de Armando. Tive o privilégio de assistir a essas coisas todas. Ruth se tornou outro grande símbolo do enfrentamento ao autoritarismo em pé de igualdade. E acabou vencendo! Tinha um apito maravilhoso, que usava nas reuniões para chamar atenção. Mulher corajosa... Nos anos 90, ela foi minha sócia, e sou amiga de infância dela até hoje. Conheci também na casa dela Plínio Marcos e muitos outros escritores. É interessante como nos anos mais obscuros da ditadura a vida podia fervilhar tão intensamente. Tudo era intenso.

Vlado Herzog

Conheci também Vlado Herzog nessa época. Gostava muito dele. Era um homem doce, lúcido. Era diretor da revista *Visão*. Cheguei a ir jantar com ele e Clarice, mulher dele, em sua casa. Ninguém imaginava que o Vlado pudesse ser assassinado. Era um homem famoso em São Paulo. Fama é uma forma de proteção, mas a ele não protegeu. Aliás, protegeu o Brasil, porque São Paulo inteira se levantou contra a morte dele.

Mas foi depois de sua morte que Vlado influiu na minha vida. Minha obra tinha sido proibida em 75. Só em São Paulo havia ambiente para uma luta de protesto mais efetiva e, no dia em que Ruth Escobar ia fazer uma reunião com os intelectuais paulistas para redigir um abaixo-assinado contra a proibição, Vlado foi assassinado. E aí eles fizeram muito bem em largar meus livros para solapar a ditadura militar. Lutando por Vlado, conseguiram levantar a cidade inteira. Foi maravilhoso. Mas eu dancei.

Nesse tempo conheci também um homem que me impressionou profundamente: José Mindlin. Mesmo sendo rico como minha família e vice-presidente da FIESP, não era canalha como eles foram. Ele conservou sempre sua humanidade intacta. Um milagre! Sua filha, Betty, se tornou para mim uma referência como mulher.

E também Maria Luiza Eluf, heroína, que acabou enfrentando as multinacionais fabricando diafragmas e que me acolheu sempre em sua casa com a maior generosidade. Do Líbano, como eu, e um dos seres humanos mais solidários.

As Mulheres

Gostaria também de falar sobre as mulheres que conheci nessa época, especialmente Odete Lara, Teresa Raquel e Clarice Lispector.

Odete Lara era o grande símbolo sexual dos anos 60, e, por causa da ditadura militar, estava largando o cinema. Em 71, estava escrevendo a sua biografia e me deu para ler. Fui a primeira pessoa que leu, na casa de Bráulio Pedroso, e a partir daí fiquei amiga dela. E ali ela já estava deixando de ser a grande diva do cinema brasileiro para começar um caminho místico. Era filha de pai suicida, o que a deixou a vida inteira num estado de solidão intensa. Foi primeiro secretária, depois modelo, depois atriz. Nas suas primeiras fases, ela fez a carreira manipulando os homens. Era belíssima. Ainda é. E veio a se tornar uma das grandes atrizes do cinema brasileiro porque é muito séria. Quando veio o AI-5, abandonou o cinema porque não aceitava censura, e se tornou mística. Primeiro passou por uma fase ainda de viver na natureza, depois largou tudo mesmo e escancarou a espiritualidade. É uma mulher que sabe muito bem o destino da beleza, que é volátil. Converso muito com ela, e fiz um artigo para a *Folha de S. Paulo* sobre os símbolos sexuais pensando nela. Vou publicar a obra dela toda. E escrever com ela um livro sobre a beleza.

Quando conheci Teresa Raquel, ela já era uma grande atriz. Costumávamos sair sempre, e por intermédio dela conheci muita gente de teatro.

Quando ela se casou com Ipojuca Pontes, irmão do Paulo Pontes, nos afastamos naturalmente. Ainda hoje nos damos muito bem. Uma noite estávamos juntas numa festa, e os homens a convidavam para sair. Ela estava deprimida, mas eles nem sequer percebiam. E ela me disse "Agora sei por que a Marilyn Monroe se suicidou." Divertimo-nos vários anos juntas.

Também Clarice Lispector foi minha amiga. Mas como ela apareceu? Um dia, em 74, Clarice me telefonou. Eu tinha uma admiração meio tímida por ela, e ela me telefonou dizendo: "Como você se sente sendo um gênio?" Fiquei gelada, me lembrando da maldição que meu pai me jogara sobre os ombros. E disse: "Você está maluca? Você está falando comigo ou com outra pessoa?" "Não. Desculpa. Vem aqui." Aí fui à casa dela.

Ela tinha lido *Automação e o futuro do homem*. E escreveu um artigo no *Jornal do Brasil* sobre este livro. Logo depois me telefonou. E eu respondi: "Quero ir aí sim, mas antes de conhecer você quero ler algum livro seu, porque gosto muito de você." Ela tinha uma voz fanhosa, e respondeu: "Então leia *A paixão segundo GH*." Li e fiquei des-lum-bra-da!

Naquele momento estava escrevendo uma biografia de São Francisco de Assis para a Vozes publicar como uma revista popular em quadrinhos. Era uma das sacanagens cariocas que gostava de fazer. Escrever uma história mística em quadrinhos para mim era uma experiência nova. Tinha lido a história de São Francisco de Assis, e aquele *A paixão segundo GH* era a história de uma mulher que estava indecisa se iria ou não comer uma barata, durante duzentas páginas.

Foi a coisa mais linda que já vi na vida. Porque ela apresentava aquele ato de repugnância como sendo uma transcendência da própria condição humana, para chegar a um nível superior de sabedoria. E por acaso São Francisco de Assis fizera a mesma experiência, só que não com uma barata, mas com pus de um leproso. Quase todos os grandes santos em alguma ocasião têm essa intuição. Quando começam a se transcender, eles pensam em comer a barata.

Então cheguei à casa da Clarice, dei um abraço nela e disse: "Clarice, você comeu a barata?" Ela chorou: "Não tive coragem." Começamos a conversar, e no meio da conversa eu disse: "Sabe de uma coisa? Acho que você tem intuições no nível de São Francisco de Assis, de Santa Teresa D'Ávila, desses grandes santos." Ela respondeu: "Então nem me mostre que é para eu não pensar que estou plagiando."

Ficamos amigas, e até eu viajar para os EUA, em 77, ia à casa dela de vez em quando... e ela me contava coisas que combinavam muito com as minhas experiências. Uma vez disse: "Às vezes fico quatro horas sem pensar, olhando para uma vela." Eu faço a mesma coisa espontaneamente, isso limpa a cabeça e deixa a criação profunda sair.

Clarice era muito bonita e tinha dificuldade de conversar com as pessoas. Era retirada, recolhida em si mesma. Ninguém agüentava a Clarice. Ela morava com uma amiga chamada Olga Boreli, que tomava conta das coisas dela, e eu às vezes levava frei Ludovico lá. Foi casada com um diplomata que não tinha nada a ver com ela. Ela se separara dele, e vivia de traduções e de direitos autorais, que até então eram poucos.

Era uma pessoa tão lúcida, tão profunda, e tinha um temperamento tão difícil. Lembro que ela me dizia que dormia às oito horas da noite e acordava às duas da manhã para ouvir o silêncio da noite. Ela era assim.

Um dia aquilo ficou carregado, e resolvi levar o Domingos de Oliveira à casa dela. Domingos de Oliveira era um cara muito leve, muito festivo, foi o homem que inventou o espírito de Ipanema. Foi casado com Leila Diniz, e, depois que Leila morreu, ele nunca mais "aprontou". Na época no entanto ele foi personagem da entrevista de Leila Diniz do primeiro número do *Pasquim*, que ficou famosíssimo, com a Leila falando muitos palavrões. Eu gostava muito do Domingos porque ele era um homem doce e portanto relaxava as pessoas...

Então levei-o à casa da Clarice, e foi até uma conversa muito engraçada. Um homem leve e uma mulher complicada e profunda. Não lembro dessa conversa. Eu devia ter escrito essas conversas, para registrá-las, mas quem iria saber que vinte anos depois precisaria delas?!

Sei que quando cheguei dos EUA, em 77, Nélida Piñon me falou que eu podia ir ver Clarice. Ela estava com câncer de estômago, e foi no estômago porque ela não engoliu a barata. Não teve coragem de ultrapassar o portal da transcendência a que fora destinada. Ela estava morrendo. Eu devia ter ido vê-la, porque às vezes, quando preciso de pessoas, quando estou no fundo do poço, as pessoas também não têm coragem de vir me ver e eu quero ver gente. Por isso hoje me arrependo profundamente de não ter ido vê-la morrer. Nem a ela nem a Paulo Pontes.

E tenho certeza de que ela morreu porque a energia dela não arrebentou tudo, todos os limites. Era uma pessoa para explodir todos os limites. Logo depois que ela morreu, as francesas a descobriram, e ela foi reconhecida como uma das maiores escritoras do mundo neste século. Helène Cixous, teórica francesa, quando escreveu sobre a *écriture féminine*, baseou-se na obra de Clarice. Esse trabalho é hoje muito importante para o feminismo. E Clarice não era uma escritora latino-americana específica, como García Márquez; ela era universal, e tinha uma maneira de ser universal mas que se originava do contexto brasileiro. Por isso ela foi universal depois, traduzida em uma porção de línguas. Hoje é conhecida no mundo inteiro. Vi professoras de literatura analisarem sua obra até em Porto Rico.

Clarice Lispector também era intimista. Acho todos os intimistas uns chatos, menos a Clarice, porque ela, olhando para o próprio umbigo, olhava também para o seu, para o meu e para o de todos os seres humanos. Ela tinha esse poder. Nós sabemos o que é ser escritor. Se você não tem essa profundidade, nem comece a escrever, por favor. Porque é bobagem, vai escrever alguma coisa que alguém já disse Ela vivia nessa profundidade normalmente. Vivia nesses estados alterados de consciência... e era aí que eu me ligava nela. Ela e o Leonardo Boff talvez tenham sido os únicos intelectuais com quem convivi freqüentemente ou por um tempo que viviam nessa profundidade. Isso torna a pessoa difícil de conviver.

Ela chegou até a existir nesse estado naturalmente. Algumas pessoas nascem assim. Não adianta querer viver nesse estado. Se você não tem talento, não adianta fazer esforço a vida inteira. É como ser um grande pianista ou um grande artista: ou se é ou não se é, não adianta querer forçar.

Ela falava dessas coisas comigo. O que lembrei contei aqui. Mas falava mais sobre a solidão que ela sentia porque não conseguia se comunicar com as pessoas. Só conseguia se comunicar com algumas. Fazia um grande esforço para sair da solidão, mas sinto que ela achava todo mundo chato, e compreendo muito bem o que é isso. Todos eram rasos para a sua profundidade. Este era o grande problema dela.

CAPÍTULO 17

Separação e Divórcio

Em 1977, minha vida sofreu outra mudança. Consegui me separar do meu marido, depois de muitos anos de tentativas de viver uma vida mais gratificante. Para conseguir isso, conheci um rapaz em 74, me apaixonei e fui morar com ele em Teresópolis. Às vezes levava meus filhos para lá. E foi ali que morei na casa de Vianinha e fiquei muito ligada aos cineastas, aos intelectuais, todo mundo lá. Era a época do ácido lisérgico, da cocaína, mas era um tipo de vida esquizofrênica! Não se pode ter noção do que era viver aquilo tudo e fazer um trabalho seriíssimo na Editora Vozes. Qualquer pessoa ficaria com a cabeça fundida, mas eu não fiquei. Não fiquei porque continuava saindo com a Zuzu, continuava em análise, e esse meu companheiro ficava em Teresópolis. Então eu ficava parte do tempo lá e a outra parte do meu trabalho era normal. Isso durou dois anos.

Vivia uma vida alternativa e uma vida... não diria conservadora, mas muito com a Igreja. Essa parte da minha vida é a que seria impossível para outra pessoa viver porque ninguém agüentava, teria que estar, como eu estava, em análise, em bioenergética e em ioga e sem dissociar. Os meus filhos, já crescidos, sempre me apoiaram esse tempo todo. Eles diziam: "Nós, que já perdemos a figura do pai, não podemos perder também a figura da mãe." Foram eles que me ajudaram a fazer tudo. Então, quando fiz a separação, tinha amor total dos meninos... Eles viam que era uma luta eu trazer dinheiro para casa. E era muito dinheiro, apesar de tudo, com cinco filhos, duas empregadas, morando em Copacabana, todos sendo educados como gente de classe média alta, sem ter patrimônio nem poupança. Só tinha meu salário, os direitos autorais e a remuneração das conferências, que já estava começando a fazer sistematicamente. Morava então com meus filhos no Bairro Peixoto, onde moro até hoje. Houve uma época em que havia dez pessoas naquele apartamento, e não era um apartamento tão grande.

Lá morei com quatro filhos, porque um não agüentou, o mais velho e o mais chique de todos, o Marcos, que foi para a casa da minha mãe quando entrou para a Faculdade de Medicina da UERJ. Nessa época, em 1972, meus direitos autorais da José Olympio foram penhorados para pagar as dívidas do meu marido. Os credores já não tinham mais de onde tirar dinheiro de nós... E, quando esses direitos foram despenhorados, depois que paguei essas dívidas, deu para comprar um carro.

Paguei a dívida porque eu era casada com ele em comunhão de bens. Por isso tenho medo do papel do casamento oficial até hoje. Por sorte a minha casa só não foi tirada porque saiu do nome da minha mãe direto para o nome da minha filha. Porque, se estivesse no meu nome, teria sido tirada. Era uma coisa terrível. Muitas vezes eles iam procurar até móveis. Fiquei com oficiais de justiça batendo na porta.

Meu filho psicanalista disse que meu marido era irresponsável. Lembro do filme *Um estranho no ninho*, com Jack Nicholson. Era muito semelhante. Ele não tinha limites, usava o dinheiro dos outros, usava os bens dos outros como se fossem dele. Era essa a loucura dele. Pegava coisas dos outros na maior, era roubo, mas ele não via como tal. Irresponsável que era.

E esse era o meu problema. Quando você casa com uma pessoa

sempre charmosa, desconfie. Esse tipo de personalidade é assim: é uma pessoa que primeiro seduz e que só vai se mostrando com o correr do tempo. Como é que eu podia saber disso, com vinte anos nos anos 50? E como eu ia saber quais eram as minhas neuroses que pediam esse tipo de comportamento dele? Só fui cortar essa estrutura nos anos 70.

Foi um bruto azar, mas pelo menos deu filhos lindíssimos! No fundo, tudo isso me obrigou a sair do ninho, me obrigou a trabalhar, e ia me obrigando a viver no desconhecido, a realizar o que eu considerava impossível. São três os homens a quem devo minha vida. Frei Ludovico, a quem devo tudo o que sou hoje; meu analista, que me salvou a vida; e meu marido, que não fez nada, e, por isso, me obrigou a fazer tudo. E finalmente, quando consegui me separar, foi uma coisa tão maravilhosa. Eu podia ter aquela liberdade de viver, tinha uma vida afetiva intensa, inclusive. E agradeço a meu marido tudo isso. Mas ele tinha seus lados bons. Era um pai bom.

Milhões de Bruxas

Nesse tempo, meados dos anos 70, a Revolução das Mentalidades estava em seu auge no Brasil. Os casais se separavam e tornavam a casar (ou não). A sexualidade, até então um tabu, corria solta. As mulheres começavam a entrar em massa para a universidade e para o mercado de trabalho. Por isso, a moral convencional estava desmoronando.

A década de 70 talvez tenha sido a mais importante do século XX, a que preparou a humanidade para o terceiro milênio. Isso porque nessa década, na mesma mulher se superam os dois tabus que eram os pilares de sua submissão ao homem, e parte do sistema patriarcal: a liberação da sexualidade fora do casamento e a possibilidade de se sustentar sozinha, sem precisar do homem. E aí estavam, aos milhões, mulheres orgásticas e independentes. Milhões de bruxas! Se hoje o inquisidor ressuscitasse, teria que queimar praticamente a metade da humanidade.

Nos anos 70, o sistema patriarcal começou a desmoronar. E com ele as sociedades autoritárias de que ele sempre foi a base. Foram anos gloriosos. Os caminhos da nova sexualidade e da nova política ainda eram incipientes, mas já estavam lá. Só duas gerações depois iriam começar a ficar claros. Livre do patriarcado e da sociedade de classes, no próximo século, a espécie humana poderá encontrar caminhos mais justos e adequados para sua sobrevivência.

E aqui, no Brasil, eu tinha sido uma das primeiras a virar a mesa. Na mente, no coração e no corpo. Consegui a separação de corpos do meu marido em 74, e o desquite em 77. Meus filhos seguiram todo o processo. E estavam ao meu lado.

Em 73, Cristina se casou grávida. Foi um escândalo na família, porque foi uma das primeiras. Depois, passou a ser comum as adolescentes casarem assim. E a 11 de agosto desse ano nasceu Alef, meu primeiro neto. Lindo! Lindo!

Fui avó aos 42 anos. No começo não gostei, mas logo vi que além do tabu do feminino eu também estava quebrando o tabu da idade. Eu me sentia mais jovem que as jovens. E a minha vida afetiva só adquiriu sua plenitude depois que fui avó! Aquilo parecia impossível, mas não era.

CAPÍTULO 18

Os Estados Unidos

Fui para os Estados Unidos como bolsista da Fulbright em 77. Foi um convite que caiu do céu. Em 74, Paulo Sérgio Pinheiro, cientista político, me apresentou ao brasilianista Roberto H., que me pediu para falar para seus alunos e alunas. Estes tinham vindo para o Brasil conhecer concretamente a nossa realidade. Roberto costumava trazer seus alunos para conhecer o Brasil.

Sei que falei para os alunos dele, e na hora ele me perguntou: "Você não quer ir para os Estados Unidos?" "Querer eu quero, mas não vou fazer nenhuma força." Isso foi em 74, quando recebi o convite. No fim de 75, já estava deprimida porque não podia mais escrever. Estava proibida. Estava no índex. Pela segunda vez era expulsa de algum lugar. E frei Ludovico nem aí. Nada. Me deu a maior força. Então resolvi aceitar o convite, e pedi uma licença sem vencimentos. Fiquei nos EUA quase sete meses, de 15 de janeiro a 27 de julho de 1977. Passei lá não só o semestre, mas as férias.

Antes disso, já estivera lá duas vezes, com meu marido em 1964 e com um homem maravilhoso. Sinto muito ter perdido a amizade dele. Perdi essa amizade pela loucura do meu marido. Esse homem foi padre

Francisco de Alencar Arraes, jesuíta e cientista político. Ele me fez visitar a CIA, o Pentágono e todos os grandes lugares de Washington e Nova York. Essas duas visitas foram fundamentais para eu entender os EUA e preparar a intensidade do que vivenciaria em 77 e depois em 97. Me fez também visitar um príncipe em Nova York que era descendente dos Romanov, a família imperial russa. Quando entrei na casa dele, vi logo de cara um quadro de Rafael Sanzio. Era parte do tesouro dos Borgia. Ele era casado com uma princesa Borgia.

Padre Arraes me fez entrar um pouco naquele Movimento dos Direitos Civis que foi o embrião da Revolução das Mentalidades dos anos 70 também. Me deu para ler os livros de Vance Packard, principalmente *Planned Obsolescence*, um *bestseller* que analisou a sociedade de consumo, e *Status Seekers,* que mostrou como o *status* era procurado através de altos níveis de consumo. Vi a sociedade de consumo em seu auge sem quase nenhum questionamento e como motivo de orgulho de um povo inteiro. Kennedy tinha sido assassinado, era o começo da era Lyndon Johnson.

Comecei então a compreender o que era o mundo tecnológico. Vi cemitérios de carros usados. Vi geladeiras e eletrodomésticos jogados fora. Um incrível desperdício. O acostamento das estradas era cheio de copos de plástico, papel amassado, restos de piquenique. E aquilo me escandalizava muito porque eu vinha de uma luta do ponto de vista dos pobres. Foi a consciência daquele lixo, a depredação dos recursos naturais no mundo inteiro, que desencadearam mais tarde os protestos ecológicos.

Uma Vida Estranha

Mas foi em 77 que comecei a entender de fato a cultura norte-americana. Até então, entendia pouco. Nesse ano, entrei em contato com a Revolução das Mentalidades como ela estava sendo feita lá. Essa viagem aos Estados Unidos teve sobre mim uma influência básica. A partir dela, minha cabeça e minha vida começaram a tomar as dimensões do mundo, me preparando para o que iria acontecer nos anos 80/90.

Eu vinha de um Brasil onde ainda havia tortura e companheiras como a Zuzu, que tinha acabado de ser assassinada, em abril de 76. Então, nos EUA, tomei um porre de liberdade. Entrei em contato com as experiências que estavam se fazendo em todos os campos. E fiz de tudo. Em primeiro lugar, tive um grande choque cultural, porque achava que nessa cultura era tudo muito rápido, e eu tinha a impressão sabe de quê? de ejaculação precoce, porque, ao meu ver, ninguém digeria nada, ninguém aprofundava nada.

Nossa! Que diferença do Brasil! Para começar, cheguei no inverno em Amherst, Massachusetts, bem ao norte dos EUA. A neve vinha até o joelho. E comecei minha vivência logo com esse tipo de realidade. Desconhecia o inverno. Já reparou que nos filmes e na TV nunca é inverno? É sempre primavera. E o inverno nos EUA é central. As pessoas mudam seu psiquismo. Elas se deprimem. É por isso que no início da primavera há uma febre. Todos enlouquecem vendo os primeiros botões aparecerem. Eu também tive a *spring fever* (febre da primavera)!

Quando tive o choque cultural, me lembro que parava de falar inglês às cinco da tarde e só voltava três horas depois, às oito. E quando parei de ter o "choque da língua", passei a falar inglês fluentemente. Espantoso isso!

O Curso

Fui para os EUA contratada pelo Programa Fulbright, para dar um curso sobre a mulher na América Latina na área do Five Colleges, em Massachusetts. Primeiro falei na Universidade de Massachusetts, dei aulas no Amherst College, depois em Hampshire College, Mount Holyoke

Smith... Em Smith conheci a filósofa Ann Ferguson, e ficamos amigas. Ao mesmo tempo, eu fazia uma pesquisa sobre a condição da mulher na América Latina. Tinha acesso a uma biblioteca maravilhosa, de vinte e seis andares. Conheci gente ótima, inclusive Yeda Wiarda, brasileira, socióloga, que me ajudou o tempo todo no meu choque cultural.

Foi então que consegui fazer o projeto com Yeda para a primeira grande pesquisa que fiz, publicada em 83 e que veio a ser o *Sexualidade da mulher brasileira*. Foi a Fundação Rockefeller que me deu o dinheiro, e Yeda quem fez o projeto. Ao mesmo tempo, li bastante sobre gênero. Viajei muito. E pude ver os dois EUA, que estavam numa luta violentíssima mas silenciosa, entre a maioria conservadora e a sociedade alternativa. Comecei a fazer conferências. Falava sobre o que sabia: ou sobre a mulher na América Latina ou sobre a mulher no Brasil. Sempre sobre a mulher, nunca falei sobre tecnologia nos EUA.

Viajei muito por toda a Costa Leste, fui desde Vermont até a Flórida. Falei numas vinte universidades. Fui ao Alabama, no sul do país, onde as pessoas me pareciam mais afetivas, mais próximas da minha cultura. Mais para o norte tudo é mais frio, dissociado. Já sentia a frieza do americano médio. Mas tinha amigos brasileiros...

A Sociedade Partida

A grande coisa que descobri nos EUA foi uma sociedade alternativa que funcionava ao lado da sociedade normal. Foi ali que eu soube que 16 milhões de americanos, de uma maneira ou de outra, foram convocados para a Guerra do Vietnã e fugiram, ou se casando ou se inscrevendo em universidades. Quarenta mil migraram para o Canadá, centenas de milhares desertaram. E nunca ninguém tinha falado isso no Brasil. Vi os homens indo morar em sítios, fazendo sua própria comida. Eu ia às cooperativas, e fiquei assustadíssima de ver que realmente existia uma sociedade alternativa por baixo da oficial. Foi ali que tomei contato com ela.

Eu andava com os intelectuais marxistas de Amherst: Ann Ferguson, filósofa, John Brentlinger, filósofo, Andy Zimbalist, economista, Valerie Maxwell, psicóloga etc. Porque eles já sabiam que eu vinha da Teologia da Libertação, e assim fui parar ali. Acho que a gente pára perto das pessoas que são semelhantes. Eles me levavam às reuniões marxistas e eu via os americanos lendo Lênin. Era muito engraçado. Achava que já tinha visto tudo na vida, mas nunca imaginei que se lia Lênin daquela forma nos EUA.

E eu já sabia da Comissão Trilateral e via aqueles *think tanks* funcionando. O que vi naquela época. Vi os veteranos do Vietnã trazendo fotografias, *slides*, mostrando como eles tinham sido drogados, como tinham sido enganados e jogados numa guerra a que jamais teriam ido se a verdade lhes tivesse sido dita. E estavam passando vídeos, aconselhando o povo americano a não mais entrar no exército.

Aquela época era o fim da era *hippie*. Eu via todo mundo trabalhando seis meses para juntar dinheiro e gastar tudo em Salvador, em Macchu Picchu ou na Índia. Eu via. Tocava com a mão, era impressionante! Era a Revolução das Mentalidades, que eu pensava ser o máximo no Brasil mas nos Estados Unidos era mais séria. Eu não sabia por quê. Só em 97 pude tomar plena consciência do que estava acontecendo em 77.

A classe média silenciosa estava apavorada. Soube que na Guerra do Vietnã principalmente soldados negros é que lutaram lá. E para mim era uma novidade, um escândalo. Via também, por outro lado, toda aquela ligação espiritual Ocidente/Oriente, as experiências místicas. Nos EUA, não cheguei a tomar droga. Tomei droga no Brasil, cocaína, ácido lisérgico, uma vez só para ver como era, sempre fui muito curiosa... mas lá não. E eu via principalmente esse pessoal que usava cocaína. Roberto usava cocaína.

O Corpo Expandido

Nessa viagem, comecei a procurar os limites da condição humana. Não da condição humana em geral, mas os meus próprios limites. Eu queria saber até onde poderia ir. Achava que se não fizesse isso ia cair numa vida medíocre, acomodada e portanto ia morrer em vida. Foi aí que compreendi que o desejo dos abismos leva à busca dos limites. Lá fiz uma das terapias mais violentas. Em pleno choque cultural fiz o *rebirthing* (renascimento). Uma coisa alucinante. Porque é uma terapia de corpo e eu estava em estado de choque... Quando digo que queria ver os limites da minha condição, comecei aí. Fiz essa terapia do renascimento que era uma técnica só de respiração... e o cara que fez essa terapia comigo era um irresponsável.

Foi em Northampton. Ele simplesmente ficava ao meu lado me seguindo nos *insights* que ia tendo. Na primeira vez respirei por três horas seguidas, no fim tive um desmaio e ele disse: "Você teve um lampejo do que vai ser sua terapia." Na segunda sessão, senti todo o meu corpo, todos os meus músculos doendo e fiquei meio assim aleijada. Era o trauma do nascimento que estava saindo. Na terceira, a dor se ampliou.

Ela ia pelo corpo inteiro e eu disse para o rapaz: "Pára, porque se essa dor se espalhar até o meu coração, vou ter um ataque cardíaco porque tenho colesterol alto." E ele disse: "Então vá diminuindo a respiração e vá voltando pouco a pouco ao normal."

Um ano depois conheci Stan Groff no Brasil. Contei para ele essa história, e ele me disse: "Esse rapaz é um irresponsável! Porque para aplicar uma terapia dessa intensidade tem que se fazer o exame de sangue da pessoa. Precisa se saber se ela tem alguma doença porque é muito violento."

E naqueles dias tive sonhos. Já estava com sete ou oito anos de análise, mas tive sonhos básicos. No primeiro, sonhei que era uma criança recém-nascida do sexo masculino e estava com diarréia, evacuando. No segundo sonhei que era um bebê do sexo feminino fazendo a mesma coisa. Eu sabia que quando se sonha com recém-nascido, sonhamos com as partes mais profundas e mais vulneráveis do nosso ser, e quando sonnamos que a criança está com diarréia, na interpretação convencional, e que está correta a meu ver, significa que estamos pondo para fora todos os nossos excrementos interiores, fazendo uma purgação que prepara a transformação da consciência.

E naquele momento, inclusive a mulher do Roberto, Elsa, uma mulher maravilhosa que era budista, me dizia: "Se você conseguir desreprimir o trauma do nascimento, conseguirá liberar a Kundalini. Você precisa passar pelo limite do sofrimento para conseguir passar pelo limite do prazer. Porque quem não tem coragem de enfrentar a morte não é capaz de viver."

E isso de fato aconteceu um ano depois. Se eu não tivesse passado por aquele sofrimento, não poderia mais tarde ter liberado a Kundalini... E foi essa a primeira experiência que tive de corpo expandindo. Foi com um sofrimento quase impossível de agüentar. Não se tem noção de como é doloroso um sofrimento assim, e como é transformador. A primeira coisa que se perde é o medo. Perdi o medo da vida e da morte. Porque acho que passar por um sofrimento que jamais imaginaríamos ser possível liberta do medo.

CAPÍTULO 19

A Homossexualidade e a Heterossexualidade nos Estados Unidos

Enquanto isso, ao mesmo tempo, estava vivendo uma experiência nova, pois tinha muitos amigos, mas a pessoa que estava perto de mim mesmo era o Roberto. E ele era *gay*. A primeira coisa que me disse quando cheguei foi: "Eu sou homossexual." Fiquei contente: "Graças a Deus, afinal encontro um *gay* e ele não vai me encher o saco!"

Mas Roberto ficou muito próximo de mim, próximo demais... ele me acompanhava sempre, mas chegava uma certa hora, lá pelas sete da noite, em que ele ia embora. Tudo bem. Uns dois meses depois ele passou a me levar para dançar, porque era a única forma de fazermos exercício no inverno. Não tinha como sair com a neve pelos joelhos. A Nova Inglaterra é gelada, e não dava para fazer exercício dentro de casa. E eu gostava muito de dançar, e dançava com aqueles *gays* todos. Para mim a dança nunca foi uma experiência sexual, sempre foi uma expressão corporal. Então o espetáculo era bonito, as pessoas até faziam roda para nos ver dançar, porque os amigos do Roberto eram todos muito bons dançarinos.

E eu dançava também com Roberto. Ele levou dois meses me seduzindo conscientemente. Acabei me apaixonando, e tivemos um caso amoroso que durou uns quinze dias.

E por que tão pouco tempo? Porque percebi que, sendo ele *gay* e tendo também relação com mulheres, devia haver alguma coisa errada. Apertei-o e ele me contou que precisava ter sempre uma mulher próxima dele para traí-la, e só assim podia transar com os homens. E contou muito emocionado que era por causa da experiência que tivera com a mãe na infância. Ele dormira na cama dela durante quatro anos. E ficara muito ligado à mãe, mas ela era puritana. Isso tudo aconteceu durante a Segunda Guerra Mundial, e, quando o pai dele voltou para casa, ela simplesmente botou o menino em outro quarto, e o pai foi para a cama dela, como seria normal. Esse foi o maior trauma da vida dele, e nunca mais quis amar as mulheres. A partir daí, só procurava os homens depois que se vingava da mãe nas mulheres.

Fiquei com pena! E nessa mesma época ele estava providenciando o divórcio. A mulher dele soube que ele era *gay*. E também a filha. Vi isso tudo acontecer na minha frente, em pleno choque cultural.

Uma coisa que me fez chegar mais perto dos limites da condição humana em matéria de sexualidade foi a minha convivência com Roberto, agora como amiga. Eu tinha uma grande amizade por ele. Ele me levava para todos os lugares, ficava o dia inteiro comigo e me fazia observar a vida do submundo *gay* masculino. Via como eles se relacionavam entre si. Observava ali todos os símbolos e gestos da masculinidade convencional sem nenhuma interferência do feminino.

Gays x Lésbicas

O que via nos EUA eram pessoas que podiam transar dez vezes por dia com dez pessoas diferentes. Lembro que o Roberto, de vez em quando na universidade, dizia: "Vou ao *basement* [subsolo], volto daqui a uns minutinhos." Eu perguntava: "Mas o que você vai fazer, Roberto?" "Vou dar uma trepadinha." Era assim.

Transar era uma coisa que não valia nada. E era tudo programado, até na maneira de cada um se vestir. Um deles, por exemplo, usava um lenço amarelo que queria dizer que era coprofílico, outro usava um lenço vermelho em outra direção. E era outra tendência (esqueci qual!). Outro ainda tinha uma chave do lado direito. Significava que era passivo. Outro usava a chave do lado esquerdo, mostrando que era ativo... Eles tinham todo um código no corpo que, ao entrarem naqueles bares, já mostrava as preferências sexuais de cada um. Eu ficava olhando. Quando iam aos bares, movimentavam as chaves de uma certa maneira para a pessoa que os interessava no momento, em geral desconhecida. Aquela pessoa ia para a casa do interessado, e eles transavam. Uma noite com cada pessoa. Eu achava aquela vida muita violenta, eles não tinham nenhuma relação afetiva entre si, só uma sexualidade dissociada. E o Roberto me dizia: "Você não pode fazer nada disso porque é mulher." Olha só o preconceito machista convencional.

Depois que Roberto se divorciou de Elsa, ele veio a ser *marchand* em Nova York. Fui também para Nova York porque já havia acabado o semestre; passei três meses com ele, na casa do meu amigo R. Moore. Era uma casa sadia, com crianças pequenas. Eu via ao mesmo tempo uma família equilibrada e aquela barbaridade ali com os *gays*. Mas pelo menos eu tinha uma família!

Durante todo o semestre, ia sempre a Nova York e ficava com R. Moore e a mulher, Sarah. Gostava muito deles, como casal me davam uma paz! Um dia escrevi para Darcy Ribeiro dizendo: "Aqui tem cem milhões de *gays* e cem milhões de lésbicas; eu sou a única desviante."

E vi o mundo das lésbicas também. A grande diferença que havia entre elas e os homens... Tudo isso seria mais tarde fundamental para o meu conceito de androginia. O que via entre os homens era uma relação sem afeto, quantitativa. O que contava ali era a quantidade do afeto e não a qualidade. Era uma relação de muita manipulação entre eles, não havia solidariedade, não havia uma comunidade. Roberto tinha um amigo fixo, Paul, mas eles, cada um por seu lado, tinham relações fugazes. Para mim, que trabalhava com a Igreja e tinha amizades sólidas, aquele era um mundo assustador! Depois veio a AIDS e tudo explodiu.

Ao mesmo tempo, trabalhei com lésbicas, e elas me convidavam para ir à casa delas. Eu ia. E via um mundo exatamente oposto. As lésbicas formavam casais estáveis, não tinham aventuras extramatrimoniais. Elas tinham muita ternura entre si, viviam a profundidade da relação.

Enquanto isso, os *gays* me pareciam fixados na adolescência. Roberto não tinha nenhuma consciência política de esquerda, as lésbicas tinham. Elas militavam, eram grandes intelectuais quase todas. Eram muito diferentes dos *gays*. Mais tarde vim a saber que a relação sexual delas, claro, não podia ser como a relação sexual dos homens. A delas era uma relação sexual que muitas vezes não ia além das carícias preliminares, e estas eram prolongadas, ao contrário dos *gays*.

Em Nova York, uma vez naquele *hot summer*, vi num bar buracos numa parede de madeira, em que de um lado os homens enfiavam o pênis, e do outro outros homens transavam, na maior impessoalidade. Era um entrar e sair de homens brabo, mas eu não podia me aproximar muito.

Vim a poder entender isso porque em janeiro de 1981 li, na revista *Psychology Today*, o relato de uma pesquisa representativa da comunidade *gay* e lésbica, que tinha custado muito dinheiro. Essa pesquisa tinha descoberto que 2% dos *gays* tinham tido mais de mil parceiros na sua vida sexual ativa; 80% tinham tido mais de 100 parceiros, entre 100 e 1.000, e somente 2% dos *gays* homens viviam como casais estáveis. Entre as lésbicas, encontrou-se que nenhuma tinha tido mil relações, só 2% tinham tido mais de cem companheiras, e 80% viviam relações estáveis.

Em suma, descobri em 1977 que as lésbicas eram as mais femininas das mulheres porque imitavam os homens para se livrarem deles, e os *gays* eram os mais masculinos dos homens porque imitavam as mulheres para se verem livres delas.

Vivi nesses dois mundos dicotômicos quase o tempo todo. Raramente podia ter acesso a uma família normal, porque nos EUA os heterossexuais eram muito chatos mas muito chatos mesmo. Deus me livre, se hoje são chatos, imagina naquela época, em que a Revolução das Mentalidades ainda estava se fazendo. Eram pessoas mais antigas. Não eram só quadrados, eram pessoas muito estereotipadas. Vi esse mundo que não existia no Brasil.

E foi quando percebi que a verdadeira androginia era uma nova heterossexualidade. E em 77 viria a ser determinante na minha cabeça uma experiência dolorosa, viva, concreta, corporal, que tive da homossexualidade nos EUA. Só muito mais tarde pude tomar contato com a androginia. Este será o objeto do último capítulo deste livro.

Homossexualismo no Brasil

No Brasil não havia nada semelhante a isso... Pode ser até que houvesse, mas eu não conhecia. Inclusive em 1976, antes de ir para os EUA, tive um outro namorado *gay* que sofria muito porque me amava e não conseguia se relacionar comigo... Hoje ele é monge budista e professor aposentado de uma universidade. Naquela época, era uma cruza de *drag queen* e místico. No Brasil as coisas eram mais humanas. E por quê? Porque, quando alguém da classe média ia transar com um *gay*, era quase sempre um *gay* de classe inferior, e eles eram pessoas que precisavam do dinheiro. Por isso, a relação era diferente, menos sofisticada. Eram relações algumas vezes ternas, mas muitas vezes violentas também. De qualquer forma, menos sofisticadas. Acho que é a sofisticação e não a violência que tira a característica humana de uma relação. Dava muito assassinato no submundo *gay* brasileiro, para roubar.

Esse era um padrão brasileiro terrível. Entre homens e homens e entre homens e mulheres também, porque se os homens descem de classe social as mulheres sobem. É isso que acontece no Brasil. Nos EUA não era assim. Era um problema de dominação mesmo entre homens e mulheres. Horrível, horrível. Sempre me senti um ET, tanto no Brasil quanto lá. Esse padrão que vi nos EUA era totalmente diferente de tudo o que tinha visto aqui no Brasil.

Eu ia com os *gays*,para boates só para olhar. E às vezes era a única mulher. Ia vestida de branco, dançando no meio daqueles *Black Leathers*, sabendo que o masoquismo era praticado entre eles... que coisa impressionante!

Uma vez, sempre como brasileira, fui a uma *sex shop* com Roberto, só de brincadeira, para conhecer. Pedi ao cara que me desse um catálogo porque eu queria ser representante deles na América Latina, imagina! E foi assim que consegui um catálogo de *sex shop* e vi as coisas mais brutais e engraçadas ao mesmo tempo. Depois me roubaram. Havia, por exemplo, um pênis que se desdobrava em sete estágios, um vibrador duplo, coisas assim. Era um absurdo...

Em 77, eu não entendia aquilo como perversões da cultura, mas como perversões daquele grupo. Já sabia que o pessoal da Califórnia, aonde fui várias vezes, tinha outra cabeça. Lá eles eram menos perversos.

Foi nesse mesmo verão que resolvi comprar um homem. Queria experimentar concretamente o que era o comércio sexual. Insisti com Roberto, e ele me arranjou um negro. Lindo! Comecei a me sentir mal quando ele abriu as negociações sobre o preço do "serviço". "Trinta?" "Quarenta!" Acabamos fixando em trinta. Quando me vi só com o rapaz, eu disse: "Rapaz, não quero nada de você. Só queria ver como era. Vamos conversar."

E acabei ganhando um amigo e um poema. E, diante de Deus, juro que não entendo como durante milhares de anos milhões de homens compraram e continuam comprando mulheres. Tenho pena deles, não delas, porque muitas vezes é a única maneira que elas têm de sobreviver no mundo cão. Mas quem troca prazer por dinheiro está vendendo o que tem de mais íntimo em troca de nada. Privando-se da alma. É o mais importante aprendizado íntimo da violência. Fiquei muito tempo deprimida.

A Morte de Roberto

Elsa também era maravilhosa, e ficou comigo no fim da viagem. Ficamos muito próximas quando ela se separou de Roberto. Ela sofreu, mas depois arrumou um segundo namorado ali mesmo. Era um companheiro de Roberto. Ela era uma mulher incrível, e o novo companheiro era um rapaz quase vinte anos mais novo. Ficaram juntos mais de dez anos. Mulher mais velha com homem mais jovem já era moda nos EUA.

Nesse sentido, lembro de outra coisa que aconteceu comigo e que também me deixou marcada. Um daqueles rapazes era uma beleza, louro de olhos azuis, tinha dezenove anos; eu tinha quarenta e seis. Ele vivia atrás de mim, me levava para todos os lados, e um dia perguntei: "Rapaz, o que você quer de mim?" Sabe o que ele me respondeu? "*Are you ageist*?" ("Você tem preconceito de idade?") Meu Deus, que vergonha. Eu tinha. E mais do que nunca hoje eu tenho.

Até essa experiência tive, porque estavam se formando os grupos multissexuais, multicor, multiidade, e eu era *ageist*: hoje eu assumo, o que vou fazer? Sou assumidamente preconceituosa hoje. Houve um tempo em que eu reprimia esse preconceito e só namorava jovens. Mas acho que não tem nada a ver o processo de individuação de um jovem de dezenove anos e o de uma mulher de quarenta e seis com a bagagem que eu tinha. Acho a mesma coisa para os homens, só que a relação de homem mais velho com mulher nova é bem vista pela cultura. Estive recentemente numa festa aqui em que *todos* os executivos velhos e ricos eram casados com mulheres jovens. Que relação pode ter um casal desses? Só de poder (e dinheiro).

Roberto vivia em Amherst e mitificava Nova York. Ele achava que em Nova York iria conseguir o máximo... Nesse mesmo ano de 1981, ele já estava começando a achar tediosa a megalópole. Ganhou muito dinheiro. Mas, quanto mais ganhava, mais gastava. Ele me levou para o *gay underground* de Nova York, onde pude observar as mesmas coisas que vi em Amherst, mas com mais sofisticação.

Em 84, quando fui outra vez para lá, já não consegui ter muito acesso a ele, a não ser uma vez ou outra, porque ele estava muito doente. "Dizem que eu tenho essa AIDS, mas acho que não é. Só estou doente, cansado." Quando voltei da viagem, dali a dois meses, Roberto me telefona. Era um telefonema bobo, mas ele ficou meia hora conversando comigo. Emocionada, eu disse: "Roberto, é a primeira vez que você me telefona para o Brasil, que coisa maravilhosa!" Uma semana depois ele morreu.

Eu não conseguia ver Roberto como uma pessoa perversa. Não conseguia inclusive ver seus atos como pecado, porque percebia um sofrimento tão grande por baixo daquilo tudo, um sofrimento que tocava as raias da tragédia, cuja culpa tinha raízes na mãe dele e, em última instância, no próprio sistema que fabricou aquela mulher.

CAPÍTULO 20

Os *Think Tanks* e o Futuro do Mundo

E eu estava publicando no Brasil Howard Wiarda, cientista político, marido de Yeda. Foi quando o conheci, e também comecei a observar o trabalho dos *think tanks* americanos.

Eu já sabia como trabalhava o American Enterprise Institute. Ele era o encarregado de assessorar o Departamento de Estado sobre política na América Latina. Eu pensava: "Meu Deus, como é que um homem desses vai assessorar o Departamento de Estado sobre a política da América Latina? Ele é o homem mais conservador que conheço."

Os *think tanks* eram centros de pesquisa coordenados por grandes intelectuais que se dedicavam apenas a pensar o futuro da política, tanto dos EUA como do mundo inteiro. E eles começaram a agir desde os anos 30, de acordo com a pesquisa de René Dreifuss no seu magistral *A Internacional Capitalista* (Espaço & Tempo, 1986). Foram eles que pensaram a Guerra Fria, que dividiram os países em blocos, que planejaram e incentivaram as ditaduras na América Latina. Cada país tinha um desses centros ligado aos *think tanks* americanos. No Brasil, antes de 64, foi o IBAD.

Naquela ocasião estava sendo montada a Comissão Trilateral, o maior *think tank* de todos, e eu tinha material sobre ela. Os marxistas estavam muito revoltados. Esses *think tanks* deram uma reviravolta na história do século XX. Foram o embrião da nova economia global. A Comissão Trilateral estava dando suporte político para as multinacionais se tornarem cada vez mais fortes. Elas já começavam a ser mais fortes do que os estados nacionais. Ali estava o embrião da economia global do fim do século.

Ao mesmo tempo, vi todo o trabalho que estava começando a se realizar para fazer aquelas pessoas sexualmente progressistas voltarem a ter um comportamento convencional. Mais tarde, em 1980, li um livro da socióloga argentina Ana Maria Eszcurra, *O governo Reagan e o Vaticano*, publicado no Brasil pela Comissão de Justiça e Paz de São Paulo. O livro mostra como os intelectuais de direita estavam naquela época descobrindo que as pessoas sexualmente progressistas tendiam a ser de esquerda em matéria econômica e por isso críticas dos governos de direita.

Ninguém sabia ainda, mas todo o problema dos EUA naquele fim dos anos 70 era acabar com a Revolução das Mentalidades. Era o começo do fim dessa revolução. Eu estava aberta para ver o que estava acontecendo. E foram os *think tanks* que descobriram a correlação importantíssima entre sexualidade e economia.

A Revolução das Mentalidades, e não o comunismo, era o maior obstáculo para o crescimento do capitalismo tanto nos EUA como no mundo inteiro. Ela estava corroendo o sistema de dentro para fora. A própria realidade subseqüente iria mostrar que o que vinha de fora para dentro — o comunismo — não iria se sustentar.

Tive contato com as feministas, inclusive com as teóricas. Elas já estavam começando a descobrir a correlação entre a libertação da mulher e a libertação da opressão econômica.

Vi também, da maneira mais violenta possível, o que o sistema estava preparando. Eu já sabia da existência dos *think tanks* e já via como eles funcionavam. Eles só iriam ganhar uma força devastadora no governo Reagan. O primeiro contato que tive com eles foi por intermédio de Herman Kahn, que escreveu *Ano 2000*. Li o livro em 68, e ainda o conservo comigo para ler no ano 2000.

Herman Kahn veio ao Brasil em 1970. Eu o vi falando na Fundação Getulio Vargas e fiquei horrorizada. Era um homem sem nenhuma consciência política, completamente voltado para o imperialismo americano, como devia ser, e achei que o que ele falou era totalmente fantasioso. Entre outras coisas, queria fazer um gigantesco lago no meio da selva amazônica. Tive uma grande decepção com ele. E em *Automação e o futuro do homem*, que também escrevi em 68, cito o Hudson Institute, o Brookings, a Rand Corporation e muitos outros. Todos os *think tanks* que existiam no fim da década de 60 de cuja existência eu tinha notícia. Eu já tinha muito medo deles... Mesmo antes de ir para os EUA.

AIDS: Doença Fabricada?

Tinha medo porque estava vendo. Foram eles que idealizaram a Comissão Trilateral e fizeram toda a campanha ideológica que levou Reagan ao poder, que mexeu com a maioria silenciosa e... vou dizer uma coisa aparentemente fantasiosa, mas guardo comigo as fontes. Quando fui aos EUA em 1984 e conversei com a comunidade *gay*, eles me disseram: "A AIDS é uma doença fabricada." E nesse momento liguei a AIDS aos *think tanks*. Em 1997, vi na Filadélfia um livro acadêmico dizendo a mesma coisa. Era *The Generation Game*, de Pat Spalone (Temple University Press, 1992). Em 84, fui ao MIT falar com os especialistas em genética viral e perguntei: "Pode-se mudar um vírus assim?" Eles responderam: "Tecnicamente é possível." E baixaram a cabeça.

O vírus já devia existir, mas não deveria ser tão violento. O livro que citei diz que foi um erro científico dos laboratórios de biotecnologia da

Universidade de Maryland. Os *gays* diziam que isso foi feito para acabar com a revolução sexual. De fato, em abril de 84, li a revista *Mother Jones*, a mais séria revista de esquerda dos EUA, em que o dr. Robert Gallo, o médico que isolou o vírus, pedia 30 milhões de dólares para desenvolver uma vacina anti-AIDS e se queixava por não ter conseguido... Também nessa mesma viagem, eu soube que o governo federal americano estava dando 100 milhões de dólares para ajudar a comunidade *gay*, que estava ameaçada em Nova York. Isso veio na primeira página do *New York Times*, em outubro de 1984. Recusando dinheiro para pesquisa e dando dinheiro para assistência aos *gays*!

A Volta ao Brasil

Quando voltei ao Brasil, depois dessa vivência toda, em fins de 77, tive alta da análise. Meu analista disse: "Você está curada, porque se depois dessa sua vivência nos Estados Unidos você não dissociou, realmente é porque já sabe lidar com seus problemas." E me mandou embora!

De volta em 78, aconteceu uma coisa importante. Embora não tenha participado, fiquei feliz quando vi que a Igreja e as mulheres estavam se rebelando contra os militares e dando guarida à greve dos metalúrgicos de São Bernardo. Todos naquele momento ajudaram Lula a fundar o Partido dos Trabalhadores. Nós, militantes, juntamos dinheiro no Brasil inteiro para que os metalúrgicos pudessem agüentar cinqüenta e um dias de greve sem passar fome. Vi pela primeira vez eles dobrarem a Federação das Indústrias do Estado de São Paulo (FIESP). E também a situação do país começou a mudar. Enquanto eu estava nos EUA, os estudantes fizeram uma passeata em Campinas. Geisel tinha feito o pacote de abril de 77, mudando a estrutura do Congresso, diminuindo a representação dos estados industriais do Sul e aumentando por isso mesmo, proporcionalmente, a dos estados agrários oligárquicos do Norte/Nordeste, fazendo do Congresso um fator de atraso no desenvolvimento brasileiro. De atraso, de jogo de interesses, de vendas de votos, que nos prejudica até hoje. Pacote de triste memória. E com o qual Fernando Henrique ainda não acabou...

CAPÍTULO 21

A Desconstrução do Corpo

Esses anos foram muito violentos, agüentei tudo por causa da análise. Tinha o apoio daquele homem maravilhoso, meu analista. E, como a análise já não era suficiente para mim, comecei a fazer bioenergética. Já havia iniciado expressão corporal no Villa-Lobos. Análise só de palavras não era mais suficiente, porque a vida era muito intensa.

Aí foi uma coisa louca. O foco da terapia era a couraça de caráter, havia técnicas para saber quais os pontos do corpo que eram reprimidos. Então, quando uma parte do meu corpo voltava a se desreprimir, eu voltava a sentir as vivências infantis daquela área. Isso foi em 1973/74. Essa desconstrução foi dura... Eu tinha que viver aquilo tudo, e não podia ser com o mesmo corpo dócil com que havia vivido o trabalho com a Igreja ou a política. Tinha que ser com outro corpo. Então comecei essa desconstrução do corpo todo. Foi muito fundo.

Houve um momento em que a bioenergética também não foi suficiente. Fiz anos de ioga. Só aí comecei a viver um pouco mais a minha profundidade, mas nada daquilo era suficiente. Nada daquilo era suficiente!

Eu não estava mais escrevendo. Era impossível. Ou eu vivia ou escrevia. Só escrevia artigos para revistas e jornais. E os tenho guardados.

Cheguei a ter um milhão de leitores, porque durante um ano (em 76/77) escrevi uma página chamada "As Cariocas", que era publicada simultaneamente em doze grandes jornais no Brasil. E só escrevia porque precisava do dinheiro. Ganhava dinheiro assim, com direitos autorais, artigos, conferências...

A Revolução das Mentalidades continuava, mas já no seu finzinho. Eu ainda tinha essas experiências de corpo expandido, como por exemplo a liberação da Kundalini, que consegui depois de ter vivido o trauma do nascimento. Vou por partes, senão não consigo contar. Primeiro as drogas.

"O Medo É a Pior Ilusão"

Li essa frase de Lao Tsé, "o medo é a pior ilusão", na Filadélfia, quando estava passando mal, por causa da minha operação de catarata. Achava que ia ficar cega e não podia ter mais esperança de voltar à minha vida, que era toda centrada na visão. Sim, o medo era mesmo a pior ilusão. Isso me veio à cabeça quando quis começar a experimentar drogas. Fumei maconha umas três ou quatro vezes, nos anos 60 e 70. Outra vez fui conhecer o que era a cocaína. Foi muito engraçado, porque na primeira vez cheirei com uma grande atriz e não senti nada. A segunda, deviam ser umas seis horas da manhã, tinha comigo uma comunidade toda. Eles estavam injetando na veia, mas eu só cheirei. Vi um raiar do sol dourado, maravilhoso. Quinze minutos depois comecei a sentir uma depressão e pensei: "Vou cheirar mais cocaína para ver se saio dessa depressão." Nesse momento percebi a escravidão que seria se eu cheirasse cocaína mais uma vez. Tomei então um barbitúrico, dormi, e nunca mais quis saber de droga... Para quem toma cocaína, o resultado é uma brutalidade; não dá nenhuma recompensa. A satisfação é muito pequena, e o preço, caro demais.

Uma vez tomei também ácido lisérgico, em 1974. Foi uma viagem incrível. Eu pedia desculpas às batatas por ter que feri-las para comer.

Estava em Teresópolis, no meio de uma paisagem lunar que me parecia o umbigo do mundo... era uma coisa! Via dinossauros, parecia estar no período secundário, há dezenas de milhões de anos. Mas também achei que aquela experiência era uma prisão, porque fiquei vinte e quatro horas sem dormir. Queria dormir e não conseguia. Sempre gostei da liberdade, e ficava louca quando fazia essas experiências esparsas com drogas e não podia sair quando queria. Substituí-as depois pela ioga. Aí sim, era algo natural, eu sentia aqueles estados alterados de consciência mas de maneira tradicional, normal, sem violência sobre o organismo.

Isso aconteceu nos anos 70. Passou. Esqueci, mas vinte anos depois o pessoal ficava muito em cima de mim, cada um me convidando para uma coisa... E fui convidada pela comunidade do Santo Daime para tomar o *hayauasca.* Fui. Era um lugar bonito, havia bastante gente, e lá estava o chefe do Santo Daime no Brasil.

O Santo Daime é hoje um agrupamento religioso, uma religião de transe que utiliza essas drogas tradicionais dos índios peruanos ou mexicanos, que são iniciáticas mesmo. Lá estavam muitos intelectuais, psicanalistas, advogados. Eles me deram o Santo Daime para beber, e eu comecei a passar mal, vomitei a alma, pensei que ia morrer. Então me botaram estendida no chão. Havia mais de duzentas pessoas lá. Isso foi no final de 94 ou início de 95.

Comecei a ter as alucinações da droga. Em uma delas me vi andando. Minha vida era um longo caminho, mas cercado de monstros dos dois lados. Quando fechava os olhos os monstros apareciam; quando abria, eles sumiam. Sei que andei muito por aquele caminho, e no fim cheguei a um lugar cercado por uma parede que parecia ser de carne, de matéria viva vermelha, iluminada como se fosse um útero. Cheguei e toquei aquela parede, e nesse momento fui tomada de uma paz, de uma integração profunda que nunca havia sentido. Porque o *hayauasca* era uma droga iniciática mesmo: vinham à tona todos os grandes arquétipos do inconsciente.

Tive então a intuição, naquela hora, de que eu nunca ia esquizofrenizar: a realidade podia ser a pior que fosse, a mais dolorosa, podia sofrer as piores perdas, eu permaneceria integrada. Aí dormi, fiquei muito feliz.

E o pessoal me chamou outra vez: "Você passou mal, tem que tomar o Santo Daime outra vez." E me enfiaram mais: "Não me dêem muito, que sou muito sensível. Qualquer coisa já acho que vou morrer." "Não! Pode tomar." E voltei a passar mal, voltei a deitar no lençol no chão; já eram cinco horas da manhã, e tive outra alucinação.

Eu estava no colo de uma mulher gorda que parecia uma índia latino-americana, e eu dizia: "Esta é a Pacha Mama!" Pacha Mama é a deusa-mãe dos quíchuas. E ela estava vestida com um vestido cor-de-rosa de cetim e um bolerinho roxo claro, que são as cores do feminismo. Eu estava chorando, e ela me alisava os cabelos. De repente apareceu diante de mim um rio, e eu dizia: "Esse é o rio Stiges, o rio que leva para o outro lado da vida." E realmente apareceu uma barca, como essas barcas antigas todas esculpidas, e nela vi as deusas ancestrais, mulheres com aqueles cabelos maravilhosos, todas acenando para mim. E nesse momento eu soube que o meu feminismo não era um protesto viril, eu não estava querendo competir com o macho: minha ação vinha da minha feminilidade mais profunda, e aquilo valeu a noite. Nunca mais me esqueci dessas duas visões. A partir daí, tive uma confiança profunda em mim, em que Deus ia me ajudar na minha militância. E passei a ter muita segurança sobre o que faço em relação à mulher. Minha ação não tinha nada a ver com inveja do pênis nem nada. Vi os arquétipos da feminilidade mais profundos assim bem na minha frente, me acenando.

À Procura dos Limites do Corpo e da Mente

Senti necessidade de fazer esse experimento com drogas porque sempre achei que estava aquém do limite da vida e que, se não fosse até os limites, não viveria. Não estaria nem morta nem viva.

No início dos anos 70, publiquei *Vida contra a morte,* do teólogo americano Norman O'Brown, onde ele dizia: "Só o corpo que foi vivido até as últimas conseqüências, em todas as suas linhas, foi vivido..., não o corpo físico mas o corpo total, o corpo erógeno e a mente. Se vivemos todas as linhas do nosso corpo, na hora de morrer não vamos sentir a morte como uma perda, mas como um complemento da vida. Vamos morrer como morrem as frutas, como morrem os animais... naturalmente. Agora, se não vivemos assim, a morte vai ser terrível."

Isso nunca me saiu da cabeça. Foi mesmo um dos livros mais importantes da minha vida. E só comecei a ter essas experiências do limite das coisas depois de ler o livro. Aquilo mexeu comigo, e a partir daí a minha vida mudou inteiramente. Era como se o desejo de viver os limites estivesse impresso dentro de mim desde sempre e o livro de Norman Brown o tivesse ativado. E foi o que descrevi no último capítulo, A Ressurreição do Corpo, do meu livro de 1990, *Os seis meses em que fui homem*. Quis nessa vida levar até as últimas conseqüências a experiência dos meus limites. E mesmo na Filadélfia tive a experiência dos limites com meus olhos. Operei-me de catarata lá com um dos maiores cirurgiões do mundo. Esta cirurgia se faz para a visão de longe e prejudica a visão de perto. Ao menos no meu caso, tratava-se de um olho cheio de complicação. Depois da operação, achei que ficaria sem poder mais ler. Não via mais nada de perto, estaria cega ao contrário. Ficaria fora de mim mesma para sempre. Um dia perpétuo. Eterno dia sem noite. Luz sem sombra. É enlouquecedor! Aí fui obrigada a me adaptar ao desconhecido. Hoje sou mais limitada quanto aos meus olhos, porém mais serena. Mais vivida... Posso ler com muito mais dificuldade, e isto me faz valorizar mais o que vejo. Não uso mais óculos porque vejo de longe. Implantaram uma lente no meu cristalino. De longe vejo hoje como via antes, só que sem óculos. Fiquei bonitona depois de velha! Pela primeira vez vi meu rosto aos 66 anos. Uma experiência raríssima! Tive que refazer toda a imagem do meu corpo!

A Liberação da Kundalini

Muita gente já me perguntou como liberei a Kundalini. Nunca revelei, dizendo que iria fazê-lo se escrevesse uma autobiografia... Então, não tem jeito. Cumpro o prometido.

Desde 1970, eu tinha um amigo de quem gostava muito e que tinha uma grande intimidade com os estados de transe. Era um excelente paranormal. Éramos muito amigos mesmo.

Em 78, ele pediu-me que o levasse a São Paulo em uma das minhas viagens. Desde 70, ele queria me namorar e eu nem percebia.

Naquele ano, depois do tumulto dos EUA, aceitei. Quando ficamos sós, ele perguntou se eu sabia o que era a Kundalini e se queria liberá-la. Fiquei muda de espanto.

Ali estava aquela possibilidade ao meu lado o tempo todo e eu nem sequer podia imaginar. "Então faz tudo o que eu mandar. E é muito simples. Só precisa de honestidade e amor." E continuou: "Quando começar a sentir o orgasmo, suspenda, não deixe vir e puxe para dentro, respirando." Parecia muito simples, mas o que ele não disse é que aquilo viria naturalmente em estado alfa, e, quando eu estava ao lado dele, ele conseguia me levar para esse estado naturalmente.

Fiz o que ele mandou, e depois de transarmos comecei a me sentir mal. "Vá tomar um banho e relaxe."

Quando estava quase dormindo, senti uma transformação no meu corpo. Uma sensação de prazer intensíssima. E esse prazer se concentrava como uma punhalada exatamente nos lugares que eu tinha aprendido e treinado na ioga como sendo os chacras. Ia se concentrando perto do umbigo, depois no estômago, no meio do peito, na garganta. E parou aí. Não tive forças para fazê-lo chegar ao terceiro olho e ao centro da cabeça. Não tinha grandeza para tanto. Dizem os grandes místicos que, quando a Kundalini chega ao sétimo chacra na cabeça, liberta o ser humano de todas as amarras. "Meu Deus, os chacras existem. E a Kundalini também! Deus me proteja."

Durante três dias fiquei em estado de orgasmo agudo, mesmo no mais obscuro dos afazeres cotidianos. Tinha que continuar trabalhando...

E durante seis meses não deixei ninguém chegar perto de mim. Vivia uma sensação de perfeita plenitude, de perfeita satisfação.

Eu era ingênua. Contei a várias pessoas, achando que era natural. Ninguém acreditou. Muitas vezes reagiram com violência. "É mentira! Você está inventando." Tal como no meu grupo de análise. E parei de falar sobre aquilo. Mas quem sabe o que é ioga tântrica e o *Maithuna* sabe do que estou falando.

Meu amigo me disse que só conseguira fazer aquilo quatro vezes na vida porque as mulheres não conseguiam chegar naturalmente àqueles estados, e que aquilo ligava para o resto da vida.

Deus meu! Não ligou. Porque minha cabeça ficou de fora o tempo todo. Eu gostava imensamente do meu amigo, mas as cabeças eram diferentes.

Só muito mais tarde, depois que eu havia passado por todos os desertos e principalmente pela fogueira, alguém conseguiu penetrar diretamente no âmago do meu processo de criação. Aí sim, ligou para sempre.

Os limites que eu tanto procurara haviam explodido, e voltei atrás, não por medo, mas porque ainda estava insatisfeita. Mas muito mais serena.

Um dia contei essa experiência a Pierre Weil, e ele me disse que sentira o mesmo quando Muktananda impôs as mãos sobre sua cabeça. "Os grandes mestres", disse-me, "vivem nesse estado a vida inteira." E seu livro autobiográfico *A lágrima da compaixão*, Pierre conta a experiência tântrica sexual da sua vida.

Mas eu sentia que meu caminho não era aquele. Não era o prazer supremo que eu procurava acima de tudo. Se fosse, teria ficado com aquele meu amigo. Eu estava chegando mais próximo. Uma nova fase começava na minha vida. Eu queria mesmo era inventar um novo tempo.

TERCEIRA PARTE

Ressurgindo das Cinzas

Introdução aos Anos 80

A Fogueira

A festa acabou exatamente em 1980. Não foi por acaso que no mesmo ano Ronald Reagan, Helmut Kohl, Margaret Thatcher e João Paulo II chegam ao poder e aparece a AIDS. Com eles, uma onda conservadora se abate sobre o mundo. E esta onda teve um papel econômico preciso: implantou o neoliberalismo em todo o planeta. Os *think tanks* como construtores da prática política mundial há muito já haviam mostrado ao que vinham.

Nos anos 80, o capital financeiro já começava a adquirir maior relevância que o sistema produtivo. Em 1989, cai o Muro de Berlim. E a Igreja de Roma havia sido definitiva nessa virada mundial. Inclusive nos levando a todos nós da Vozes para a fogueira.

CAPÍTULO 22

Os Terríveis Anos 80

Inicia-se nos anos 80 a época gloriosa da Editora Vozes. Aí começa a nossa briga com o Vaticano. A Igreja não é mais a Igreja de dom Hélder Câmara, heróica, missionária, aquela santidade, mas diabólica, manipuladora. A Cúria Romana começa a voltar ao conservadorismo, que por um tempo, de João XXIII a Paulo VI, cedera a um progressismo que vinha tomando as bases da Igreja.

O início dos anos 80 foi também no Brasil a época da anistia aos presos políticos. Voltou todo mundo. Uma das únicas vezes em que fui à praia, em 79, encontrei o Gabeira, de tanga de crochê. Ele andava de um lado para outro comigo e todas as mulheres davam em cima dele, as "exiletes" como eram chamadas. Foi muito engraçado, muito carioca. O Gabeira ainda é tão popular, que, uma vez, eu estava num avião com ele e as pessoas não nos deixavam conversar: vinha uma mulher aqui, um homem ali, tudo por causa desse problema da droga. O Gabeira ainda é um símbolo dos anos 70. Teve muitos votos nos anos 90. Ele enfrenta o *establishment*. O Partido Verde não é forte, mas ele como pessoa tem, sim, muita influência sobre a cultura brasileira.

Quando voltei em 77, era o finzinho da Revolução das Mentalidades. Em 1980, já havia surgido a AIDS. Aí começam a se desenrolar acontecimentos pesados. Mas antes se passa algo no Brasil.

Algo Novo em Política

Foi no fim dos anos 70, mas é um fato típico dos anos 80. Soube depois, o Lula me contou, porque eu não estava em São Bernardo. Uma das coisas mais importantes de que não esqueço é que, quando os metalúrgicos fizeram a marcha contra a polícia, colocaram as mulheres e as crianças na frente. Como sempre acontece, no mundo inteiro, em todas as ocasiões críticas. Foram as mulheres, por exemplo, que tomaram a Bastilha, em 1789. Foram as mulheres que tomaram o Palácio de Verão do czar russo em 1917. E também na maioria das guerras de libertação, como na Argélia, elas é que vão na frente. Só depois é que vêm os homens. E foram também as mulheres que enfrentaram a polícia na formação do PT. Aí elas já eram importantes, porque o feminismo já estava difundido. Notei este detalhe na hora. Ninguém se lembra dele, mas Lula me disse.

E disse também que não acreditava na Igreja, que era mais a favor do Partido Comunista, mas estava usando-a. E depois viu que o engajamento da Igreja era sério, e no fundo de si mesmo começou a se aliar com ela, passando a achar que ela era a grande força libertadora.

1920: Família materna, em Cuiabá

1935: Família Gebara. Rose é a última criança à direita

8 de dezembro de 1929: Casamento dos pais: Luzes... Jóias... Candelabros...

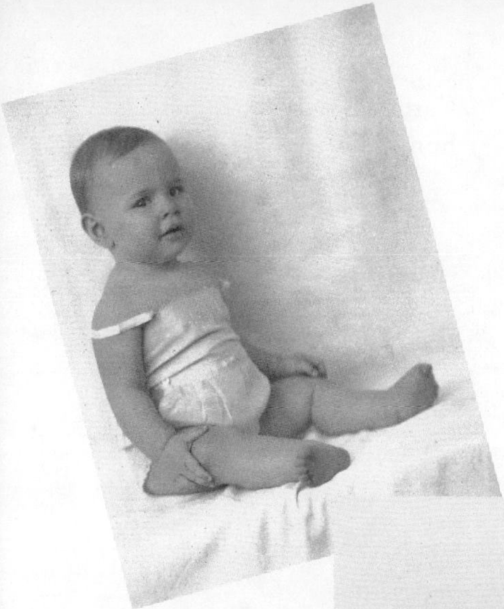

6 meses

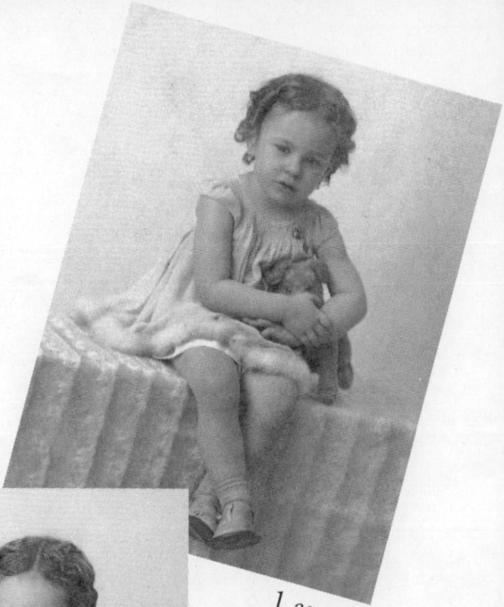

1 ano

1 ano e meio
com Nelson

4 anos

5 anos

Carnaval de 1940: Fantasiada de húngara

8 de dezembro de 1940: Primeira Comunhão

8 de dezembro de 1951: Casamento com Aldo Muraro

1967: Com os filhos André, Marcos, Cristina, Toninha e Verônica (no colo)

DIPLOMA de minha admissão na Congregação das Filhas de Maria, ereta no Colégio da Assunção, sob o título de Imaculada Conceição.

Eu... Rose Maria Gebara ... fui admitida a... 5 de Maio 1947 ... e quero conservar êste diploma como preciosa lembrança de minha consagração à Santíssima Virgem e do compromisso que hei assumido de me empenhar em honrá-la pela imitação de suas virtudes.

8 de dezembro de 1947: Certificado de Filha de Maria

Foto: França/AJB

25 de março de 1971: Com Betty Friedan na redação do Jornal do Brasil

Fins de 1971: Lançamento de *Mulher no Terceiro Milênio*, em 1991 (Limoeiro do Norte)

Zuzu Angel levou a moda brasileira ao exterior.

Rose Marie Muraro trouxe Betty Friedan ao Brasil.

Zuzu Angel, como Rose, foi escolhida, pelo *Jornal Domingo Ilustrado* (Bloch), "Uma das mulheres do ano". A fotografia dela, por causa do assassinato do seu filho, não pôde ser publicada pelo jornal no dia 31 de dezembro de 1971. A legenda, devido à censura, causou espanto. Foi trágica.

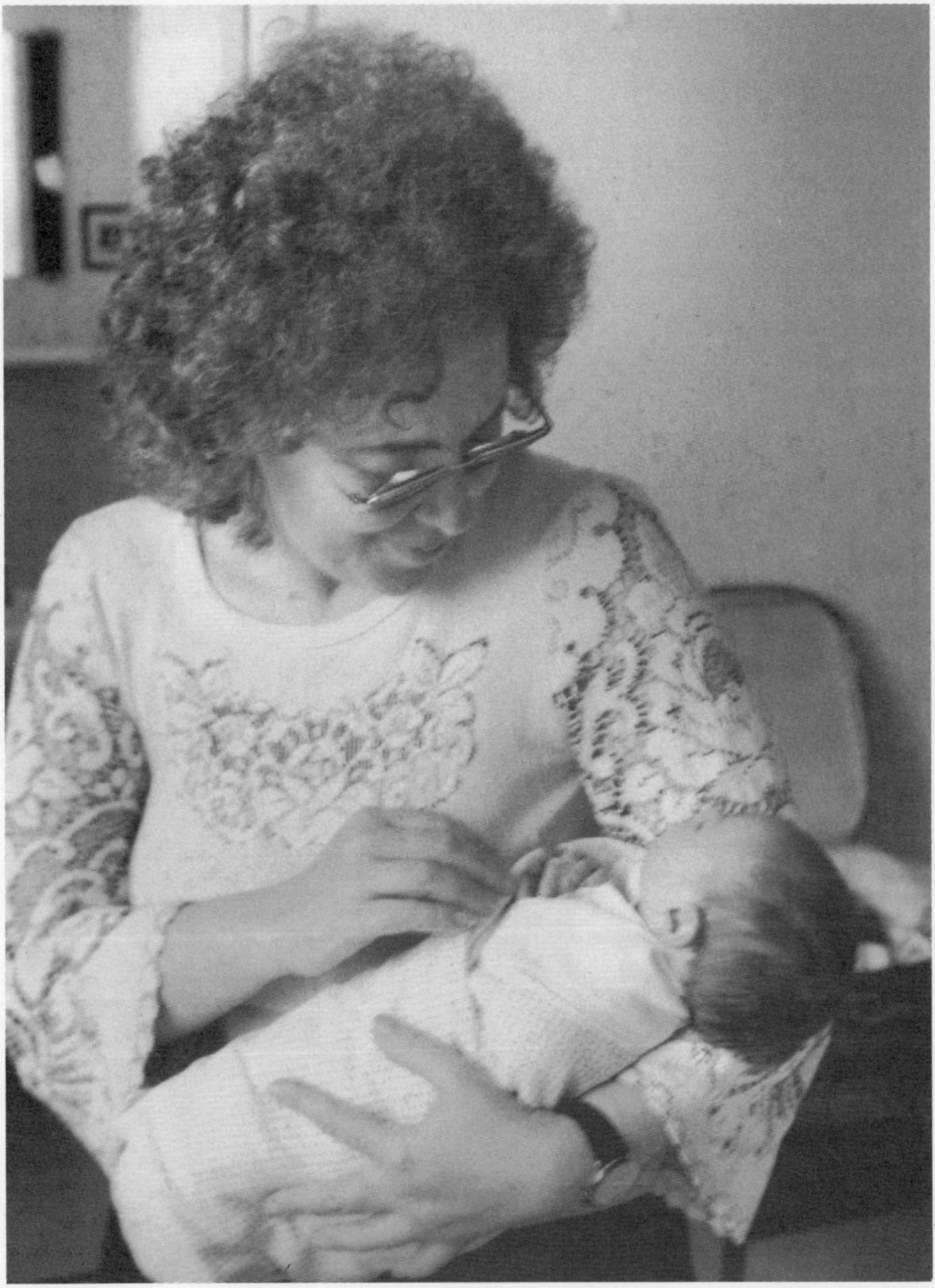

1973: Com o primeiro neto, Alef

ROSE MARIE MURARO author of
Libertação Sexual da Mulher, will speak
on POLITIC IN THE THIRD WORLD

1977: Estados Unidos.
Cartaz de divulgação de uma de
suas palestras

UNITED NATIONS, New York, 8 March 1977
A panel discussion on "A Sence of Balance" sponsored by the Ad Roc Group on Equal Rights for Women was held at Un Readquarters on Tuesday, 8 March 1977 to celebrate the International Women's Day – 1977. Secretary-General Kurt Waldheim addressed the staff at a special meeting. Bella Abzug, lawyer; Shirley Hazzard, author; Nira Harden Long, lawyer; Margaret Read, anthropologist; Rose Marie Muraro, author; and Barbara Rartley Schlachter, priest; were arong the participants at today's panel discussion which was moderated by Claire de Hedervary. Ms. Rose Marie Muraro making a atatement at the panel discussions.

8 de março – representando o Terceiro Mundo nas festividades das Nações Unidas, onde pediu proteção contra a censura

1980: Com frei Ludovico e frei Leonardo Boff

1986: Com um amigo e Moema São Thiago

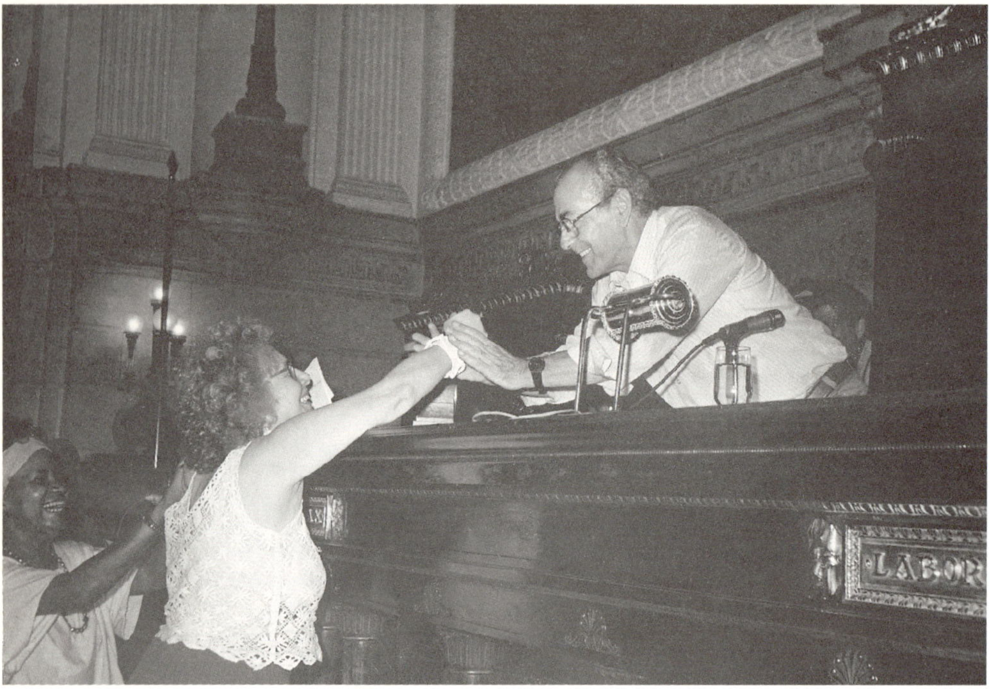

Janeiro de 1986: Com Leonel Brizola

1990: Com frei Ludovico no lançamento da Rosa dos Tempos, em São Paulo

1990: Aspasia Camargo, Ruth Escobar, Marcelo Alencar, Rose e Laura Civita

1990: Com Ruth Escobar
e Laura Civita

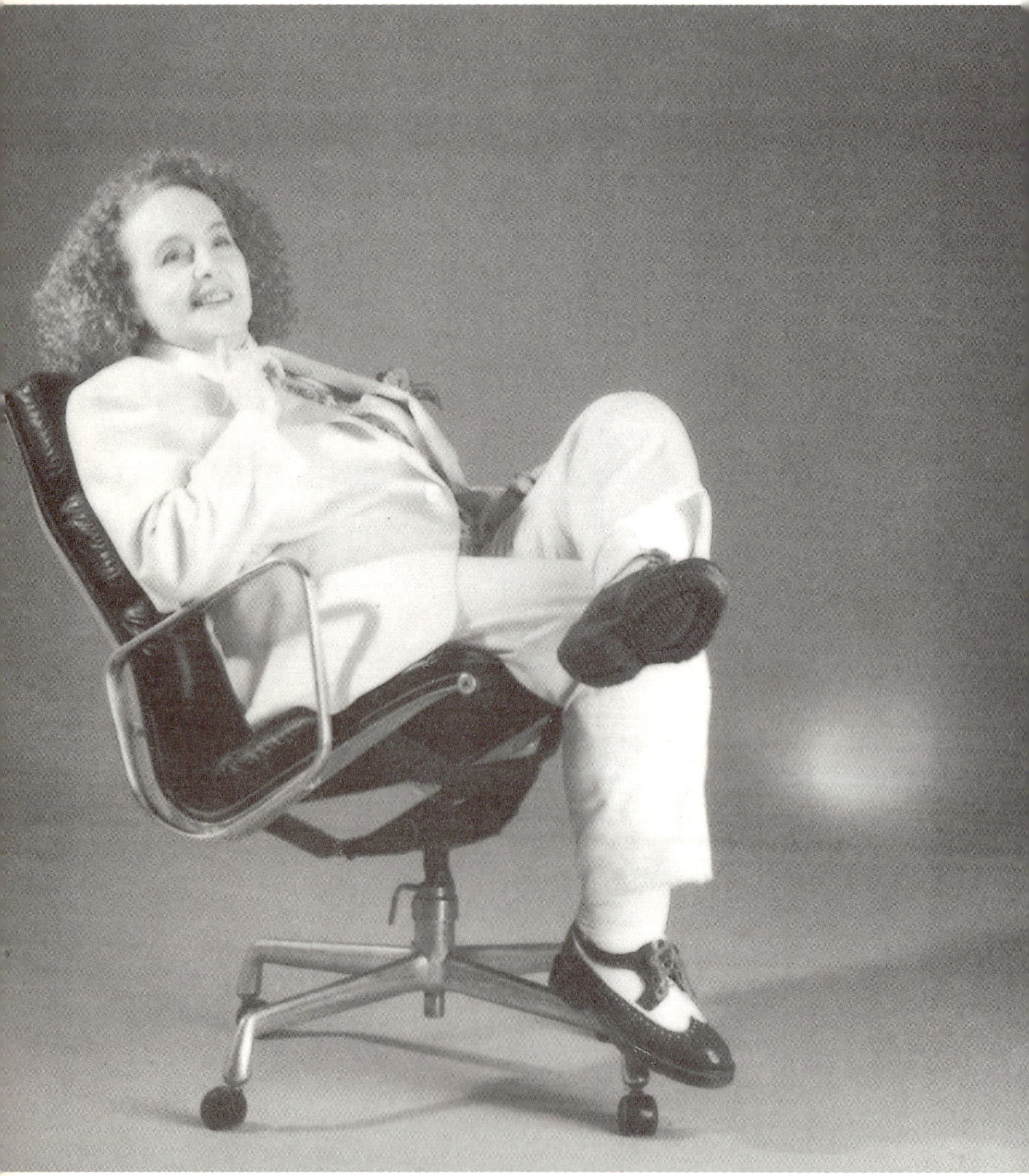

Janeiro de 1991: Posando de homem para a revista *Exame*

ROSA LUXEMBURGO

Líder do Partido Social-Democrata alemão, seu principal objetivo sempre foi a revolução. Entrou na militância aos 15 anos e sempre lutou pela liberdade política, de crítica e de expressão. Fez uma releitura da obra de Marx e criou uma nova teoria para a acumulação do capital. Polonesa judia, foi perseguida e presa várias vezes. Em 1918 morreu brutalmente assassinada, aos 49 anos, em Berlim.

ROSE MARIE MURARO

Vencendo uma deficiência visual, sua primeira conquista foi aprender a ler e, em seguida, estudar física. Através da sua sensibilidade e lógica, tornou-se uma das maiores pensadoras brasileiras. Divorciada e mãe de cinco filhos, introduziu o feminismo no Brasil e fundou o Centro da Mulher Brasileira.

SHERE HITE

Aos 33 anos derrubou tabus e abriu novas perspectivas para a sexologia. O dinheiro ganho como modelo possibilitou a realização de um estudo sobre sexualidade feminina em 1976, que acabou virando livro – o *Relatório Hite*. Casou-se com um músico 20 anos mais novo e lançou o segundo livro abordando a sexualidade masculina. Depois de pesquisar, garantiu que a paixão é um sentimento igual para os dois sexos: o que muda é a maneira de expressar os sentimentos.

SIMONE DE BEAUVOIR

Uma das inspiradoras do feminismo mundial, sempre se dedicou às questões femininas. Manteve por mais de 50 anos um casamento aberto – onde cada um morava em sua casa – com o filósofo francês Jean Paul Sartre, que a chamava de Castor. Escritora, formada na Sorbonne, freqüentava círculos intelectuais. Morreu aos 78 anos, em 1986. Seus livros continuam até hoje influenciando gerações.

Maio de 1999: Pela segunda vez uma das mulheres do século

8 de março de 1999: Recebendo a medalha Pedro Ernesto, na Câmara dos Vereadores do Rio de Janeiro, das mãos da vereadora Ana Lipke. Na foto com a filha Tônia

Setembro de 1999: Recebendo o Troféu Teotonio Vilela de maior editora do Brasil na resistência ao Regime Militar e tendo como patrono Enio Silveira

A Virada Internacional da Igreja

Retornando à história internacional, os *think tanks* conseguiram colocar no poder ao mesmo tempo Ronald Reagan, Margaret Thatcher, Helmut Kohl e João Paulo II, talvez a maior manobra conservadora da história. Com isto estava dominada a revolução que contestava a hegemonia do capital. Os países industrializados, por isso, aumentaram muito o fosso que os separava do Terceiro Mundo nos anos 80. Nós aqui, neste canto do mundo, participamos diretamente da virada da Igreja.

A partir da chegada de João Paulo II, a Igreja progressista perde porque o Vaticano começa a perseguição contra ela e ela vai perdendo o seu impacto como Igreja, no Brasil. Então os cristãos progressistas se voltam para o PT. Como a AP devia tomar o lugar da JUC no início dos anos 60, o PT toma o lugar da militância individual dos membros da Igreja progressista. É assim sempre. E isso eu conversava com Leonardo. Dizia a ele: "Meu filho, isso é o embrião de um cisma. É um novo modo de produção que está nascendo, a emergência dos trabalhadores." E logo depois veio a briga de Leonardo com Roma, já com esse papa que foi eleito depois da morte, no mínimo suspeita, de João Paulo I.

Pelo menos é o que todo mundo acha. Porque João Paulo I era um papa progressista, e naquela época a ligação da Cúria Romana com a Máfia era um escândalo internacional. O arcebispo Paul Marcinkus dirigiu o Banco do Vaticano, que trabalhou com companhias fantasmas para fazer lavagem do dinheiro da Máfia. Roberto Calvi, do Banco Ambrosiano, e o financista siciliano Michele Sindona também foram envolvidos. Sabia-se que estas pessoas tinham ligações com a Loja Maçônica P2, uma sociedade secreta conspiratorial contra a democracia italiana. Tudo foi revelado e deu no que deu. Calvi foi achado enforcado debaixo de uma ponte em Londres, em 1984. O siciliano Sindona morreu envenenado numa prisão nos EUA em 1986. O arcebispo Marcinkus foi demitido do Banco do Vaticano, e não podia sair do Vaticano porque havia um processo contra ele movido pelo governo italiano. O Banco do Vaticano concordou em pagar 250 milhões de dólares aos credores do Banco Ambrosiano. Dizem que João Paulo I ia abrir uma auditoria no Banco do Vaticano. Motivo suficiente para ele morrer. Também falava da Teologia da Libertação. Falava de Deus como mãe. Outro motivo. Depois espalharam a história de que João Paulo I tinha problemas de saúde. Mas, para nós, ele parecia um homem na flor da idade, que morreu assim de repente, da noite para o dia. Só com trinta e três dias de pontificado. O boato já corria logo depois da morte dele. E os jornais falaram muito sobre o assunto.

Não creio que João Paulo II tenha a ver diretamente com isso, mas a Máfia tem. O que acho é que a CIA interferiu nas negociações para a sua eleição, que os americanos "ajudaram" os responsáveis a escolher a dedo. Eles queriam um papa que pudesse ajudá-los a acabar com o comunismo. Enquanto se fazia a revolução das mentalidades, os *think tanks* estavam programando a queda da União Soviética, o que aconteceu uma década depois, em 88/89. E a Igreja teve um papel muito importante nisso. O Sindicato Solidariedade, na Polônia, foi a primeira cunha não-comunista no bloco soviético. Quando Lech Walesa ganhou, e era católico, teve ajuda maciça dos EUA e da Igreja de Roma. Inclusive João Paulo II foi à Polônia.

Quanto a João Paulo II, acho que no sentido tradicional sim, ele tem santidade, é simbólico, pois é uma referência sagrada. Mas no sentido moderno acho que ele é diabólico, quer dizer, é uma interferência de divisão e desunião... João Paulo II é muito metido na política da direita. Ele reforça o opressor. Ele gosta muito da Opus Dei. A Opus Dei foi o braço direito do regime franquista na Espanha. Uma reputação terrível, e de repente lá estava João Paulo II com a Opus Dei e ninguém falou nada. Nas décadas de 50, 60, todos os liberais chamam a Opus Dei de teologia fascista. Agora ela é perfeitamente responsável. Que decadência intelectual! E no Brasil existe um grupo desses, o Tradição, Família e Propriedade. O TFP ajudou muito o regime militar. Ele é bem brasileiro. Um dos herdeiros do trono brasileiro era do TFP.

João Paulo II reforçou valores conservadores da Igreja, inclusive o celibato e a ideologia da castidade tradicional.

Misoginia e Castidade

Tradicionalmente, desde o século IV, quando a Igreja se tornou a Igreja oficial do Império Romano, vem sendo fabricada uma ideologia do celibato. A partir do século X, os padres são proibidos de casar. Essa lei sempre foi rompida informalmente. Mas ela existiu e se manteve por causa da propriedade dos bens da Igreja. Se padres, bispos e até os papas se casassem oficialmente, poderiam desmembrar a propriedade da instituição. E é por isso que a Igreja católica é una e sólida, e as denominações protestantes são mais de oitocentas. Os pastores formam novas denominações e desmembram a propriedade das instituições oficiais. E têm toda razão ao fazer isso, porque com a descentralização da riqueza o poder também se descentraliza.

O homossexualismo sempre se esconde atrás dessa castidade misógina. É exatamente isso o que tenho a dizer quando falo de celibato. Nessa época, praticamente não existia mais celibato, na Igreja. O celibato só é viável dentro de uma utopia muito forte como a de dom Hélder. A castidade não é misógina, inclui a relação profunda com o feminino e é libertadora. Por isso, hoje os padres tendem a querer casar, a romper o celibato (e vão conseguir, com certeza). O casamento dos padres e a ordenação sacerdotal das mulheres podem mudar a estrutura da Igreja. De patriarcal e autoritária a pluralista e dialogal. E quem ganhará com isso será a própria Igreja, que aumentará a sua ingerência no mundo. Uma influência não mais para dominar, mas, sim, para libertar. Acho a emergência do feminino na Igreja a mais bela e importante das utopias. A castidade só é verdadeira quando livre. Seja ela homossexual ou heterossexual. Porque existem muitos homossexuais realmente castos. O que chamo de "viadagem" é a manipulação da culpa sobre a própria homossexualidade, o que torna a pessoa dócil, acrítica e passível de ser manipulada. Disse-me um amigo homossexual que conhece bem a Cúria Romana e que foi impedido de se tornar sacerdote com a alegação de que ele vivia a sua homossexualidade "sem culpa, por isso não vai ficar. Só estimulamos a homossexualidade com culpa, porque assim podemos dominar melhor as pessoas". A castidade negativa, repressiva, tem a ver com o carregar a cruz no sentido tradicional. Quem carrega a cruz serve ao sistema. E quem é repressivamente casto também.

A castidade plena é erótica e tem a ver com o carregar a cruz de maneira positiva, isto é, defender a vida e a profundidade do ser a qualquer preço. Isto é muito misterioso, mas a castidade e a cruz podem ser uma festa. Uma plenitude, e não uma carência. Celibato nunca caminha junto com poder — o poder acaba se tornando maior do que os mandamentos da Igreja. Dá uma onipotência afrodisíaca.

Na história da Igreja, se vê exatamente isso. O papa Alexandre Bórgia, por exemplo, famoso por suas orgias e pai de Lucrécia Bórgia, mandava assassinar os cardeais para ficar com a fortuna deles para pagar suas dívidas. Sem culpa. Júlio II, outro exemplo, oferecia um lugar no reino dos céus se os grandes assassinos lhe dessem dinheiro... "Quantos assassinatos você cometeu? Dois mil, três mil, cinco mil? Então me dê cinqüenta mil ducados..." E dava indulgência plenária, com atestado por escrito e tudo. Foi com essa corrupção que a Igreja se manteve no poder durante centenas de anos. E foi contra ela que Lutero reagiu. Acho melhor parar por aqui...

Considero que todas as contradições da Igreja na história vêm de dentro dela mesma. Por corrupção ou ganância, a Igreja mesma cria suas próprias contradições. Os problemas não vêm do povo. O povo sempre foi fiel, sempre teve muita fé. Sempre foi heróico. Sempre agüentou o sofrimento. Sempre carregou a sua cruz. E foi porque o povo carregou a cruz que legitimou a ganância das cúpulas.

Fico muito triste porque São Francisco de Assis, por exemplo, no século XIII, foi manipulado em favor da corrupção na Igreja. No filme de Franco Zeffirelli *Irmão Sol, Irmã Lua*, há uma cena em que os cardeais querem impedir São Francisco de entrar no palácio papal em farrapos, e o papa Inocêncio III diz: "Deixem-no entrar. Vou beijar os seus pés, porque ele veio trazer muitos fiéis para nós. Isso nos vai render muito dinheiro."

E agora outra coisa terrível. Acho que Nosso Senhor Jesus Cristo foi usado para legitimar todos os crimes contra a humanidade, feitos depois da sua vinda, quando trouxe a santidade, a solidariedade, o amor até a morte...

As religiões usam seu nome para legitimar o mal. Todas as religiões foram manipuladas pelos sistemas econômicos em que estão inseridas. Porque alguém pode ser um místico contemplativo, pode se drogar com esse ópio, digamos, porque nesse caso a mística é um ópio: quando não é uma luta é um ópio. Então, sendo mística, a pessoa se retira, se ausenta e deixa o mal fazer tudo o que quiser... É por isso que a religião católica conservadora é adequada à sociedade de classes. Ela promete o céu depois da morte se você ficar submisso a seu patrão nesta vida, e seu patrão vai para o inferno... É uma leitura errada do Evangelho, e a Teologia da Libertação acabou com essa leitura. E com isso ameaçou a Igreja inteira.

Já o protestantismo, santificando o trabalho, produzia o capitalismo, que é o trabalho como valor supremo de santidade, como descobriu Max Weber. Quem trabalhar duro sem recompensa nesta vida vai para o céu, os preguiçosos (os que gozam a vida) vão para o inferno. Isto chegava no inconsciente coletivo distorcido assim: "Se formos trabalhadores vamos para o céu, mesmo que roubemos, escravizemos. Ser santo é ficar rico!" E eles se tornaram os mais ricos do mundo. E assim por diante. Isso acontece com todas as religiões, como demonstrei no meu livro *Os seis meses em que fui homem*.

Os Detalhes da Virada

Nos anos 80, nós, da Editora Vozes, chegamos a ser peões da Guerra Fria, e tínhamos como inimigos essa Igreja conservadora. Dentro desse cenário, era fundamental acabar com a Teologia da Libertação, porque ela era a ideologia que mostrava que estar com Cristo era estar concretamente com os pobres e que toda aquela teoria marxista estava correta.

Eu estava nos EUA em 1981 quando comecei a ver como essa história se passou, em cada momento, a cada passo. Conversando com um padre dominicano em Nova York, ele me dizia que Reagan chamara a Conferência dos Bispos dos EUA para ajudá-lo na conquista da Polônia e do mundo comunista e que os bispos se recusaram a trabalhar com ele porque eram contrários ao programa de uma nova corrida de armas nucleares.

Nesse ano também Reagan foi procurar com a mesma finalidade o Dr. Emílio de Castro, presidente do Conselho Mundial das Igrejas, na Suíça, e ele recusou qualquer aliança com Reagan. A terceira pessoa que ele procurou foi o papa João Paulo II. Tiveram uma conversa a portas fechadas no Vaticano. Depois eu soube. Quem contou foi um grande teólogo da América Central. Nessa conversa, eles trocaram a Polônia pela Nicarágua. Reagan iria ajudar o papa dando dinheiro para pagar as dívidas do Vaticano se o papa o ajudasse a lutar contra o comunismo. E no mesmo "pacote" estavam incluídos também os problemas do aborto e da Teologia da Libertação. A luta contra o aborto nos EUA por parte da Igreja Católica conservadora tinha que ser intensificada. E mais: ter-se-ia que acabar com a resistência popular na América Latina. E ela já era baseada na Teologia da Libertação.

E assim, em 1985/86, Leonardo foi proibido. *Igreja, carisma e poder*, escrito em 1982, era um livro de artigos dele. Não era uma obra da Teologia da Libertação, mas um livro só de artigos, atacando o sistema de poder da Igreja como instituição. Assim como Al Capone foi preso por causa de sonegação do imposto de renda porque não havia outra forma de prendê-lo, só conseguiram "pegar" o Leonardo por esse livro, que criticava duramente a Cúria Romana, o Vaticano e a maneira como a Igreja usava seu poder. Leonardo foi feroz nesse livro. E Roma o obrigou a um ano de "silêncio obsequioso".

Alguns dias depois de termos recebido a notificação, estávamos lançando um livro do Betinho. Leonardo estava presente, mas deprimido. Eu já tivera a experiência da solidão quando ia me separar do meu marido, e meu analista dizia: "Fala com todo mundo porque você não pode agüentar um problema dessa magnitude sozinha. Você tem que ter muita gente ao seu lado sabendo. Muita gente pode te ajudar." Falei com meus filhos, falei com a minha família e consegui. O mesmo aconteceu quando consegui enfrentar os militares falando na televisão. Não fui presa por causa da publicidade.

Essa história me veio à mente, e eu disse: "Leonardo, fala. Você não pode escrever, mas fala!" No dia seguinte mesmo, a BBC o procurou e ele deu uma entrevista a Morris West que foi assistida por milhões de pessoas. E nesse momento começou o cisma branco, um racha silencioso na Igreja que dura até hoje. Foi assim que aquilo que nasceu de dom Hélder e continuou com Leonardo e frei Ludovico acabou se tornando um divisor de águas no mundo no século XX.

Do ponto de vista psicológico, Leonardo sabia que estava contestando a Igreja e falando coisas de que o Vaticano não iria gostar, e claro que achava que ia receber algum castigo. Mas não ligava. Não ligava a mínima. O que os militantes da Igreja progressista diziam na época era: "A gente vai com o papa até certo ponto, depois ficamos com Nosso Senhor Jesus Cristo e agüentamos as conseqüências." Só que Leonardo não gostou das conseqüências.

A Opção Preferencial pelos Pobres

No encontro da Celam (Conferência Episcopal Latino-Americana) realizado em Puebla, no México, em 78, o papa João Paulo II teve que aceitar a Opção Preferencial pelos Pobres.

As conclusões desse encontro foram publicadas em um livro que vendeu muito. Chamava-se *Opção preferencial pelos Pobres*, da própria Conferência. E era resultado da Teologia da Libertação, que já havia tomado toda a América Latina. Por isso ela já vinha se mostrando perigosíssima. Puebla foi o ponto alto dessa teologia dentro da Igreja institucional. Logo depois, no início dos anos 80, veio o retrocesso. A Celam foi tomada por dom Afonso Lopes Trujillo, arcebispo de Bogotá, um bispo conservador.

Enquanto isso, Reagan negociava com o papa a troca da Nicarágua pela Polônia, e por isso tinha que se acabar com a Teologia da Libertação. Sei que o papa foi à Nicarágua e o povo o rejeitou. O papa foi vaiado pelo povo nicaragüense e pediu silêncio no meio da missa. Foi um grande escândalo. Na Bolívia, líderes indígenas devolveram a Bíblia ao papa, porque diziam que a Bíblia era o livro dos opressores. E o papa chorou. O mínimo que ele podia fazer era chorar... Era muito sério o que estava acontecendo na América Latina. E foi por isso que Leonardo foi posto em silêncio. Não só por um problema de insubordinação individual, mas porque a Teologia da Libertação era uma peça importante da Guerra Fria. Mas essas são as memórias do Leonardo. Ele é quem tem que contar. Eu estava só assistindo.

CAPÍTULO 23

Sexualidade da Mulher Brasileira

Em 1981, dei uma entrevista à *Playboy*; os bispos já estavam danados comigo. Foram pedir a frei Ludovico para me mandar embora mais uma vez. Frei Ludovico, o que nos deu de apoio nessa época a mim e a Leonardo. Nos momentos de crise, ele nunca cedeu. Para ele, as grandes crises não eram nada. Dizia: "Olhe, filhinha, o papa escreveu, a Conferência dos Bispos quer que você vá embora porque você deu uma entrevista para a *Playboy*." Eu disse: "Mas, frei Ludovico, dom Hélder deu entrevista, frei Betto também, por que só eu não posso?" E fiquei.

Ele não estava nem aí. Leonardo me disse: "Li sua entrevista. Ela é ótima, e a Conferência dos Bispos está fazendo muita pressão sobre você." Foram os conservadores da Vozes, que eram contra nós e que queriam me ver pelas costas, que denunciaram para a Conferência dos Bispos. Mas era uma época brilhante, e eles não tinham coragem de nos mandar embora porque a editora estava famosa e dando muito lucro. Já estávamos com os *bestsellers* na rua. E a mídia inteira nos focalizando. Aí Leonardo disse: "Você vai perder o seu cargo, mas não perde nem a função, nem o salário. A partir de hoje, você fica sob a minha responsabilidade." Agora a situação estava sendo exatamente a oposta de quando Leonardo chegou. Naquele tempo, ele estava sob minha responsabilidade. Agora ele era o responsável por mim.

A Igreja Eletrônica

Já era o fim da ditadura militar e as comunidades de base estavam fortes, políticas. Porém, naquela época, começava a influência da Igreja eletrônica evangélica, dos cultos protestantes de transe: pentecostais, Assembléia de Deus etc. Os grupos protestantes, ao contrário das comunidades de base, que se opõem ao sistema dominante, fixavam e ainda fixam as pessoas no sistema... Frei Betto dizia que não tinha medo dos políticos, só tinha medo da Igreja eletrônica. Justamente por isso, porque as pessoas estavam indo em massa para esses grupos. Ali é mais fácil. Eles oferecem só comunhão individual, não resistência política. Assim, pouco a pouco, a Teologia da Libertação foi se esvaziando. Seus militantes em geral se engajam no PT. Os pobres, o povo, vão para as comunidades evangélicas.

Nelas existem ao mesmo tempo a comunhão, como nas comunidades de base, mas também transe, que é uma dimensão séria para o povo. E eles não têm que agir politicamente, o que a longo prazo torna perigoso pertencer a esses grupos contestadores... Tenho uma filha evangélica, e a força que ela recebe na sua comunidade faz com que seja capaz de arrumar dinheiro, de resistir a um marido hostil, a um sócio também hostil, a educar sozinha os filhos, a ajudar o filho drogado, quer dizer, a fé compartilhada dá a ela forças quase sobre-humanas. Duvido que as comunidades de base, com sua política contra os opressores, dêem essa força individual como a Igreja evangélica, e que, em última instância, reforça a opressão coletiva, mas ajuda individualmente. Gostaria de me convencer do contrário...

Nessa época, esses movimentos de massas já começavam a ter um grande impacto. Voltando ao PT, eu mesma quase entrei. Em 1980, Eduardo Suplicy me levou ao Plenarinho da Câmara dos Vereadores de São Paulo, onde muitas personalidades se filiaram oficialmente, porque queria que eu entrasse para o PT. Mas eu não quis, por achar que quem havia optado pelos movimentos sociais devia estar acima dos partidos. Continuo achando que eles são soberanos, e os partidos, apenas um instrumento para a sua ação.

Nesse contexto, escrevi *Sexualidade da mulher brasileira*, talvez o meu projeto mais ousado. Como já disse, conseguimos o dinheiro com a Fundação Rockefeller. O primeiro projeto se destinava a conhecer as motivações das camponesas do Nordeste para terem tantos filhos. Mas, no fim dos anos 70, os movimentos feministas e os partidos políticos, já no período pré-democrático, brigavam porque os homens achavam que nossas ações feministas na área de gênero eram divisionistas. Nós achávamos o contrário: sem a luta de gênero, a luta de classes, a longo prazo, seria inútil. Para tirar a teima, rasguei então o projeto inicial e fizemos um outro cruzando sexualidade com classe social.

Nosso conceito de classificação foi o conceito clássico usado por Nikos Poulantzas. Eram a classe dominante possuidora dos bens de produção — a burguesia — e as dominadas, a urbana (operariado) e a rural (campesinato). Incluímos as classes médias, urbanas mais modernas, originárias da Revolução Industrial avançada. Entrevistamos a burguesia do Rio de Janeiro porque era o seu comportamento que era passado como modelo nas novelas de TV para as outras classes sociais, o campesinato em Pernambuco (o estado mais predominantemente agrário do Brasil) e o operariado em São Paulo, maior estado industrial.

A Pesquisa e o Livro

Decidi fazer a pesquisa tanto com mulheres quanto com homens, porque nunca fui de separar mulheres e homens... se não tivesse homens, não haveria grupo de comparação. Foi a melhor coisa que fiz... Eu e Yeda Wiarda elaboramos juntas o questionário. Não tínhamos pesquisa piloto, e pensamos: "Ah, é assim? O dinheiro é pouco? Então vamos fazer a pesquisa com a nossa própria experiência." Porque o dinheiro da Fundação Rockefeller não dava para nada. Então começamos a fazer as questões mais idiotas possíveis, que vieram a dar as respostas mais fabulosas e que foram a paixão de Félix Guattari antes de ele morrer. E isso está tudo contado em *Sexualidade da mulher brasileira*, em sua edição de 1996, já na Editora Rosa dos Tempos.

O povo fala mesmo nesse livro, o tempo todo. Se não falasse, a estatística não teria encontrado nada. No livro, ficou provado à exaustão que a estatística não encontra nada de novo. Ela é feita mesmo para ocultar o verdadeiro comportamento humano. O *Sexualidade* foi o primeiro (e único) livro que encontrou as articulações concretas entre o corpo, o inconsciente e o sistema produtivo. O que se descobriu lá mostrou que a ciência dominante é feita para comportamentos maciços. Seu modelo encara a sociedade como um todo homogêneo que se divide em graus, em percentuais, e que portanto não dá conta dos conflitos que são a própria estrutura da relação opressor/oprimido.

Então o que fiz? Dividi a sociedade em classes e usei uma estatística descritiva em cada uma. Aí sim, apareceram os conflitos, e ficou claro como o sistema produtivo/econômico fabrica os nossos corpos, a sexualidade, o nosso imaginário. O organismo, os órgãos sexuais, o inconsciente são dados biológicos, mas o corpo, a sexualidade e o imaginário são fabricados e servem ao sistema.

As feministas de Pernambuco, São Paulo e Rio de Janeiro participaram desse novo projeto. Uma equipe foi a campo em Pernambuco para entrevistar o campesinato, o que era uma tarefa difícil. Entre as pesquisadoras estavam Maria Bethânia Dávila e Sônia Correa, mais tarde feministas famosas. Em São Paulo foi a equipe de Albertina Duarte. E ela própria, já uma mulher famosa, foi a campo para entrevistar as operárias, que confiavam nela. Era muito difícil chegar a essas classes sociais. Tivemos que repetir várias vezes a entrevista com os homens. Foi preciso colocar os homens do Sindicato dos Trabalhadores Rurais do Nordeste na zona canavieira, porque senão eles não falariam. No agreste pernambucano, tivemos também que colocar os militantes da Igreja de base para os homens poderem falar. Em São Paulo, como os homens eram muito reprimidos, fui obrigada a colocar o Dito, médico e militante (ótimo), marido da Albertina, que também me conhecia e sabia o que eu queria, para obter aquelas maravilhosas frases dos operários... entre elas aquela famosíssima: "Meu corpo é uma máquina, e o combustível dessa máquina é a sexualidade", que faria Marx tremer na tumba.

Repercussão Nacional

A repercussão do livro começou com a entrevista que dei à *Playboy*, em julho de 1981, e que quase acabou com meu emprego. Depois que o livro saiu, tive cinco páginas de *Veja*, doze páginas de *Isto É*. Também o *Los Angeles Times* e o *Miami Herald* noticiaram. Só não deu no *New York Times*! Era o *Relatório Muraro*, como chamaram, mas não tinha nada a ver com o Relatório Hite, que é uma besteira. Mais tarde, em 85, conheci Shere Hite e comprovei como ela era burra. Era só uma jornalista, sem nenhuma formação. Não sabia fazer análise. O livro compunha-se apenas de descrição de casos. Um mês depois que saiu, um grande jornal deu cinco páginas ao livro me pichando. Nunca disse a ninguém, mas recebi um telefonema de uma repórter desse jornal dizendo: "Vamos pichar seu livro não porque o livro seja mau, mas porque você foi muito dura com a classe dominante." E fui mesmo.

O livro teve tanta repercussão que foi direto para a lista de *bestsellers*, teve cento e sessenta reportagens, e sua venda praticamente sustentou a Vozes durante um tempo, porque era um livro caro. Acho que ganhei uns 40 mil dólares de direitos autorais em 1983.

Várias vezes recebi telefonemas de feministas de todas as partes do Brasil dizendo: "Agora ninguém mais pode dizer que a mulher é um cidadão de segunda categoria. O espaço que você abriu em nível nacional, nós estamos abrindo em nível local."

O livro tem 500 páginas. É um tijolaço. Quando o entreguei ao Darcy Ribeiro convidando-o para fazer o *Canal Livre* comigo, ele adorou. Era Darcy e Leonardo... Só lembro que Darcy, quando leu o livro ainda em provas, disse: "É um livro relevante! Eu vou ao seu *Canal Livre* porque só tenho visto bobagens nessas teses, e este livro é ótimo."

O primeiro lançamento do livro foi na *Folha de S. Paulo,* em 20 de janeiro de 1983, e no dia 25 lancei no Colégio Notre Dame, que tinha um dos maiores auditórios do Rio de Janeiro. Na hora em que fui para lá, o trânsito estava congestionado desde a Lagoa. "Queria tanto que esse trânsito todo engarrafado fosse por causa do lançamento do meu livro!" E era!

Estavam lá Eduardo Suplicy, Marta, Gabeira, Chaim Katz, Hélio Pelegrino, Carlos Byington, grandes ícones do Rio de Janeiro, e mais duas mil pessoas. Lembro que a Ruth Escobar veio de São Paulo só para o lançamento. O da *Folha de S. Paulo* foi só um lançamento convencional, feito no próprio jornal, mas vieram os grandes intelectuais de São Paulo. Veio o pessoal do Cebrap querendo conversar comigo, mas eu era tão tímida que nem procurei a Elza Berquó.

Foi assim que meu livro estourou. Vendeu cinco mil exemplares em três dias e depois chegou a vender, até o fim de 84, vinte mil. Quando o jornal fez a fofoca, eu estava chegando de Macchu Picchu. Fui para lá descansar. Estava nervosa porque as pessoas me procuravam muito. Eu queria fugir, de tão cansada.

Mais tarde Marilena Chauí leu e comentou o livro inteiro. Até hoje não sei como agradecer a ela!

Dez anos depois recebi um recado do Felix Guattari através do

Gregório Baremblitt, em que ele dizia que achara o livro um dos mais importantes que já lera. "Nós deliramos na Europa e vocês fizeram a pesquisa de campo, que validou as nossas teorias". Vi que todo o sacrifício tinha valido. Quando fizemos a 5ª edição em 96, na Rosa dos Tempos, coloquei este recado no prefácio.

A Fabricação do Oprimido

Impossível aqui resumir o que foi encontrado em 500 páginas de pesquisa. Mas creio que os mais importantes achados para o livro, que estão implícitos em todas as páginas, foram aqueles sobre a cabeça do oprimido (clivagem de classe social) e a incompatibilidade entre o homem e a mulher (clivagem de gênero). E também sobre a hipocrisia da classe dominante, que o jornal carioca não engoliu.

Além de aplicar os questionários, os pesquisadores observaram a maneira como as mães tratavam os filhos pequenos nas diversas classes sociais. A mãe camponesa não tinha tempo de cuidar da criança. Só trocava as fraldas na hora das mamadas. E, como era subnutrida, o alimento não era suficiente para matar a fome da criança. Assim, desde que nascia, a mensagem inconsciente que a criança captava era: "Minha fome é para não ser satisfeita" e também "Meu choro [meu desejo] é para não ser satisfeito". Víamos as crianças chorarem horas, sem serem atendidas. Depois de um certo tempo, elas paravam de chorar.

A partir daí, e analisando a fala daqueles homens e mulheres, percebemos que aquelas mensagens eram a raiz do comportamento da classe camponesa:

1) A capacidade de suportar na idade adulta a fome e as privações sem reclamar, achando "natural".

2) A passividade diante da injustiça, pois a criança era cuidada por uma vontade soberana e cruel que só satisfazia as suas necessidades quando esta vontade (da mãe) queria, e não quando a criança precisava. Assim, a maioria dos camponeses espera as mudanças caírem do céu, porque a vontade suprema era imprevisível.
3) O machismo — como a não-satisfação é *natural*, a mulher aceita o homem que a maltrata. "Já sou feliz quando ele traz dinheiro para casa, não me bate, não tem outra e não bebe..." Para elas, sentimento é coisa de rico...
4) O fisiologismo — o homem acha natural servir o patrão injusto que não lhe paga o suficiente para suprir suas necessidades: "O homem ajuda o patrão, a mulher ajuda o homem, as crianças ajudam os pais." Tornam assim naturais as terríveis relações de injustiça entre as classes, os gêneros e as gerações.
5) A religiosidade popular. Carregar a cruz da injustiça é condição essencial para se chegar ao céu. O patrão, o rico, depois da morte, depois de ter gozado os bens deste mundo, irá para o inferno. Só o sofrimento salva.

Percebemos que tínhamos tocado com a mão a cabeça do oprimido. Porque tínhamos tocado também a cabeça do opressor.

Ao contrário da classe camponesa, as crianças ricas tinham sua fome satisfeita, seu choro atendido, geralmente por babás de classe mais baixa. A mensagem seria: "Minha fome é para ser satisfeita, meus desejos são para serem atendidos, eu mando nos outros, especialmente os de classe inferior, o mundo me pertence e tudo isto é natural."

Por isso, quando adultos, manipulam a religião, a sexualidade, o Estado, o mercado, de acordo com seus interesses. Desde o seio materno, aprendem a fazer o que lhes dá prazer, por baixo dos panos, mantendo uma capa de moral ou de legalidade.

O discurso deles era idêntico ao dos fariseus do tempo de Nosso Senhor Jesus Cristo. Por isso os jornais de classe dominante nos picharam. Não foi por nenhum motivo técnico ou metodológico.

O mais trágico de tudo: aquilo que eu pensava na minha infância, que era um desvio de comportamento só da minha família, mostrou-se um comportamento "normal" de todas as famílias de classe dominante. E mais: elas só se reproduzem se agirem assim. Se não roubarem por debaixo dos panos, se não prejudicarem, perderão o dinheiro e o poder. E foi o que aconteceu conosco, na minha família, na minha infância, e que nunca esqueci. Viemos a ser os novos pobres porque éramos mais humanos que os outros...

A Incompatibilidade entre Homens e Mulheres

Esta incompatibilidade apareceu não só na minha relação com os homens durante toda a vida, mas também e muito claramente na pesquisa.

Em todas as classes, os homens chamavam seu corpo de *ele*; as mulheres, de *eu*. Os homens colocavam uma distância entre seu corpo e sua mente que as mulheres não apresentavam. Esse corte mente/corpo era projeção de outro mais arcaico, o corte pênis/corpo. Ali estava a castração, como Freud a descobria. Apareceu assim o triângulo edipiano pai/mãe/filho de Freud. Por causa do desejo pela mãe, o menino quer matar o pai, mas projeta seu desejo nele: "Meu pai quer me matar." Corta sua relação com ele porque o odeia e por isso corta também a relação com a mãe porque tem medo do pai. E por esse motivo, por volta dos quatro anos, quando o menino tem que se identificar sexualmente, deve fazê-lo identificando-se com aquele a quem não ama — o opressor. E o faz na solidão e na autonomia. Porque se amar o pai morre imaginariamente, e se amar a mãe também "morre". O único amor que lhe resta é o amor a si. A palavra-chave do psiquismo masculino é EU.

A menina, que não tem pênis, por sua vez, também não tem a ameaça de morte. Como ela vê que a mãe é inferior ao pai, procura seduzi-lo, mas não larga a mãe. E, quando se identifica sexualmente, o faz sem ter o seu triângulo edipiano cortado. Para ela, o amor que salva é o do outro, pois, se tiver que largar o pai ou a mãe, morrerá imaginariamente.

Assim, aos quatro anos, ao contrário do menino, a menina identifica-se com a oprimida. Mas ela vem duplamente relacionada porque conquistou o amor do pai. Dessa maneira, ela se identifica como mulher na relação, no amor, na emoção, na intuição, no serviço. A palavra-chave do psiquismo feminino é NÓS.

Tanto para o homem quanto para a mulher, esse "carimbo" que lhes é imposto pelo sistema desde a infância é diabólico. Eles são fabricados desde que nascem para cumprir o papel que o sistema exige deles: o homem para pensar primeiro em si e nos seus interesses, podendo por isso prejudicar, agredir ou até matar, isto é, manter funcionando um sistema competitivo e ser o provedor, e a mulher para servir, cuidar da preservação e da reprodução da vida e ser oprimida.

Essa relação aparentemente é complementar, mas não é. É divergente. O homem teme entregar-se, porque para ele entregar-se é morrer, "entregar os pontos". Ele tem um medo arcaico do pai que pode matá-lo, castrá-lo. Para ele, o amor, quando muito profundo, leva à morte, e é perigoso porque lembra o amor da mãe, proibido. A mulher, que não tem o problema da castração, não tem medo da entrega. Para ela, entregar-se é viver. Dar a vida. Por isso ela quer sempre aprofundar o amor, coisa de que o homem tem um terror pânico. Quanto mais a mulher ama, mais tem tesão, porque não tem o corte. O homem, quanto mais ama, mais tem medo. E por isso vai brochando. Quando um está com fogo, o outro "afina".

As relações mais contemporâneas são no entanto mais intensas e também se rompem mais facilmente. Antigamente era só cumprir o papel preestabelecido. Tudo dava certo. A vida era de uma mediocridade média. Não só não ameaçava o sistema como o fazia funcionar. Hoje, isso tudo explodiu. O homem e a mulher já descobriram a incompatibilidade que os separa.

Havíamos descoberto então, em suma, a relação entre gênero e classe social, entre a sociedade patriarcal e a sociedade de classes, porque as pessoas se enraizavam nas classes e na sociedade de classes como um todo por meio da família, que era manipulada pelo sistema econômico. Sim! Era a cultura patriarcal que estava subjacente à sociedade de classes, e as duas eram uma só. E na minha vida pessoal a descoberta teórica da relação divergente entre homens e mulheres conseguiu apontar os motivos pelos quais eu me desencontrava tanto dos homens. Depois disso (até hoje), em quase todas as minhas palestras, apresento esse problema para as mulheres e praticamente todas concordam que, em maior ou menor grau, esse desencontro também acontece com elas.

O Brasil Fica Curioso

Quando o *Sexualidade da mulher brasileira* foi lançado, minha vida mudou. Comecei a ser convidada para viajar pelo Brasil inteiro. Já era convidada para falar, mas não com essa intensidade. A partir desse livro, acontecia às vezes de eu ter que fazer palestras durante cinco dias em cinco estados diferentes.

Comecei a ver multidões. Depois daquele ano, isso nunca mais parou. Nesses encontros aconteciam muitas coisas interessantes. No Nordeste, por exemplo, as pessoas que iam me ouvir eram muito reprimidas, ficavam assustadas e queriam saber o que era orgasmo. De São Paulo para o Sul, o pessoal queria saber o que era a homossexualidade. E uma vez em Salvador, onde se apinhavam mais de mil pessoas, um rapaz começou a me desacatar, e eu disse: "Escute aqui, se você acha que vou te ensinar a trepar está muito enganado. Sai daí!" O cara começou a ficar enlouquecido e saiu a tapas corrido pelos homens que estavam presentes. Eles me pediram desculpas por causa da falta de respeito.

Em Belo Horizonte, quando o *Erótica cristã* foi lançado, em 85, aliás um livro dificílimo de lançar, porque os outros autores eram anônimos e só eu aparecia, havia umas quinhentas pessoas, mais ou menos metade homens e metade mulheres. Numa certa hora, os homens e as mulheres começaram a brigar por causa de aborto. Os homens eram contra e as mulheres a favor. Vi que ia ter que chamar a polícia. Então resolvi ver se conseguia baixar o facho da multidão, e tive uma idéia: "Estão vendo o que é uma sociedade de transição? No Nordeste o pessoal quer saber o que é orgasmo, no Sul querem saber o que é homossexualidade, e vocês estão aqui brigando sobre aborto." Foi um silêncio mortal. Assim que foram chamados de sociedade de transição, eles calaram a boca.

Em Porto Alegre foi assim também, num auditório enorme. E daí em diante não parou mais. Nos anos 90 então esses eventos estão sendo muito intensos. Até hoje vivo do dinheiro que cobro por essas conferências. Isso acontece porque sou tão porra-louca. Falo tudo o que me vem à cabeça, e por isso acredito que as pessoas ficam mobilizadas, falam umas para as outras, e os convites se acumulam. Andei o Brasil inteiro: além de, naturalmente, todas as capitais, menos Manaus, fui parar em Rondônia, no Acre, Amapá, Cuiabá, Vitória da Conquista, Campina Grande (quantas vezes, Iris Medeiros?), Limoeiro do Norte, Araçatuba! Só Deus sabe onde.

CAPÍTULO 24

Os Grandes *Bestsellers*: O Auge

No início dos anos 80, começaram a sair os grandes *bestsellers* da Vozes. O primeiro foi *Queda para o alto*, de Sandra Mara Herzer. Era a história de uma menina lésbica da Funabem. Essa menina se matou alguns dias antes de o livro sair. Era uma pessoa incrivelmente carente. Fazia as maiores barbaridades para se sentir amada, cuidada. Era uma menina de rua, ao mesmo tempo delinqüente e muito sensível. Escrevia poemas lindos, que foram publicados no fim do livro. Quando percebeu que o livro ia ser um sucesso, não agüentou e se jogou do viaduto do Chá. O livro foi direto para a lista de *bestsellers*. Era a voz do oprimido que se fazia ouvir. Esse original me tinha sido entregue por Eduardo Suplicy, e ficou uns dois anos na lista dos mais vendidos.

Nessa época começaram a aparecer no Brasil livros que eram vozes do povo. Livros-testemunho, e a Vozes tomou a liderança nesse estilo. Por causa da Teologia da Libertação, surgiu um novo gênero de livro.

E não podia ser de outra maneira. É lógico dentro da nossa ideologia. Foi nessa época que desistimos de fazer livros estrangeiros, como já disse.

Depois do nosso primeiro sucesso, *Queda para o alto*, começaram a vir os livros da Marta Suplicy sobre os assuntos que ela abordava na televisão, de educação sexual etc. A seguir veio o *Sexualidade da mulher brasileira.*

Vieram também os grandes livros políticos, ainda em 1983. Mas antes, em 82, saiu o livro de René Dreifuss, *1964: A conquista do Estado.* Foi um livro produzido em absoluto e total sigilo. Ainda era o governo Figueiredo. O livro foi uma bomba. René conseguiu as informações sobre o golpe de 64 porque era uruguaio, mas conseguiu-as fora do Brasil.

René é meu amigo desde os seus dezesseis anos. Conheci-o num *kibutz* (fazenda coletiva) em Jacareí se preparando para ir para Israel. Estava noivo, e depois não o vi mais. Quando voltou, em 1979, já com quase 40 anos, veio com esse livro na mão. Olhei três páginas e disse: "Meu Deus, isto aqui é uma bomba." Consultei imediatamente Nelson Werneck Sodré e ele disse: "Este livro é um instrumento de luta. Chame a Ordem Franciscana toda, chame os responsáveis pela Vozes. Vamos fazer um conselho, porque este livro tem que sair mas não pode vazar nada." Então chamei frei Ludovico, Leonardo, e eles convocaram o guardião do convento, inclusive outros padres franciscanos. Todo mundo assumiu o livro. Ele foi traduzido em Minas Gerais, no maior sigilo, aos pedaços, para que ninguém soubesse como ele era inteiro.

René escrevera o livro originalmente em inglês. Era a sua tese de doutorado. E um mês antes de o livro sair, o jornalista Galeno de Freitas fez uma entrevista com René para a *IstoÉ / Senhor,* e explodiu um escândalo. Nessa entrevista, René citava alguns conhecidos nomes da sociedade civil brasileira que tinham sido do IBAD. Por isso, quando o livro saiu, foi direto para a lista dos mais vendidos, uma coisa inacreditável! Estávamos em plena ditadura militar. Só a Vozes poderia ter feito esse livro. Na época o Golbery disse: "E ele só obteve os arquivos periféricos, porque os principais estão comigo."

Tive um único encontro com o general Golbery do Couto e Silva, e fiquei espantada com a sua inteligência e capacidade de leitura. Fui lá para ver se ele cedia alguma coisa do seu arquivo particular para o René. Obviamente não consegui nada, mas tinha muita curiosidade de conhecer aquele homem. E foi então que ele me disse não temer nenhum sindicato de nenhuma empresa, de nada. Só tinha medo dos movimentos populares: "porque você acaba com um, aparece outro". Eram justamente aquelas idéias do Deleuze e do Guattari no começo dos anos 80. Segundo eles para se poder transformar toda a sociedade em profundidade, tinha que ser por intermédio dos movimentos moleculares.

E era sobre isso que eu falava no *Sexualidade da mulher brasileira* também. E, meu Deus, pensar que todos esses movimentos populares tinham saído da Igreja de dom Hélder, tinham saído da Teologia da Libertação, e já eram poderosos no Brasil. Foram eles que viabilizaram as Diretas Já, por exemplo, e que fizeram toda a corrosão da ditadura militar. Foram eles que fizeram o PT crescer nos anos 80. E o *impeachment* do Collor. E o MST hoje...

Um Estouro

A partir do livro do René, os livros da Vozes começaram a estourar. Aí a mídia passou a vir atrás de nós. Depois do *Sexualidade da mulher brasileira,* saíram os livros do Junito Brandão. Fui eu quem pediu a ele que escrevesse os três volumes da *Mitologia grega,* clássico brasileiro do gênero no século XX. Depois veio a obra do Nelson Werneck Sodré, que marcou uma geração, e finalmente o livro que foi um escândalo maior que o do René Dreifuss. Foi o livro que o cardeal Arns entregou a frei Ludovico: *Brasil nunca mais.* Este livro denunciava os torturadores do regime militar. Quando ele foi publicado, foi um deus-nos-acuda nacional. Por isso a *Veja* só soube depois que ele saiu. E o Mário Sérgio Conti, que depois foi diretor geral da *Veja* e na época era crítico de literatura, me deu um esporro por telefone.

Em 1999, ganhei a estatueta Teotônio Vilela, como a mais importante editora da época da ditadura militar. Recebi este prêmio somente porque frei Ludovico está morto. O patrono da premiação foi Enio Silveira, o outro grande produtor cultural do século XX. Quanta saudade!

Mais uma coisa que também foi importante. Participei das reuniões da Teologia da Libertação em 1984, com Leonardo e os teólogos do Terceiro Mundo; conversei com alguns e resolvemos fazer um livro. Uma vez um deles me procurara dizendo: "Dona Rose, estamos muito assustados porque no seu livro a senhora documentou que a Igreja é o braço da classe dominante para manter os pobres submissos a partir da moral."

"Você quer fazer um seminário comigo sobre isso?", perguntei. Eu e ele escolhemos a dedo os melhores teólogos e fizemos um seminário, depois publicado sob o nome de *Sexualidade, libertação e fé: por uma erótica cristã*. Logo que saiu, recebemos uma carta do Vaticano e da Cúria mandando retirar o livro do mercado. Então, o que frei Ludovico fez? Frei Ludovico era uma coisa! Não o editou mais. Mas ele já havia vendido oito mil exemplares em um ano, o que foi fantástico.

Isso foi em 1985, antes de eu ser expulsa. Eu sabia que seria expulsa... e aí dei motivos. O livro foi vendido principalmente dentro da Igreja. E foi um impacto. Nele, mostrávamos que a moral católica servia ao sistema e que a ética não tinha nada a ver com a moral. A ética estava acima da moral. Aquela descoberta era uma coisa terrível! Feito o filme *Donnie Brasco*, em que a ética da Máfia era superior à moral do governo dos EUA.

Nesse livro, questionamos a moral da Igreja baseada na cruz. Discutimos sexualidade, homossexualismo, adultério, aborto...

Tentamos reconstruir um corpo cristão erótico que pudesse dar origem a um mundo mais justo. Uma erótica baseada no amor. Mas na época — 1985 — era ainda prematuro. Contudo, o impacto foi muito grande. Aqui, neste livro, estou tentando ir um pouco adiante. Mas cortando fundo na minha própria carne. Concretamente. Acho que essa e a única maneira de construir uma boa teoria...

Amor Depois dos 50

Os anos 70 terminaram para mim, individualmente, em 1985. Foi quando a festa realmente acabou. Mil novecentos e oitenta e seis já foi um ano infernal.

O ano de 1980 foi atípico na minha vida. Eu me apaixonara por um homem que não quis continuar. Eu me senti traída, manipulada. Senti uma raiva imensa. E acabei fazendo uma coisa que nunca me passara pela cabeça antes. Namorei vários homens em um ano, inclusive um dos homens mais badalados do Brasil, e um outro procurado em 40 países!

Acho que este é o fato para mim mais difícil de contar neste livro, porque me sinto culpada até hoje. Aquilo foi muito reativo, muito violento, embora muitas vezes bem divertido. Mas eu tinha que provar a mim mesma que era capaz de ser mulher mesmo com óculos, mesmo com 50 anos.

Foi uma confusão, mas valeu. E estou relatando isso porque prometi a uma jornalista que me entrevistou sobre o amor depois dos 50, e na época eu não quis falar, e também porque recentemente vi duas amigas minhas de cerca de 40 anos, conversando muito preocupadas.

— Ah! Estou chegando à idade da loba. O que vai ser de mim daqui por diante?

— Eu também sinto que estou começando a ficar velha.

Duas mulheres inteligentíssimas, artistas gráficas, profissionais liberais. E no fim dos anos 90! As duas levaram uma bronca. Se eu pude, deficiente e feia, por que elas não poderiam?

Como é pesado e limitador o preconceito que o patriarcado incute nas mulheres a respeito de si mesmas. Deu para ver na carne como esse sistema reduz as mulheres. E os homens que se escandalizam quando as mulheres fazem o que eles fazem. Acho-os todos uns hipócritas.

Mas para mim foi muito bom ter feito aquilo, porque tirei para sempre da cabeça a minha fantasia adolescente de ter muitos homens. Tê-los daquela forma era tão insatisfatório quanto não os ter. Consegui desmitificar a sexualidade, que o sistema alardeia como o máximo da relação humana. Vi como era consumir a sexualidade e a que vazio levava. Fechou-se naquele ano mais uma fase da minha vida.

Passei sozinha todo o ano de 1981 até o início de 1982, quando encontrei o Poeta. Passamos juntos em Salvador um carnaval de um erotismo intenso. Ele era carioca, casado e pai de dois filhos. Foi um dos homens mais eróticos que já vi na minha vida, e mais sensível também. E mais: tinha intimidade com os seus abismos. Confesso que sou uma retardada emocional, porque foi a partir dele que comecei a entender o que realmente eu queria da vida e dos homens.

Com ele consegui viver minhas emoções mais profundas, como vivi com Lauro, o meu amigo esquizofrênico, porém de maneira mais integrada com a racionalidade, mais sadia. A maioria dos homens fugia antes de chegar a esses níveis. Ele, não. Embora não pudesse estar com ele continuamente, foram três anos de êxtase. Andei com ele para baixo e para cima pelo Brasil inteiro. Foi uma grande curtição.

Nas minhas palestras, as pessoas me perguntavam intrigadas:

— Mas afinal, quem é você? É casada? É lésbica? Gosta ou não gosta dos homens?

Em vez de me sentir agredida, achava graça e respondia:

— Li num livro de Jacques Lacan uma frase que me impressionou muito: "O poder do homem se esgota no falo; o poder da mulher começa para além do falo. Por isso o homem não tem acesso à mulher. Só os poetas e os místicos que não são competitivos podem ter esse acesso." Eu consegui encontrar o poeta.

As platéias ficavam tão tocadas com isso que as pessoas aplaudiam de pé. E era verdade. Lacan tinha razão. O livro era *Encore* (traduzido em português como *Mais ainda*) o único em que ele fala sobre a mulher.

Era a primeira vez que eu amava um homem que não sentia ser incompatível comigo. Mas ele estava internamente muito dividido.

Em 10 de dezembro de 1984, ele me disse que queria ir embora.

Não perguntei o motivo, nem perguntaria nunca.

Se é o que você quer, vá que eu fico aqui com um sorriso.

Chorei um ano inteiro. Dez anos depois, soube que ele entrara em depressão profunda e tentara se matar. Já estávamos afastados há muito tempo. Mas ele optara pela parte mais medíocre e mais segura de sua vida, como, aliás, fazem quase todos os homens. A experiência que tive com ele, no entanto, marcou fundo. Passei muitos anos sem me interessar por ninguém. Eu encontrara o que queria, mas a vida não me permitiu continuar. Contudo, o que vivi valeu muito o sofrimento posterior. Se tivesse que começar, recomeçaria tudo da mesma maneira porque já encontrara o caminho.

De 79 a 85, nasceram para mim nove netos! Todos os meus filhos, menos Verônica, haviam se casado e estavam procriando!

CAPÍTULO 25

A Coroa-Brastel

Um dos mais marcantes acontecimentos da minha vida, nos anos 80, não teve diretamente nada a ver comigo, mas sim com o meu irmão mais novo, Fernando.

Depois da perda do dinheiro da família, meus três irmãos haviam tomado rumos diferentes. Minha irmã Helena casara-se com o arquiteto Paulo Macedo, e foi mãe e avó feliz. Nelson, desde jovem, trabalhou nas lojas Gebara, mas saiu sem nada quando elas foram vendidas em 1952. Acabou entrando para o mercado de capitais, e no fim da carreira aposentou-se como diretor da Financiadora Mappin. É hoje pai e avô feliz. Mas Nelson, quando estava no auge da sua carreira financeira, ria das minhas idéias sobre o mercado, e chegou a me dizer um dia: "Você não entende nada de mercado. Quem manda no mercado sou eu. Eu sou o mercado." E na realidade, sobre aquele assunto, eu tinha, nos anos 70, a arrogância dos imaturos.

Mas quem me ensinou mesmo sobre o mercado financeiro e produtivo foi meu irmão Fernando, que foi um pai tumultuado e depois um avô tranqüilo e hoje já se foi... de infarto, claro!

Como Nelson, Fernando fez carreira no mercado financeiro. Começou na CBI (Companhia Brasileira de Investimento), de Eduardo Guinle. Foi sócio do Júlio Bozzano e Mário Henrique Simonsen na fundação do Banco Bozzano Simonsen. Foi diretor do Banco de Londres, e no início dos anos 70 tornou-se diretor de uma empresa chamada Coroa Financeira.

O sobrenome Gebara foi decisivo para acelerar o crescimento da carreira dos dois. Em igualdade de condições é muito mais fácil para um grande empresário dar um cargo de direção a um Gebara do que a um Silva. Aqui também, a lei máxima da classe dominante é reproduzir-se através dos seus próprios membros, mesmo que eles tenham perdido dinheiro, como era o caso dos meus irmãos. Assim fica mais fácil para um ex-rico voltar a ser rico. E para o ex-pobre voltar a ser pobre. Ambos tendem a voltar às suas origens...

Uma História Surpreendente e Comum

A Coroa pertencia a um corretor da Bolsa do Rio chamado Roberto Laureano, que, por ser da bolsa, não tinha vocação para banqueiro. E por isso, no fim dos anos 70, a Coroa estava em má situação financeira. Um dos seus clientes era a Brastel, uma firma de eletrodomésticos que na época tinha uma cadeia de lojas só no Rio de Janeiro e pertencia a Assis Paim Cunha, ótimo vendedor de eletrodomésticos e mau administrador. A Brastel descontava na Coroa os títulos dos seus clientes, entre muitas outras financeiras. Houve um momento que a Coroa estava para quebrar, e Fernando aconselhou Assis a comprá-la se não quisesse perder o que havia investido ali. A Brastel comprou a Coroa, e Fernando ficou administrando a nova firma, que ganhou o nome de Coroa-Brastel. Laureano fizera uma porção de operações danosas para o mercado, mas ótimas para o bolso dele. Ele começou a "agradar" um dos pontífices da ditadura, o general Golbery do Couto e Silva, de quem ficou amigo. E o Golbery se viu envolvido no *affair* Laureano. Mas não levou nada. Foi um inocente nas mãos do Laureano. Meu irmão Fernando disse, textualmente: "O próprio Mário Henrique, então ministro da Fazenda, mandava o Banco do Brasil cobrir os cheques sem fundo da Corretora Laureano. Eu mesmo assisti. O governo impingiu a Laureano para a Coroa: 'Vocês vão ter que comprar...'"

Laureano já vendera a financeira ao Paim, ficando com a corretora. Depois vendeu a corretora também para o Assis Paim, que ficou com a financeira e a corretora. O Assis era amigo de várias pessoas do governo e gostava de estar perto do poder, bajulava os poderosos mas não tirava vantagens.

"O rombo da Laureano era muito grande", contou Fernando. A pressão sobre o Assis muito forte, mas ele não tinha dinheiro para comprar a Coroa. O presidente do Banco Central, Carlos Geraldo Langoni, pediu pessoalmente ao Assis para emprestar à Corretora Laureano uns 300 milhões de cruzeiros, não lembro bem a cifra, mas representava 90% do patrimônio da Coroa; ele emprestava à Laureano letras de câmbio que ele venderia e depois pagaria à Coroa. Tinha que vender, cobrir o rombo e depois pagar. Só que não pagou.

"Foram o Delfim Neto, o Ernani Galvêas e o Carlos Langoni que montaram juntos toda a operação..." Continua Fernando: "Há uma ata do Banco Central, escrita e documentada, com um voto de diretoria atestando que a operação foi montada com autorização das autoridades."

Mas só que com esse volume de dinheiro quem quebrou não foi a Laureano, mas outra firma muito maior, a Coroa-Brastel. Um prejuízo muito maior.

Pouco antes de a Coroa quebrar, o Assis tinha sido eleito o empresário do ano pela revista *Exame*. E, quando o Assis quebrou, as autoridades não fizeram nada por ele.

Foi um escândalo imenso. Assis Paim passou a ser o grande vilão nacional, e eles, os anjos. "Assisti a tudo", diz Fernando. E está tudo fartamente documentado nos jornais da época.

Assis e Fernando ficaram com a vida ameaçada, e me procuraram porque eu era amiga do Suplicy. Fomos à casa dele. Assis contou tudo ao Suplicy, que pediu satisfação ao Delfim, no plenário da Câmara. Era o único parlamentar capaz de defender os portadores dos papéis da Coroa. Foi um pequeno gesto que fiz. Só levei dois homens à casa de um amigo. Mas que grande conseqüência teve aquele gesto.

Os pequenos investidores eram cerca de 34 mil e uns dois mil grandes. Estes representavam 92% do total do dinheiro e os outros, apenas 8%. E foram estes que perderam todas as economias. Fernando me disse: "Lembro de pessoas que se jogaram na frente de ônibus na avenida Rio Branco, querendo morrer. O trânsito ficava todo engarrafado. Foi um drama."

Foi instalada uma CPI no Congresso. Assis depôs lá e na polícia, ao todo durante umas 18 horas. Disse toda a verdade, e em nenhum momento se contradisse.

Cresceu o descrédito da ditadura militar, porque as autoridades do governo estavam claramente envolvidas. Está tudo documentado na CPI da Coroa e nos anais do Congresso Nacional, e foi tudo discutido amplamente nos jornais da época.

O Grande Roubo

Nas palavras de Fernando: "Mas o pior veio depois que a Coroa quebrou. O grande roubo, agora digo com todas as letras, foi o roubo da máfia das liquidações do Banco Central. Foi algo monumental.

"Vou dar o exemplo de um roubo assustador. O BCC — Banco de Crédito Comercial —, que era o Banco da Coroa-Brastel, havia comprado um prédio na rua do Ouvidor, no centro do Rio de Janeiro. Um prédio inteiro, comprado por meio de *leasing*. Bom, a Coroa quebrou, mas o BCC tinha caixa, porque ele quebrou, foi liquidado e era e é superavitário até hoje... Ele tinha em caixa 200 milhões de dólares quando estava sendo liquidado. Devia, pelo *leasing* do prédio, cerca de 50 milhões de dólares. A dívida ainda era por um período longo, e tinha que ser paga para ficar com a propriedade do prédio. Aquele prédio valia na época 50 milhões de dólares. O que fez o liqüidante? Deixou de pagar, a empresa de *leasing* executou o banco. O banco pagou a multa da rescisão do contrato, que eram 2 milhões e meio de dólares, perdeu o direito a tudo, perdeu o edifício, e no dia seguinte saiu no jornal que o prédio tinha sido vendido por 60 milhões de dólares.

"Quem colocou esse nome 'Máfia da Liquidações' foi o Hélio Fernandes. Uma figura formidável, engraçadíssima. Os depoimentos do Hélio Fernandes eram ótimos. Em um desses depoimentos, até o juiz riu. Ele disse: "Meritíssimo, vim aqui sem saber que ia testemunhar tendo como réu o Sr. Assis Paim Cunha. Pensei que os réus seriam os senhores Delfim Neto, Sr. Langoni e Sr. Galvêas.'

"E o síndico da massa falida roubou tanto que foi afastado, mas só que não foi preso nem nada, só foi transferido para não sei onde.

"Você olhava para ele e nenhum artista era tão bonito e tão bem vestido como ele. Eles roubaram muita coisa. Há outro exemplo, os negócios dos caminhões: um leilão de uns caminhões novos da Brastel, não me lembro bem quantos, 78 ou 80. Eram muitos caminhões, e foram vendidos a preço de pneu.

"O ponto da Rio Branco não foi pago, mas valia milhões. O Assis queria vender a carta-patente, que na época tinha valor, e tinha comprador. O Banco Central nunca aprovava comprador nenhum. E nunca aprovava porque os funcionários tinham raiva do Assis. Raivinha de funcionário público. Você vai na sala de um banqueiro, uma sala bonita, com móveis maravilhosos e obras de arte, e você vai na sala de um cara do Banco Central, que é de nível médio, e é esse cara quem vai falar, quem vai visitar o banqueiro. Então eles têm ódio do banqueiro, acham que ele é ladrão porque é rico. E eles, que trabalham feito um burro, morrem de trabalhar duas horas por dia e têm uma sala junto com mais cinco, não têm nada. Então eles têm ódio dos banqueiros."

"A justiça não existe. A justiça é corrupta por si mesma. Ela tem um poder indiscutível. O que um juiz assina definitivamente ninguém pode discutir. E foi assim que a justiça acabou por liqüidar o patrimônio da área comercial, que era a maior, a que dava mais lucro.

"Ah, isso é uma coisa que maltrata muito a gente! A justiça é nada mais nada menos que a voz do sistema. Ela não é cega nem surda nem muda, ela é porta-voz do sistema. Porque é o sistema que faz as leis. A justiça é parte do sistema, é tão injusta quanto!"

Eis os depoimentos de Fernando Gebara, meu irmão. Lavei a alma com o caso da Coroa-Brastel. Estou certa de que ele morreu, mais de 15 anos depois, como conseqüência do desgosto de ter sofrido todo aquele rolo compressor do sistema, frio e implacável.

CAPÍTULO 26

A Expulsão

Já era 1984. As coisas estavam se acelerando para mim. Aparentemente eu não tinha medo de nada, mas tinha, e de muita coisa. Leonardo na época me disse: "Eu só fiz política, por isso eles vão fazer algum acordo comigo. Mas você ousou dar nome ao problema que não tem nome dentro da Igreja, que é a sexualidade. E vai sofrer muito." Aí sim, fiquei com medo. Mas o medo me dava força. Nessa época, já sabíamos que o Vaticano queria nos expulsar por causa do Leonardo. E eu não podia ser expulsa assim, sem nada, sem pelo menos dar um motivo. Foi por isso que saiu o *Erótica cristã*. E então, com esse motivo, fui expulsa, no segundo semestre de 1986. Aliás, fomos expulsos, frei Ludovico, Leonardo e eu, por tudo o que acontecera nos últimos vinte anos. Há uma lenda de que foi preciso uma carta do punho do próprio papa para sairmos de lá, porque a Vozes já era a segunda editora do Brasil e os franciscanos não queriam tirar frei Ludovico, cuja gestão dera um grande brilho à editora e por sua notória retidão. Foi então preciso que o papa interviesse pessoalmente junto ao Geral da Ordem. O Capítulo, que é a reunião máxima de todos os frades franciscanos para eleger os chefes da Ordem Franciscana no Brasil, inclusive o diretor da Vozes, depôs frei Ludovico.

Frei Ludovico ficou lá de 1961 a 1986. A cada três anos reúne-se um Capítulo. No Capítulo do final de 1985, frei Ludovico foi destituído. Ele ficou mais um ano até 86, o ano da transição. Já saíra o *Erótica cristã,* já figurava como *bestseller* o *Brasil nunca mais,* e a Vozes continuava editando. Assim pouco a pouco fui me retirando. Nessa época comecei a conversar com Ronaldo Carneiro da Rocha para fazermos uma editora, que veio a ser a Editora Espaço & Tempo.

Davi contra Golias

Em 1984/85, a repressão do Vaticano contra a Teologia da Libertação estava no auge. Haviam-nos transformado em peões da Guerra Fria. Toda aquela conjuntura dividira a Igreja, e dom Ivo Lorscheiter, presidente da CNBB, foi sucedido por dom Luciano Mendes de Almeida, bispo de transição aceito pelos progressistas e conservadores por causa de sua santidade. Dom Aluísio Lorscheider tinha o maior respeito por ele. A Conferência dos Bispos o estava apoiando.

O Vaticano estava começando a executar esse plano que vinha dos *think tanks* dos anos 70, um plano global de voltar ao conservadorismo. Em 1984, dom Hélder, com 75 anos, chegou à aposentadoria compulsória como arcebispo de Recife e foi afastado. O Vaticano estava tomando os postos progressistas. E o primeiro a ser tomado no Brasil foi a Editora Vozes, que era o mais importante aparelho produtor e reprodutor da ideologia católica de esquerda no mundo. Tinha uma repercussão mundial. Os livros dos nossos teólogos, principalmente do Leonardo, eram em geral traduzidos em oito ou nove línguas...

E no lugar de frei Ludovico foi colocado um padre conservador, que começou a desmontar o nosso trabalho. O seu sucessor foi além, publicando também obras conservadoras, inclusive os livros do cardeal Ratzinger, o grande inquisidor do século XX que condenou Leonardo

Boff. E em 1987 o livro do Amílcar Lobo, o médico torturador, que usava os seus conhecimentos médicos no DOPS para impedir os torturadores de matar os prisioneiros, fazendo a tortura chegar apenas até o máximo suportável. Até hoje ninguém se conforma de eles terem publicado esse livro... Eu gostaria até de lê-lo. Para ver até onde chegou o cinismo desse homem e da editora. Foi nessa época que a Vozes começou a decair em termos de finanças. Verticalmente. De segunda editora do Brasil, em 1986, passou para o 14º lugar em 92, no *ranking* do *Leia Livros*.

O Esfriamento do Mundo

Em 1986, o Brasil já estava perdendo o seu grande fervilhamento. Mas não foi só o Brasil: o mundo inteiro esfriou. Esse esfriamento havia sido planejado pelos *think tanks* do governo Reagan, e a guinada conservadora que ocorreu nos países desenvolvidos a partir de 1980 foi pouco a pouco se espalhando para os países subdesenvolvidos. Foi então que começou a guinada neoliberal global.

Quanto à luta da Teologia da Libertação, dom Ivo Lorscheiter e dom Aluísio Lorscheider foram para Roma com Leonardo. Quando ele foi inquirido pelo cardeal Ratzinger, eles ficaram sentados na porta de entrada, um de cada lado, em silêncio, mostrando que a Conferência dos Bispos estava com Leonardo, o que assustou a Cúria Romana. E esse cisma branco continuou na Igreja. Depois, o silêncio de Leonardo terminou, mas a pressão contra ele se tornou muito violenta, até que em 1992 ele se viu obrigado a largar a Vozes e o sacerdócio. Ele se laicizou e casou-se com uma amiga minha, Márcia, começando a viver uma vida de família. Mas continuou tendo muito impacto na cultura brasileira e na América Latina. Na realidade, o trabalho dele foi difundido no mundo inteiro. O que tenho lido é que a Igreja conservadora está diminuindo, encolhendo. Tenho um artigo do *New York Times*, publicado em maio de 1997, que diz que milhares de igrejas católicas na Europa e nos Estados Unidos estão sendo fechadas por causa de falta de padres e de fiéis. O trabalho do Vaticano é que essas igrejas e mosteiros não se transformem em hotéis para turistas ou em casas de espetáculo.

E essa crise da Igreja conservadora tem a ver com o crescimento da Igreja progressista no mundo inteiro, principalmente no mundo subdesenvolvido, porque ela passa a ser a ideologia de resistência ao neoliberalismo. Não sei bem como é na Ásia e na África, mas na América Latina sei. Sei muito bem como se passa no México, como se passa na América Central, e como ela serve de inspiração para... um cisma mesmo, em que uma parte antiga da Igreja desmorona e nasce outra nova.

Mas é um cisma diferente. Pois o último cisma, o do protestantismo de Lutero, foi feito por questões como as indulgência e teve a adesão dos príncipes que estavam querendo se ver livres dos impostos do papa. O motivo era financeiro. Mas esse aqui é um cisma ideológico. Era isso que eu dizia para o Leonardo, e ele respondia: "Não, um cisma tem que ter os bispos, as conferências dos bispos rachadas, um cisma não se faz assim." Mas está se fazendo. A Igreja conservadora está virando uma seita. Então, toda aquela atividade na época foi violentamente cassada, mas está tendo seu resultado hoje, que é o encolhimento da Igreja conservadora, e de que só tomei conhecimento em 1997, dez anos depois do que aconteceu conosco. Como Deus soube se vingar. Com Ele não se brinca.

Os Movimentos Populares

A Igreja progressista continua a existir de outra maneira. As comunidades de base se tornam mais espirituais, e a ação política está localizada agora nos partidos de esquerda. E é como deve ser. A Ação Popular foi uma alternativa aos partidos de classe dominante, que não deu certo por causa do golpe militar. Esta é a segunda alternativa que está dando certo por causa da democratização. E isso tem muito a ver, muito mesmo, com o crescimento dos movimentos populares. Eles estão muito fortes, principalmente o MST.

O MST é estimulado pela Pastoral da Terra, os padres participam, e é fortíssimo junto à opinião pública. Acho que o neoliberalismo na época da globalização só encontra uma resistência possível, a partir dos anos 90, que é a organização popular, e no Brasil esse processo está muito adiantado. Acho até que a gente já está criando um modelo socialista, pluripartidário, vindo de baixo para cima, com a população organizada pouco a pouco tomando as rédeas do Estado, como queria Rosa de Luxemburgo, minha "ídala"...

Os Seis Meses em que Fui Homem

Mil novecentos e oitenta e seis foi o ano em que frei Ludovico se preparava para largar a Vozes... nem ele nem Leonardo tinham problemas financeiros porque eram padres. Eu tinha. Então, resolvi mudar de vida... Procurei sempre os limites da condição humana, mas já não era mais na minha vida pessoal que procurava esses limites, agora era na minha vida profissional.

Foi então que resolvi montar uma firma... Isso está no livro *Os seis meses em que fui homem*, livro escrito para exorcizar um outro câncer. Porque tive câncer por causa do que se passou nos últimos seis meses de 1986, quando fiz uma campanha política, aliás muito bem-sucedida, para deputada constituinte, e também ao mesmo tempo montei uma firma e comecei a sentir na carne o jogo pesado do sistema econômico. E foi ainda em 86 que vivi a manipulação da dimensão sagrada do poder. Era ou não era para ter câncer?

Eu dera motivo para ir embora da Vozes, e foi por onde a Igreja me pegou. Lembro que, no dia 1º de dezembro de 1986, eu estava sendo expulsa da Vozes sem uma palavra. Ninguém tomou conhecimento da minha expulsão. Foi um silêncio absoluto. Ninguém viu. Eu era como uma não-pessoa. E ser uma não-pessoa é uma coisa terrível. É privar o ser humano de sua própria humanidade...

E aí lidei com a dimensão sagrada do poder. Vi como a Igreja, tendo motivo para expulsar alguém, é realmente cruel e impiedosa. Enfia um punhal nas suas costas.

Lembro de algumas coisas que eles fizeram comigo e que foram terríveis. Logo que saí avisei: "Tenho uma linha de telefone da Vozes, dia tal eu devolvo." Dez dias antes eles cortaram. Tinha até uma cadeira deles em meu escritório, e eles foram buscar como se eu a tivesse roubado. Que horror. Mas uma coisa assim só a Igreja pode fazer. Bem em silêncio.

No dia 31 de dezembro de 1986, frei Ludovico chorava feito criança. Eles estavam dando uma festa de despedida para ele, e ele disse: "Não vou." Então deram uma festa para ninguém, nem ele, nem Leonardo nem eu fomos. Só a *Veja* denunciou a nossa demissão.

A Fogueira: O Câncer

Nos últimos seis meses de sua gestão, frei Ludovico começou a puxar de uma perna, mas só quis fazer exames depois que saiu da editora. E quatro dias depois que saiu, em 4 de janeiro de 1987, foi operado, de emergência, de câncer. Isso me mostrou o que era a Igreja. A Igreja é atemporal, aespacial. Quando faz as coisas, é de uma maneira sólida e profunda. Ela mata. É um assassinato simbólico. Quando você vira uma "não-pessoa", quando a Igreja nega a esperança, e atinge os seus arquétipos mais profundos, é você mesmo que se mata, você vira o ódio contra si mesmo, e não contra a Igreja. Ela continua sendo a Santidade Absoluta, e você é o grande culpado. Vai por si mesmo para o inferno. Nunca vi poder mais absoluto.

Quando fui mandada embora da Vozes, saí amparada por meu filho mais velho, Marcos, e chorava loucamente. Um ano depois tive câncer, e vi essa cena: meu câncer fora o resultado daquela cena. O câncer tinha sido o resultado da minha expulsão da Vozes. Em 87, quando ele apareceu, comecei a repetir as palavras do livro de Louise Hay, *Você pode curar sua vida* (p. 36). Eu tinha uma hemorragia forte, e estava muito mal, então passei a dizer aquelas palavras e de repente comecei a chorar. Entrei em estado de choque. Aquilo mexera com o meu inconsciente, e vi, na minha fraqueza (já tinha perdido muito sangue), exatamente a cena da minha saída da Vozes, no braço do meu filho, chorando.

A briga com o Vaticano mexera com o meu inconsciente, e eu não teria acesso a esse inconsciente, porque, se tivesse, o câncer não tinha saído. E eu me vira... o câncer é agressividade contra si mesmo. Em vez de colocar a agressividade na Igreja, voltei-a contra mim mesma.

O câncer é uma mágoa profunda. Um segredo enterrado no fundo do coração e negado porque não há saída. É inútil lutar contra. Por isso é preferível morrer.

É mais ou menos isso que diz Louise Hay no seu livro. Eu trabalhara em análise todas as minhas relações humanas, menos a minha relação com a Igreja. E foi por aí que o câncer me pegou. Eu estava me matando por ser tão transgressora. Num nível muito primitivo a que eu não tinha acesso conscientemente, eu ainda era uma grande conservadora, obediente à lei de Deus. Era eu quem acendera a fogueira em que estava sendo queimada.

E nesse fim de 87, eu dizia para frei Ludovico, brincando: "Peguei esse câncer do senhor." Coisa louca. Ele teve um câncer no reto e eu um câncer no útero, pode-se ver bem o simbolismo disso. Fomos feridos no cerne da vida para livrar a cara da Igreja.

Depois que frei Ludovico saiu da Vozes e teve esse câncer, ficou recolhido num convento em Niterói. Quando podia, eu o trazia para ficar comigo na Editora Espaço & Tempo. Depois ele teve um derrame e foi para São Paulo, onde Léa, amiga nossa, podia cuidar melhor dele. Em São Paulo, os padres franciscanos eram mais fortes, tinham mais recursos. Em 1992 ele morreu.

Foi uma morte lenta. Então minha vida desmoronou mesmo, pois ela começara a se despedaçar no momento em que saí da Vozes. Lá eu tinha um emprego seguro. No dia em que saí, passei a ter um emprego totalmente inseguro. Foi quando criei a Espaço & Tempo, e, depois que fui demitida de lá, fui para a Editora Record, onde estou até hoje.

De 69 a 86, tive segurança. Quando perdi a segurança, me lembrei do meu pai, que morreu de insegurança. Aí fechava-se um ciclo de segurança da minha vida e se abria outro, de insegurança. E também acho que foi o ciclo de maior criatividade que tive em toda a minha existência. Fui obrigada a usar a criatividade para poder sobrenadar no mundo inseguro. Porque no mundo cão do "quem não mata morre", ou se tem muita criatividade ou se morre. Na hora. É como uma espada ameaçando. E foi essa espada que a partir daí passei a ter sobre meu peito. E ainda dizem que não tenho medo de nada? Naquele momento voltei a viver minhas origens árabes e meu desejo do desconhecido. De vez em quando sonhava que estava andando sozinha à noite no deserto. Como meus antepassados.

Quando meu câncer foi diagnosticado, as mulheres fizeram um movimento de solidariedade absolutamente fantástico. Eu não tinha dinheiro nenhum, e meu sócio da Espaço & Tempo se prontificou a pagar meu tratamento, mas eu não quis... São muito caros uma operação de câncer e um tratamento de três meses, de cama, principalmente sustentando tanta gente como eu sustentava. E eu disse a ele: "Não, de você não quero." Aí a maravilhosa Moema São Thiago, do Ceará, me perguntou: "Eu sei que você está precisando. Você me permite fazer um papagaio para pagar a sua operação e o seu tratamento?" E eu disse: "Você não!", e ela respondeu: "Mas você me permite então organizar as mulheres para elas bancarem o seu tratamento?" Aceitei. Moema era deputada constituinte e minha amiga há dez anos. Foi ela quem organizou a famosa "bancada das mulheres". Tinha ligações em todo o Brasil, e por isso reuniu as mulheres de todos os partidos, do PFL ao PT, que votaram juntas os itens da Carta de Brasília, e acabou conseguindo uma das mais importantes conquistas da mulher, acho que no mundo: a Constituição de 1988, uma das mais avançadas que conheço. Moema era e é respeitadíssima por sua atuação.

E foi assim que Ruth Escobar e Marta Suplicy, a pedido de Moema, fizeram uma festa em São Paulo. No Rio e em Brasília as mulheres e os homens também se organizaram. E me deram 10 mil dólares. Foi assim que pude fazer meu tratamento, e durante três meses não pensei em dinheiro. Fico tão emocionada com isso. Devo a Moema e a todas essas mulheres e homens a minha vida. Se posso viver, fazer coisas, agir, continuar pensando hoje, devo a eles e a elas!

Os Seis Meses

Foi no início de 1986 que Darcy Ribeiro me levou para o PDT. Fui para o PDT porque queria... experimentar. Porque sabia que iria ser expulsa da Vozes pelo Vaticano... Como sempre, quando aparecem essas situações extremas, me atiro em direção aos limites. Resolvi: "Vou fazer uma campanha política e montar uma nova editora."

Darcy, que eu conhecia desde 68, me disse: "Você tem que se candidatar..."

Eu o achava uma das pessoas mais criativas que já vira. Mas ele só falava com seu próprio umbigo. As outras pessoas praticamente não existiam, não sei como a Cláudia agüentou dez anos de casamento com ele. Porque ele não se comunicava com ninguém; as pessoas eram uma transição do monólogo dele consigo mesmo. Mas ele dizia: "Você tem que fazer política, tem que ser deputada federal, agora vai ser votada a Constituição. Vem para o PDT que eu te elejo." E eu disse: "No PDT talvez não..." E fiquei em dúvida. Essa dúvida era resultado de uma conversa que tive com o René Dreifuss que me disse que os americanos temiam só duas pessoas no Brasil: Lula e Brizola.

Eles tinham medo do Brizola porque ele exerce influência sobre as massas e é nacionalista. Eu sabia porém que Brizola é um coronel de esquerda, mas não um militante da causa do oprimido. Então fui primeiro observar o PT, com Benedita da Silva, para ver se ia entrar ou não. Mas fiquei com tanto medo daquela garotada da Libelu (Liberdade e Luta), uma garotada de universidade trepada nas cadeiras, berrando palavras de ordem. Chavões. Eu já vira aquele filme.

"Benedita, com a garotada não fico." Então decidi ir para o PDT. Brizola ficou numa alegria... Éramos eu e Lélia Gonzales, uma feminista líder do movimento negro, maravilhosa!

O PDT era forte no estado do Rio, o que não era o caso do PT. Isto porque o PDT ofereceu outras perspectivas. Brizola promoveu políticos negros, como Abdias Nasimento, Caó, Edialeda e outras. Acho que a relação com a população negra foi o grande exemplo para depois os partidos autênticos de esquerda trabalharem com os movimentos populares de outra maneira, levando os oprimidos a sério, já com a população organizada, o que não acontecia antes de 64. Brizola dizia: "O PT pega o operário sindicalizado, eu vou pegar o lumpemproletariado." E não deu outra. Ele dizia: "Botem um microfone na minha mão que eu conquisto o Brasil."

Também a política de educação, com a construção de centenas de CIEPs — Centro Integrado de Ensino Público dera brilho ao governo Brizola.

Até posso, mas não queria falar muito sobre os CIEPs porque não é minha área. Mas havia muita gente ali fazendo uma política de educação do oprimido. Inclusive amigas minhas, que me chamavam para falar para os professores. Uma vez uma negra que estava comigo num comício disse: "É Deus no céu e Brizola na terra. Tenho cinco filhos, e consegui vagas num CIEP para os cinco. Sou faxineira, e tenho certeza de que enquanto eles estiverem no CIEP não estão na rua, nem na marginalidade, ou não estão vendendo drogas. Então eu beijo os pés do seu Brizola. Se toda a educação primária do Brasil fosse em tempo integral, com merenda escolar, almoço e janta para as crianças, não haveria menino de rua."

Nisso aí você tem que salvar a cara do Brizola.

1986: A Campanha

Em 1986 deslanchei a campanha política para deputada constituinte. Mas fiz aquilo tudo de sacanagem. Meu raciocínio era: "Já que vou morrer, então escancaro de uma vez!" Meu temperamento é esse, e além do mais nasci escritora, e o escritor tem que ter experiência de tudo. Assim como Hemingway ia para o cais do porto de Nova York conviver com as prostitutas em busca de novas sensações, eu ia para dentro da barriga do poder.

Então, eu e Lélia Gonzales nos candidatamos, eu para deputada federal e ela para deputada estadual. Entramos para o PDT no mesmo dia, em janeiro de 1986, na Assembléia Legislativa do Rio, com grande festa anunciada pelos jornais.

Em março fui com o René Dreifuss, conversar com os bispos da Baixada Fluminense para me darem apoio. Estavam lá dom Mauro Morelli, dom Clemente Isnard, só não estava o bispo de Nova Iguaçu, dom Adriano Hipólito, e estava o bispo de Itaguaí, e dom Valdir, o grande dom Valdir Calheiros de Volta Redonda. Eram os quatro grandes bispos progressistas do estado do Rio. René expôs o conteúdo do seu livro, *A Internacional Capitalista*, da Espaço & Tempo, a meu ver a sua maior obra. Ele falava sobre a ação mundial dos *think tanks*, sobre como os americanos estavam jogando dinheiro pesado na Constituinte para conseguir eleger um Congresso conservador.

E os bispos resolveram me dar apoio na campanha. Dom Mauro Morelli, principalmente, me ajudou muito em Caxias. Foi ele quem fez minha campanha e a da Benedita. Ele não podia fazer campanha partidária e disse: "Vou fazer campanha pelas mulheres; não posso fazer campanha por um partido, mas quem for do PDT vota na Rose Marie e quem for do PT vota na Benedita." E assim fui muitas vezes a Caxias e esse contato com os bispos foi fantástico. Eu tinha sempre essa plataforma de luta contra a hegemonia americana. René me disse na época que os americanos estavam jogando aqui cerca de 1 bilhão de dólares. Um dinheiro monstruoso. Nesse mesmo ano, Antônio Ermírio de Moraes, candidato ao governo de São Paulo, disse que cada voto custara 12 dólares, e eram 80 milhões de votos. Então dava 1 bilhão de dólares direitinho.

E foi assim que fiz uma campanha enorme, sem dinheiro nenhum. E não tinha nada. Ganhei uns quadros do Nelson Porto, pintor amigo de Leonardo Boff, pedi doações para as pessoas, frei Ludovico me deu papel e impressão, fiz seiscentos mil panfletos, e no meio da campanha soube que precisava de mais seis milhões de panfletos. Quase morri, porque foi uma campanha muito estressante. Acho que esta também foi a causa do câncer. Nos primeiros seis meses de 1987, eu já estava na Espaço & Tempo e muito cansada. Aí entendi por que a Albertina Duarte disse que os grandes estresses saem no câncer, especialmente no câncer de útero, que foi o meu caso.

Durante a campanha, visitei o estado do Rio inteiro, tomei conhecimento de toda a situação política, da Igreja progressista, dos excluídos. Eu e Marcelo Alencar saíamos com Brizola pelos comícios. No fim, então, o movimento era muito grande. O que eu sentia ali é que o partido me puxava. E no meio da campanha pensei: "Darcy disse que me elegia. Vou procurá-lo para ver se vou aos comícios com ele." Darcy me disse que o procurasse no dia 16 de novembro, e vi o mau caráter dele. Foi uma grande decepção. Fiz minha campanha sozinha, sem o apoio do partido e do Darcy.

Corri o estado inteiro. Fazia dois ou três discursos por dia, falava sobre os *think tanks* americanos, sobre o dinheiro que eles estavam lançando na campanha brasileira. Aquele era o meu mote, e também a condição da mulher no Brasil, a plataforma que eu iria defender. Tinha que fazer um programa que fosse comum com as outras candidaturas feministas. As reivindicações eram feitas junto com todos os movimentos feministas. Mas esses movimentos me apoiaram em parte, como a Igreja também me apoiou em parte. As pessoas mais sofisticadas já estavam jogando no PT, um partido que não sabia lidar com essa realidade. Depois, em 1994, vim a saber por quê.

O PT era fraco no Rio, primeiro por causa da força do Brizola, e depois por causa de sua própria incompetência. A seção do Rio de Janeiro era considerada uma das mais fracas do Brasil. Interessante! O PDT era forte no Rio mas fraco em São Paulo, e o PT, ao contrário, era fraco no Rio e forte em São Paulo.

O Jogo Pesado

Agora vamos ao jogo político pesado. Já disse que levara para a Vozes um amigo chamado Eduardo Chuaí. Ele já era homem de política: pertencera ao gabinete militar do Jango e era brizolista.

Quando Brizola voltou do exílio, Chuai começou a trabalhar com ele. E, quando Brizola se candidatou em 1982, e deu aquela varrida no estado do Rio de Janeiro, Eduardo Chuaí foi muito bem eleito. Antes, em 1978, ele, que trabalhava com o Partido Comunista, me perguntou: "Queremos uma mulher, é você ou é Heloneida?" Eu disse: "É Heloneida. Não quero fazer política." Eu ainda estava muito envolvida com os problemas dos anos 70 e com o que veio a ser depois o *Sexualidade da mulher brasileira*. Então, Heloneida se elegeu, com o trabalho de todo o Partido Comunista.

Chamei Eduardo em 1986, quando fui começar minha campanha. Reuní as primeiras cinqüenta pessoas de todas as áreas de meu conhecimento. Eram escritores, intelectuais, o pessoal das comunidades de base, gente de todos os tipos.

E Eduardo me alertou: "Toma cuidado. Você vai entrar num jogo muito pesado. Só ganham as seguintes pessoas: primeiro as que têm controle do aparelho do Estado, segundo as que têm controle do aparelho partidário, terceiro as que têm muito dinheiro e quarto as que têm voto corporativo, que são as Igrejas, os sindicatos e, enfim, as que têm muita mídia. Se você for só ideológica, não ganha. Porque os votos saem dos ideológicos para os fisiológicos. É um jogo pesado, corre muito dinheiro porque estão em jogo os interesses das grandes corporações e dos grupos do poder. Você vai entrar num jogo pesadíssimo."

E eu estava adorando. Ele disse: "Os votos saem dos nomes nacionais para os nomes locais. Se você não tiver muito voto não se elege, porque, pode acreditar, mais da metade dos seus votos vai para outras pessoas. Você não tem como fiscalizar dezesseis mil urnas, e quem olha dezesseis mil urnas são os chefes locais dos partidos. Em última instância, é o partido que decide."

Todos os partidos agem da mesma forma. Eles têm interesse em fortalecer os locais e ganhar o dinheiro dos que compram votos. O fisiologismo não acontece só com o PDT: é todo o sistema eleitoral que é perverso. Eduardo foi bem claro, me alertou, e eu disse: "Vou arriscar."

Não tinha medo porque a minha emoção não estava envolvida. Só tenho medo de alguma coisa quando minha emoção se envolve. Comecei a campanha num escritório pequeno. Não tinha dinheiro. Frei Ludovico me dava a maior guarida. Ele não só me dera seis meses, em 1982, para escrever o *Sexualidade da mulher brasileira* como me deu seis meses em 1986 para a campanha. Uma coisa incrível. Era eu e Eduardo Chuaí, que fazia dobradinha comigo. Muitos outros fizeram dobradinha comigo.

Foi o meu batismo de fogo no sistema. Até então eu estava num emprego seguro, protegida pela Igreja, a figura da Mãe. Não lidava com dinheiro, podia estudar, namorar, podia fazer tudo, porque tinha aquela segurança. Mas agora eu estava metida exatamente na mais profunda espessura da realidade, porque tinha a ver diretamente com o poder.

Começou então a campanha propriamente dita, sem o auxílio de ninguém. Zélia Brizeno, militante pedetista histórica, era a coordenadora da minha campanha. Ela conhecia bem o PDT, e me ensinou muita coisa. Mas encontrei gente que dedicou a vida a mim naquela época, pessoas maravilhosas, militantes do PDT. Um rapaz chamado Rosevaldo Alves Pereira, por exemplo, que tinha lido o *Automação* e estava louco pelo livro, ia fazendo o que podia.

Muito idealismo na base. Eu recebia telefonemas do estado inteiro. Foi uma campanha grande. Às vezes, aos sábados, quando não tinha nada para resolver, só acordava às seis horas da tarde, de tão cansada. Naquela época eu fumava, e deixei de fumar porque não tinha tempo nem de acender um cigarro. Parei de fumar sem perceber; só seis meses depois vim a tomar consciência disso. Eu interrompia as pessoas no meio das frases quando elas falavam. Eu falava tão depressa, não tinha tempo para nada, era angustiante para meus interlocutores. Em nível pessoal, foi uma experiência inacreditável.

Nos últimos dias, a campanha cresceu de tal maneira que senti que, se tivesse mais dez dias, já estaria estourando de votos. Enfim, aconteceu o que Eduardo previra. No dia 16, coloquei umas duzentas pessoas para vigiar a contagem de votos. Esse número não é nada, mas apareciam pessoas de todos os lados para me ajudar, desconhecidas, solidárias, lindas. Na Zona Sul quase não houve roubo, na Zona Norte começou, na Baixada foi uma loucura, e fora do Rio, um terror.

Como é que se agia assim? Primeiro, havia a Frente Democrática. Era uma aliança de doze partidos que se uniram contra o PDT. Então, para cada fiscal do PDT, havia doze da aliança. No momento em que se contava o voto, podia-se mudar o número do candidato, porque o fiscal contrário não conseguia ver. Na hora de fazer o mapa, podia-se mudar os números também. Na hora do mapa total, era pior, aí sim podia-se fazer o que se quisesse. Existiam todas as brechas, o voto contado a mão foi feito para que se pudesse fazer tudo isso.

Quem fez a contagem? Milhares de pessoas escolhidas a dedo, no caso muito bem pagas pelos partidos que estavam sendo financiados, PMDB, PFL, todos. E eram poucas as pessoas do PDT para fiscalizar tudo aquilo.

Havia um ódio profundo contra o Brizola. E o pior: na hora do mapa final, os partidos tinham poder para dizer: "Passa voto de fulano para sicrano... " Cada partido queria eleger o seu pessoal, e foi então que muitos dos meus votos também migraram para essa gente. Eu vi na Baixada Fluminense um juiz com revólver debaixo do livro. Meus fiscais saíram assim, corridos. Lá, por exemplo, meus votos saíram para o pessoal que o prefeito local queria eleger. Era assim que funcionavam as máquinas partidárias, em favor das pessoas que detinham o seu controle.

Em Volta Redonda foi mais sério ainda: um deputado, depois cassado por corrupção, tirou a maioria dos meus votos. Tem gente para depor sobre isso tudo, se for preciso. Estou falando só daqueles que tive certeza. E foi assim que terminei com uns treze mil votos, mas os que conheciam o processo disseram que devo ter tido uns vinte e cinco mil, que eu provavelmente teria entrado se não tivesse sido uma eleição fraudada. E aquela foi toda fraudada. No Brasil inteiro. O Congresso eleito não foi o Congresso empossado, com certeza. Como nos livros, acho que as listas de *bestsellers* da metade para cima são verdadeiras, e da metade para baixo podem ser falsas. O Congresso também, da metade para cima era verdadeiro, o resto deve ter sido fraudado. Tanto que fiquei entre os 10% mais votados do estado do Rio, e só entraram os primeiros 5%. Porque naquela época havia não sei quantos partidos, e havia mil e tantos candidatos, para 46 vagas. Era uma briga. Uma coisa ridícula.

Os outros partidos tiraram votos do PDT. O PDT perdeu cadeiras. E dentro do partido ainda havia gente que se elegeu ou por dinheiro ou por manipulação dos votos dos outros.

Mas Brizola não conseguiu eleger Darcy governador. Foi uma pressão muito violenta contra o PDT. Mas o PDT no Rio tinha 18 ou 20 cadeiras na Assembléia Constituinte. Um número bem grande. Todos os partidos tiveram que se unir para derrotar Darcy e eleger Moreira Franco. Brizola ainda tinha uma força enorme.

Na época, fui entrevistada por vários jornais como forte candidata; todo mundo achava de antemão que eu e a Lélia já estávamos eleitas. Recordo que dei uma entrevista ao *Globo Repórter*, que foi ao ar só depois do 15 de novembro. Éramos eu, Benedita e mais outras mulheres.

Eu estava na marcha dos setecentos mil, uma marcha realizada uns dois dias antes das eleições como fecho da campanha do Brizola. Foi uma apoteose monumental. A avenida Rio Branco inteira estava cheia de gente, e fizeram minha faixa tomando toda a largura da avenida. Eu disse então ao repórter: "Estou metida numa coisa muito séria. Porque os homens fazem campanha política com muito barulho. Eles fazem poucas coisas e muito barulho. As mulheres não, elas fazem muitas coisas e pouco barulho. E foi aqui que aprendi a diferença entre o homem e a mulher." Já estava tão zangada que até disse na TV Globo: "E daqui a pouco vou escrever um livro chamado *Os seis meses em que fui homem*."

Depois dessa eleição, nunca mais falei com Darcy Ribeiro. Mais tarde ele me chamou para participar do governo do estado, mas contei tudo para a mulher dele e disse: "Olha, eu não quero mais ouvir falar do Darcy Ribeiro. Nunca mais." Um ano depois, pedi a um amigo para perguntar a ele por que fizera aquilo comigo. E ele respondeu: "Ela teve muitos votos. E precisávamos deles para o partido." Isto é, para lotear entre eles, penso eu. Isso mostra o que era o PDT, porque os partidos de classe dominante são escancaradamente fisiológicos, não têm base, compram voto e tudo. O PDT lidava com uma ideologia de esquerda mas tinha pele de cordeiro sobre um couro de lobo. Ele usava a inocência das pessoas da base, e depois, na cúpula, fazia exatamente as mesmas coisas que os partidos de direita.

Mas, mesmo com todos os seus defeitos fisiológicos, o PDT tinha e continua a ter quadros progressistas e idealistas, como o Anthony Garotinho hoje. Também está lá no PDT com Brizola o pensamento nacionalista, agora esquecido, mas latente em cada brasileiro que ama seu país e que se preocupa com o destino do Brasil nessa época de globalização.

CAPÍTULO 27

O Conselho Nacional dos Direitos da Mulher

Em 1985 aconteceu algo importante, e que foi um fato político fundamental na minha vida. De 80 a 85, o feminismo veio a ter uma outra importância no Brasil. Começava a ser institucionalizado. Em 1983 as feministas de São Paulo conseguem fundar, no governo Franco Montoro, o Conselho Estadual da Condição Feminina, com Eva Blay. E em 1985, Ruth Escobar foi ao presidente Sarney para ver se conseguia fundar um Conselho Nacional. Ela começou o diálogo com Tancredo Neves, e depois todas nós, as feministas históricas, fomos junto com ela, para reforçar e legitimar o seu pedido. Mas quem assumiu foi o Sarney. Não sei se é verdade, mas corria o boato de que Sarney era apaixonado pela Ruth Escobar. E são as paixões que constroem o mundo. Então Sarney criou o Conselho Nacional dos Direitos da Mulher, que tinha como conselheiras mulheres históricas como Benedita da Silva, Jaqueline Pitanguy, Hildete Pereira, Lélia Gonzales, Tizuka Yamasaki, Marina Colasanti, Ruth Cardoso, sindicalistas, membros dos partidos políticos e acadêmicas. E até eu...

E foi esse Conselho, e os Conselhos Estaduais, que em 1987 fizeram uma avaliação da sociedade brasileira inteira, consultaram dois mil grupos de mulheres no Brasil, foram a todas as Câmaras de Vereadores e Assembléias Legislativas, e fizeram a carta de Brasília, com as reivindicações das mulheres para a Constituição. Quando se fez a nova Constituição, 80% dessas reivindicações foram aceitos, o que mostra o poder do povo organizado. Das mulheres organizadas.

E como se conseguiu mobilizar o Congresso Nacional? Para se entender o Conselho e a "bancada das mulheres", é preciso entender como se distribui o poder no Congresso Nacional.

Os grandes poderes no Congresso não são os partidos políticos, e sim os grandes grupos de pressão: os ruralistas, talvez a bancada mais forte de todas; as empreiteiras também são fortíssimas; a indústria farmacêutica; os bancos etc. Além dos poderes econômicos, havia também outros, legitimados pela sociedade, tais como os que defendiam os trabalhadores e que hoje perfazem 20% do Congresso; os evangélicos, com cerca de 10%, e até a bancada das mulheres, 7% do Congresso.

Moema São Thiago, feminista, deputada eleita pelo Ceará, que tanto me ajudou na época do meu câncer, juntou as mulheres de todos os partidos, do PFL ao PT. Eram umas 29. E sempre que havia assuntos de mulher a serem tratados, elas se juntavam e constituíam a chamada "bancada de mulheres". Esta bancada era respeitadíssima, e conseguia mobilizar os deputados homens e fazê-los votar os itens da Carta de Brasília. Acho que foi a primeira vez no mundo que se fez isso. E elas fizeram da Constituição brasileira uma das mais avançadas internacionalmente em relação à mulher.

Depois, esse Conselho passou a ser considerado perigoso, porque em 1988 a Constituição incorporou os direitos das mulheres. Entre outros, deu mais um mês para as mulheres ficarem em casa em licença-maternidade, conseguiu a licença-paternidade de cinco dias, acabou com a chefia de família... Foi revolucionária.

Conseguimos 80% de tudo aquilo que tínhamos reivindicado. Exceto o aborto. Agora, pouco a pouco, estão se tentando implementar as leis. Já existe uma ONG, a CFEMEA, composta pelas mulheres do Conselho

Nacional dos Direitos da Mulher que continuaram vivendo em Brasília e que ficaram lá monitorando o Congresso. Publiquei na Editora Rosa dos Tempos o livro *O guia dos direitos da mulher*, que elas escreveram.

Em 9 de setembro de 1989, o então ministro da Justiça, Oscar Dias Corrêa, quis acabar com o Conselho, porque o CNDM era um conselho deliberativo e, portanto, não podia ser manipulado pelo governo, o que o tornava cada vez mais incômodo, dados o poder de irradiação e a legitimidade que lhe eram concedidos pela sociedade civil. O Conselho ocupava meio andar no Ministério da Justiça. Dias Corrêa decidiu expulsar o Conselho de lá. Primeiro cortou a luz e o telefone, e depois nos mandou embora com tropas de cães. Puseram os cães e tropas atrás de cem mulheres fugindo vestidas de preto. Eu estava lá.

O poder de irradiação era tanto que, além da Constituição, o Conselho obteve outras conquistas definitivas para as mulheres brasileiras. Entre elas, uma na área de educação. Fazia-se um jornal chamado *Mulher sempre*, que era distribuído em 250 mil escolas públicas brasileiras, e que levantava a questão de gênero, inclusive nos livros didáticos. A aceitação foi tanta que logo começou-se a questionar os estereótipos sobre a mulher nos livros didáticos levando mais tarde à sua revisão, e, no fim dos anos 90, à introdução do estudo de gênero no currículo escolar. Na área da violência, estimulou-se a criação de delegacias da mulher no país inteiro. Na época havia umas quinze delas, hoje há mais de duzentas. Na área de saúde, a principal conquista foi em relação ao aborto. Na época, só havia um hospital em São Paulo autorizado a fazer abortos nos casos legais (estupro e ameaça à vida da mãe); hoje já existem em oito capitais. Criaram-se também inúmeros Conselhos estaduais e municipais.

Antes de sair da Vozes, tive uma conversa com o empresário Ronaldo Carneiro da Rocha, e disse a ele que não queria lidar mais com dinheiro, porque eu tinha outras coisas que fazer na vida. Nesse encontro tive uma inspiração, e recitei para ele uns versos do Fernando Pessoa que dizem mais ou menos: "Quem se lembra dos Lloyd George da antigüidade? Quem se lembra dos Briand? Só sobraram alguns homens de pés descalços que eram Sócrates, Aristóteles, Pitágoras." E ele disse: "Está bem, te dou o dinheiro." Ronaldo era rico e um intelectual, e o filho dele, Marcelo, veio trabalhar comigo. Durante dois anos trabalhamos juntos na Editora Espaço & Tempo.

Fundei a editora porque meti na cabeça que seria empresária. Pensava que, àquela altura da vida, com cinqüenta e tantos anos, sem ter mais o apoio de frei Ludovico, já estaria madura para enfrentar o medo que o dinheiro me dava. Quis romper o juramento da infância, que fiz a mim mesma quando meu pai morreu, de só ganhar dinheiro como subproduto do meu talento.

Decidi então fundar uma editora e me tornei sócia do grupo, representado por Marcelo, mas continuava ainda com muito medo de mexer diretamente com dinheiro; não mexia. No meu pensamento, Ronaldo e o filho seriam os fornecedores do capital, e eu, a empresária que editaria os livros. E esse foi o meu erro, porque eles despedaçaram tudo, e uma das pessoas de lá desviou dinheiro. Depois de dois anos, houve um momento em que, para se verem livres de mim, eles alegaram: "Ela é preguiçosa, vive viajando..." E eu viajava mesmo!

Duas Viagens Muito Engraçadas

Naquela época, em 1988, viajei para a Colômbia e o México a fim de participar da elaboração do livro *Mujer y Iglesia: Sexualidad y Aborto en América Latina,* com a equipe da Càtholics for Free Choice (Católicos pelo Direito de Decidir) da América Latina reunida, o que deixou o cardeal Joseph Ratzinger, aquele que interrogou Leonardo Boff, irado. A CFFC era uma organização americana de mulheres especializada em Teologia dos Direitos Reprodutivos, e era a favor do apoio da Igreja ao aborto. Até nos EUA ela era explosiva. Acho que fui a primeira do Brasil a pertencer a essa organização. Quando viajava pelo Brasil, sempre levantava o problema do aborto.

Aí foi muito engraçado. Quando acabei o trabalho na Colômbia, fui diretamente para o México. Na Colômbia, quase não tive tempo de observar o país, mas ouvia os noticiários na televisão. Num único deles, ouvi notícias da ação das guerrilhas nas florestas, da explosão de um gasoduto numa cidade de porte médio, e também da prisão de civis das forças paramilitares. A cidadezinha onde estávamos trabalhando, Popayán, parecia pacata, mas à noite viam-se homens encapuzados em motocicletas. Era a sede do M-19, o maior movimento guerrilheiro do país. Cáli, onde tínhamos uma filial do CFFC, não tinha favelas, porque o cartel das drogas era tão rico que sustentava os pobres. Nem em Bogotá havia favelas.

Depois que acabamos esse trabalho, fui direto para o México, onde conheci aqueles bruxos que eram os inspiradores do Carlos Castañeda. Silvia Marcos, também da CFFC, era uma antropóloga especializada em bruxaria. Eu gostava muito dela, e ela me levou a Cuernavaca, para ver dom Lúcio, um velho bruxo índio, e foi uma experiência incrível. Dom Lucio mandou comprar um ovo no mercado. Eram seis horas da manhã. Acordamos às quatro para chegar lá, comprei o ovo e ele o passou no meu corpo. Depois quebrou o ovo e dele saiu uma aranha. Fiquei apavorada.

Ele conversou muito comigo. Lembro de uma frase até hoje: "*Un hombre no puede tener dos glorias. Usted tome cuidado.*" E, quando ele fez o exorcismo de Felix Guattari, quebrou o ovo e dele saiu areia. Guattari era amigo da Silvia Marcos também.

No final das férias, fiz a segunda viagem, para o Canadá, e me vi no meio de quinhentas lésbicas radicais, todas com cabelinho cortado curto. Foi em Montreal, na primeira Feira do Livro Feminista, onde conheci também algumas editoras indianas feministas. Vim a saber por elas que no Primeiro Mundo havia trezentas editoras dedicadas a gênero, e no Terceiro Mundo não havia nenhuma. Havia uma pequenininha no Marrocos, com a Laila Chouemi, que é um amor de pessoa, e outra também pequenininha, a Kali Publishing House, em Nova Delhi, de duas indianas, Urvashi e Ritu, e nada mais. Eu estava na Espaço & Tempo, e me veio então a idéia de fazer uma editora sobre gênero. Isso aconteceu em 1988, porque eu já estava desconfiada de que as coisas na Espaço & Tempo não iam bem. Depois que acabei meu trabalho no Canadá, passei quinze dias em Nova York, na casa do meu amigo R. Moore, matando a saudade. Lá, conheci e fiquei amiga de Gloria Steinem.

Aconteceu então uma coisa inacreditável. O casamento do meu amigo já estava se desfazendo. Eu só soube o motivo dez anos depois, na Filadélfia. Ele era um acadêmico inteligentíssimo, de barba escura. Fez uma operação e virou mulher. As crianças ficaram com duas mães e sem nenhum pai. O choque foi tanto que desestabilizou a minha cabeça sobre a sexualidade do fim dos anos 90.

A Espaço & Tempo Devia Ser como a Vozes, mas...

A Espaço & Tempo foi uma editora como a Vozes, com um lindo catálogo. Fiquei lá de 86 a 88, incluindo os meses da operação do meu câncer. Eles foram muito legais comigo. Pagaram meu salário normalmente na época do câncer, queriam até financiar o tratamento, mas não deixei, não era o caso. Foram publicados ali quase cem livros, alguns de grande porte. Vieram Marta Suplicy, Gabeira, Junito Brandão, Eliane Maciel, René Dreifuss, muita gente importante... Tinha livros na lista de *bestsellers* da *Veja* e tudo.

O mais importante livro que publiquei foi o *Internacional Capitalista,* do René. A maior descoberta dele foi que, a partir das instituições que financiaram o IBAD, em 1960, havia uma rede de instituições internacionais, na sua maioria americanas. Estas vinham, desde o início dos anos 50, influindo nas políticas do mundo inteiro, depois decidindo e impondo sua política a todos os países ocidentais, e, assim, fechando o cerco que mais tarde resultou na explosão do mundo comunista. Eram os famosos *think tanks.* Que competência a desses profissionais! Além da Rand Corporation, American Enterprise Institute, Hermitage Foundation e outras, muito bem articuladas, havia outros mais importantes ainda, como o Council of the Americas, o Council on Foreign Relations etc. Estes agiam num nível ainda superior, o nível de governo a governo e de blocos de países. E a competência do René em descobrir aquela rede tão secreta! Foi um toque de gênio!

Não deixei outras editoras me chamarem para continuar o trabalho da Vozes. Se fosse procurar trabalho teria encontrado em São Paulo, certamente. Mas nem queria. E vi então que esse trabalho estava esquisito... o nosso outro sócio falou com o Marcelo: "Ou ela ou eu." Marcelo então escolheu a ele. E fui expulsa, mais uma vez. E de repente.

Dois anos depois, o pessoal da Espaço & Tempo voltou a se relacionar comigo. Gosto deles até hoje. E do Hans Bragard, o vice de Ronaldo, que ficou ao meu lado quando todo mundo estava contra mim, com muita solidariedade. Ganhei mais um grande amigo. Mas foi terrível. O choque que senti ao ser despedida sem mais nem menos em cinco minutos. Cinco minutos antes eu estava estável, era querida. Cinco minutos depois, sozinha, sem mais dinheiro. Nenhum... mais uma vez.

CAPÍTULO 28

A Rosa dos Tempos

Nesse ano de 1988, no dia 30 de março, fui a uma festa. Eu ia a algumas dessas grandes festas de São Paulo, na casa da Ruth Escobar. As festas que ela dava eram das mais badaladas.

Era o aniversário dela. Uma dessas festas igual àquela em que as mulheres se cotizaram e me deram dez mil dólares para tratar meu câncer um ano antes. Lá estavam Roberto Civita, os Matarazzo, Olavo Setúbal, vários grandes banqueiros, José Mindlin, Raul Cortez... Lembro muito bem dele, os grandes atores também iam a essas festas, Bruna Lombardi... Eram festas de notórios, não havia ninguém que não fosse estrela. Eu estava cantando a Portuga para ser minha sócia quando de repente uma linda mulher me pegou pelo ombro e disse: "Eu vou ser sua sócia." E eu: "Tudo bem, como é o seu nome?" "Laura Civita." "E o que você tem a ver com o Roberto Civita?" "Sou mulher dele." "Ótimo, vai ser minha sócia." E passamos 88 e 89 arrumando a Rosa dos Tempos, que só nasceu mesmo em fins de 90. Seu lançamento foi adiado porque em março de 1990 Collor tirou o dinheiro do mercado...

Alfredo Machado, da Record, também era nosso sócio. Éramos cinco sócios. Ruth, Laura, Neuma Aguiar, minha melhor amiga e feminista muito importante, eu e mais Alfredo Machado. Eu e Mariceli, minha secretária querida e fidelíssima, já estávamos trabalhando numa salinha na Record.

No ano de 1989, eu estava em plena insegurança, sem receber salário nenhum. De lugar nenhum. E, no entanto, consegui pagar todas as contas, ficar sem dívidas, pagar o colégio de três netos, ajudar minhas filhas; ainda por cima, era eu quem pagava minhas passagens aéreas para ir a São Paulo ver Laura e Ruth. Eu vendia livros; Luiza Tomita, teóloga maravilhosa, também vendia para mim. Me ajudava. Eu pegava aqueles livros na Vozes, e eles vendiam porque eram controvertidos... Assim consegui, espantosamente, viver sem nenhum salário.

O ano de 1989 foi bem difícil. Eu ainda estava tratando da saúde, me recuperando do câncer e tentando ganhar a vida ao mesmo tempo. E ganhando! Era muito duro. Já em 89, Alfredo Machado me chamou. "Tenho muita honra de que você esteja aqui comigo. Porque a única editora que chegou perto da minha foi a Vozes, de 84 a 86, o auge do seu fastígio. Depois mais ninguém chegou perto." Foram palavras dele diante de Laura Civita.

E foi assim que em 1990 inauguramos estourando, porque todas as revistas femininas da Abril nos entrevistaram. Elas sabiam que a Rosa dos Tempos era uma editora de gênero.

A editora veio a se chamar Rosa dos Tempos porque eu tivera uma porção de idéias, mas o Alfredo Machado nunca aceitava nenhuma. De repente, tive o sonho de que a editora iria se chamar ou Monte de Vênus ou Rosa dos Ventos. Sempre os sonhos! Rosa dos Ventos foi o nome de que todo mundo gostou, mas o nome já pertencia à Varig. Fiquei danada. E foi então que pensamos. "Por que, em vez de Rosa dos Ventos, não colocamos Rosa dos Tempos?"

Era a primeira editora genuína de gênero do Terceiro Mundo. Começamos publicando os grandes livros teóricos internacionais, porque não havia na época livros teóricos nacionais. Publicamos Nancy Chorodov, Carol Gilligan. Meu livro *Os seis meses em que fui homem* fez sucesso. Foi aquele que eu havia prometido ao *Globo Repórter*. Fui obrigada a me vestir de homem para a revista *Exame*: "Ponho o terno que vocês quiserem, desde que seja cor de rosa." Chamou muita atenção. O livro vendeu direto doze mil exemplares. E continua vendendo.

A revista *Exame* que trazia essa entrevista tinha na capa Wolfgang Sauer, presidente da Volkswagen do Brasil. Me diverti muito naquela entrevista. Vendeu tanto! Foi engraçado. Era muita porra-louquice.

No ano em que fiquei desempregada, escrevi dois livros, ao todo quinhentas páginas de pura paixão. Aquela grande paixão que eu tinha na vida de repente se canalizou para escrever, como antes, no tempo em que era casada, quando escrevi *A libertação sexual da mulher*, e também porque eu queria exorcizar meu câncer. Aí saíram *Seis meses em que fui homem* e *A mulher no terceiro milênio*.

Para escrever este último, li e analisei quinhentos livros que tinha na minha biblioteca sobre a condição da mulher, e disse para mim mesma: "Já que fiz esse trabalho cruzando sexualidade com as classes sociais e deu certo, vou ver se nesses livros existe alguma pista para eu poder dizer que a relação homem/mulher varia de maneira significativa com os modos de produção." Encontrei essa relação, e coloquei lá. A originalidade do livro não são as fontes, mas sim ter posto aquelas fontes juntas e ter podido mostrar que o sistema econômico não só fabricava a sexualidade e o inconsciente em relação às classes sociais mas fabricava algo maior, que eram as culturas, os modos de produção. E a partir daí podíamos levar a luta política de outra maneira, porque já tínhamos uma visão mais abrangente. O que para mim veio a ser fundamental nos anos 90 foi poder internacionalizar mais o meu pensamento. O que eu descobrira no Brasil era também válido para as outras culturas. Sobre o *Seis meses*, prefiro falar no último capítulo. E é preciso conhecer toda a minha vida para poder falar dele em poucas páginas.

Era 1990, e veio o confisco do governo Collor, e nada se podia fazer. Esperando, fui redigindo então, com Mariceli, os dois livros. *Os seis meses em que fui homem* nasceu em 1990; *A mulher no terceiro milênio*, também, mas só foi publicado mais tarde, em 1992.

A Rosa dos Tempos nasceu em São Paulo com uma festa de arromba no Gallery, e no Rio de Janeiro, com a mesma badalação, no Hotel Rio Palace.

A Record, em vez de dar dinheiro, entrava com a produção e a impressão dos livros. Ela distribuía também. No começo tivemos um grande sucesso por causa da monumental cobertura, inclusive da *Veja*, e tivemos um nascimento no estardalhaço mesmo. E com os primeiros livros o faturamento foi enorme, principalmente com *Os seis meses em que fui homem*, com o *Como fazer amor com a mesma pessoa para o resto da vida e continuar gostando* e também com os livros teóricos. E, lógico, o *Martelo*!

O Martelo das Feiticeiras

O martelo das feiticeiras foi o livro mais importante publicado sobre a condição da mulher até hoje. Eu era e sou apaixonada por ele. O livro estava traduzido, eu já fizera uma introdução histórica para ele, e encomendei a Carlos Byington, psicanalista junguiano, um prefácio.

Lançado no dia 31 de janeiro de 1991, foi direto para o primeiro lugar em todas as listas de *bestsellers*. Fizemos o lançamento no Rio de Janeiro, no Teatro Teresa Raquel. Márcia Soares já trabalhava comigo na divulgação desde a Espaço & Tempo, e conseguiu uma cobertura fantástica. Claro, o livro puxou a cobertura, eu até apareci vestida de bruxa no *Jornal do Brasil*. No dia do lançamento, chovia muito, o Rio estava inundado. Mas assim mesmo apareceram umas cinco mil pessoas e só puderam entrar no teatro umas 1.500. O gerente fechou logo as portas pois ficou com medo que o teatro desabasse, porque ficava no segundo andar do *shopping*, imagine!

Foi o livro mais importante que já publiquei. Foi escrito em 1484 por dois inquisidores, Heinrich Kramer e James Sprenger, e esteve na banca dos juízes que na Idade Média e na Renascença mataram sessenta mil pessoas na Europa inteira, a maioria mulheres. É um repertório de taras sexuais dos inquisidores, cercado por uma racionalidade insana. Fonte primária da Teologia, da Psicologia, do Direito, do Estado, da Epistemologia, da História, da Sexualidade. Uma glória. Acho que a introdução que escrevi fez o inquisidor tremer na tumba. Vinguei-me dele como bruxa. Para sempre!

Um Ataque de Narcisismo

Em setembro de 1990, antes de a Rosa estourar, eu estava calmamente escrevendo na minha salinha na Editora Record, com Mariceli, quando ouço um estardalhaço. Todos me procuravam ouriçados. Elia Edel, gerente de divulgação da Record, com a revista *Desfile* na mão me diz: "Você foi eleita uma das mulheres do século. Está aqui!" "Não pode ser!"

Mas era verdade. Nos anos 70, eu fora eleita várias vezes mulher do ano, inclusive quando estava fora do Brasil, e aquilo não me impressionou. Mais tarde iria ganhar várias medalhas, inclusive, em 1994, o título de Personalidade Intelectual do ano, da União Brasileira de Escritores, e aquilo também não me impressionou. Mas quando me vi nas letras R-S, tendo de um lado Rosa de Luxemburgo, de outro, Simone de Beauvoir, e em cima, de quebra, Rita Hayworth, confesso que tive uma crise de narcisismo.

Nunca fui e nunca serei humilde porque nunca fui e nunca serei feliz. Quem não se preocupa em ser feliz não se preocupa em agradar ninguém. E muitas vezes é humilde quem quer ser admirado. Eu nunca quis ser admirada. E quem não quer ser admirada acaba fazendo o que quer. E quando se faz o que quer se agüentam as conseqüências, mas, por uma misteriosa coincidência, se acaba também aceitando o desafio da grandeza, o que é muito perigoso. As pessoas felizes têm medo da grandeza. Preferem a segurança da felicidade. E, como eu não tinha medo da insegurança, realizei minhas fantasias. Quem quer ser feliz diz sim à segurança e não ao risco. Eu, ao contrário, sempre disse sim ao risco, mesmo que quebrasse a cara. Por isso realizei muitas fantasias que nunca tive a coragem de ter. E juro que aquela foi a mais gratificante de todas, mais que a maior de todas as fantasias eróticas femininas: achei melhor ser mulher do século do que ter encontrado o príncipe encantado!

Agradeci intimamente a Lenita Alcury a fantasia linda que ela me proporcionou!

Em 1999, figurei outra vez na lista da mesma *Desfile*. Mais um ataque de narcisismo!

Os Primeiros Passos

As capas dos livros da Rosa dos Tempos eram lindíssimas, feitas pela Laura Cardoso: eram uma maneira nova e feminina de fazer capas. Aí a Rosa dos Tempos começou com tudo, e *O martelo das feiticeiras* estourou de vez. Era muito dinheiro que a gente ganhava. Durante esse primeiro ano, publicamos livros absolutamente ótimos. Além de *O martelo das feiticeiras,* havia também livros sobre a saúde da mulher, sobre o macho, o novo homem, sobre grandes figuras da história do Brasil, como Chiquinha Gonzaga, que mais tarde inspirou a minissérie adaptada pela Rede Globo e que teve o maior sucesso. No fim de 1991, quando *O martelo das feiticeiras* já entrava em sua fase estável, começamos a perder dinheiro. Ficou difícil.

Então, em 1992, entrou Lair Ribeiro, que nos deu outro grande impulso. Vendemos cem mil exemplares de *O sucesso não ocorre por acaso*. Entrou ainda *As mais belas orações de todos os tempos,* que tirei da José Olympio, e que também vendeu muito. Fazíamos lançamentos imensos no Rio e em São Paulo, eventos memoráveis. O de *As mais belas ora-*

ções e o *A magia do caminho real,* de Anna Sharp, foram ótimos. Trouxemos Baby Consuelo e César Romão. Lotamos o Teatro Ruth Escobar. Disse Ruth que deu mais gente do que quando a Shirley MacLaine se apresentou. Foi um barato. E a quantidade de programas de televisão...

Uma Mulher Assumidamente Maldita

Na época eu não sabia, mas, se soubesse, não teria sido como foi. Só tomei consciência, no entanto, quando escrevi *Os seis meses em que fui homem*. Aí assumi ser maldita mesmo. Tenho que contar essa história agora. Tem que ser tudo por inteiro. Quando tomei consciência, estava escrevendo os *Seis meses...* Escrevi esse livro para não ter outro câncer, e quando vi o que é a Igreja, decidi: "Daqui em diante serei maldita." Refiro-me ao fato de como as religiões servem ao sistema econômico. Todas elas. Sem exceção. Foi no *Seis meses* que desenvolvi isso. E, para concretizar esse desejo de contestação, fiquei ligada a Frances Kissling, a mulher que dirigia a Catholics for Free Choice. Em 86 ela me procurou perguntando se eu queria trabalhar com ela. Aceitei na hora, porque vi que era o momento da minha catarse. Ganhava 200 dólares por mês, foi em 88/89.

Então comecei a fazer todo esse trabalho da dissidência. Primeiro, fiz a Teologia do Aborto, um capítulo no livro *Mujer y Iglesia*. Consegui descobrir que a Igreja, durante quinze séculos, aceitara o aborto como pecado venial até a décima semana. Li a obra dos grandes teólogos (homens) que haviam pesquisado o assunto (eu tinha fontes secundárias, não fontes primárias). Está no Código do Direito Canônico. É o decreto *Aliquando*, promulgado em 1043, na Idade Média. Os papas que quiseram voltar a considerar o aborto como pecado horrendo, como Sisto V, não conseguiram, porque a Igreja abafou. A Igreja, por intermédio de Santo Agostinho, criou uma teoria descriminalizando o aborto no século IV quando se tornou a religião oficial do Império Romano. Do século I ao século IV, o aborto era pecado hediondo.

Estudei ainda as Igrejas protestantes. Quando elas eram pequenas e frágeis, o aborto era para elas um pecado sem perdão, mas, quando alcançaram o poder, no século XIX, relativizaram-no. Concomitantemente, aconteceu que em 1869 o papa Pio IX voltou a condená-lo como pecado sem remissão, e as Igrejas protestantes, que já haviam contribuído para criar o Império Britânico e são hegemônicas até hoje, passaram a aceitá-lo. Na maioria dos casos, as Igrejas protestantes fazem do aborto um problema de consciência da mulher. E hoje não há essa condenação tão radical do aborto nas Igrejas protestantes tradicionais, só nas de transe. Foi por isso que vi que a condenação do aborto tinha a ver com o poder e não com a teologia, porque 1869 foi o ano em que o papa perdeu para a Itália os Estados Pontifícios e a Igreja Católica se enfraqueceu muito no plano temporal. Em 1969 o papa Paulo VI voltou a condenar o aborto como pecado sem remissão. A Igreja recuperaria o poder pelo plano espiritual.

Pio IX proibiu o aborto quarenta anos depois de se descobrir o fenômeno da ovulação. Porque enquanto se dizia que a mulher tinha uma barriga vazia e que o sêmen masculino é que fazia tudo, que a mulher era só um receptáculo, tudo bem. Era o que Santo Agostinho dizia, e Aristóteles também. Mas depois que se descobriu a ovulação e que o papel da mulher, ao contrário do homem, é central na criação do feto, as coisas mudaram. O papa ainda esperou quarenta anos para proibir o aborto. E só a partir de 1917 o cânone *Aliquando* foi substituído por outro no novo código canônico.

Isso tudo foi uma grande manipulação. Acabei escrevendo sobre isso na *Folha de S. Paulo*, já nos anos 90. E as teólogas brasileiras do Católicas pelo Direito de Decidir (CDD) também escreveram. A partir daí, a Igreja ficou menos violenta em relação ao aborto no Brasil. Só os evangélicos agora é que mantêm essa rejeição total.

Foi também quando eu estava na Catholics for Free Choice que chamei Maria José Rosado, Heidi Jarschel e Luiza Tomita, que assumiram a sua direção, no Brasil. Veio também Ivone Gebara, freira. Alguns anos depois, Ivone Gebara deu uma entrevista nas páginas amarelas da *Veja* que lhe custou dois anos de silêncio. Como Leonardo Boff. Porque ela falava que aborto não era pecado em certas condições. Foi uma entrevista fantástica.

Pecado Original x Prazer Sexual

Fui me tornando cada vez mais uma pessoa maldita mesmo, mas muito contente.

E tem mais, se quiser falar mais de maldição da Igreja... Passei uma cantada em Leonardo Boff e o convenci a fazer o prefácio do *Manual dos inquisidores*, livro ainda mais antigo, do século XIV, que ensinava a torturar judeus, a torturar sacerdotes... Eu ia publicar esse livro, pois a Universidade de Brasília e os historiadores queriam. Leonardo fez o prefácio contando a sua própria história, uma obra-prima. Terminou-o na Sexta-feira da Paixão de 1994, e assinou: "Sexta-feira da Paixão de 1994." É de chorar muitas lágrimas; dificilmente alguém consegue não chorar lendo aquilo.

E esse dissenso continuou. Em 1996, publiquei *Eunucos pelo reino de Deus,* que considero o livro do século sobre a condição da mulher, maior do que os livros feministas. Nele, a teóloga Uta Ranke Heineman, filha do presidente da Alemanha, convertida ao catolicismo e doutora em teologia, coloca lado a lado todos os escritos da Igreja de dois mil anos sobre a mulher. Isto permite, depois de trinta anos de movimento feminista, ver claramente as raízes da opressão da mulher.

Só para contar algumas passagens, por exemplo sobre sexualidade. Nos penitenciais do século VIII, a pena por homicídio qualificado era de seis anos a pão e água. A penitência por sexo anal era de quinze anos;

e por sexo oral era de vinte anos! Por aí se vê como o Evangelho já estava sendo torcido, deixando livre o poder para culpar a sexualidade.

No tempo de São Tomás de Aquino, outro exemplo: no século XIII, eram considerados pecados inomináveis a zoofilia, a masturbação e o homossexualismo, porque impediam a procriação. Eram piores que o incesto, porque o incesto ainda podia acabar em procriação. Pode? E nessa época se dizia: "Todos nós somos concebidos pelo pecado original porque o pecado original é o prazer sexual, e todas as pessoas nasceram por causa do ato sexual. Logo, o prazer é a coisa mais perigosa que existe na face da Terra. Ele é o pecado através do qual o demônio se apossa das pessoas. Por isso, ele só é permitido em atos sexuais que levem à procriação. Mas assim mesmo é um pecado horrendo." Por isso também não se podia ter relações sexuais no advento, nem na quaresma, nem no domingo, nem nos dias santos e em quase nenhum dia do ano. Era muito engraçado. E vai assim até o século XVIII. A gente vem entendendo, com todas essas informações, o pensamento do papa João Paulo II até hoje. E a profunda rejeição pela mulher, a tentadora, aquela que separa o homem de Deus, levando-o à perdição!

Já podemos entender a partir daí também por que, entre o pessoal da Teologia da Libertação, muitas pessoas que são heterossexuais acabam saindo da Igreja.

Em 1989, fui chamada, pela Diocese de São Paulo, para falar sobre a condição da mulher. Nesse ano, a Campanha da Fraternidade tinha como tema central a mulher. Acabei falando para uns mil teólogos, em quase todas as escolas de teologia de São Paulo. Na primeira palestra havia cerca de quinhentos; eram 480 homens e 20 mulheres.

Falei naquele dia sobre analidade e espiritualidade, e eles me disseram: "Você terá que falar quatro horas, das 8 às 10 e das 10 às 12, vai ser um seminário. Das 8 às 10 você vai falar para muitas pessoas, mas às 10 vai ter um intervalo, aí as pessoas vão sair e a maioria não volta mais." Mas aconteceu que houve o intervalo e voltaram as quinhentas pessoas. Podia-se ouvir uma mosca na sala.

Em seguida a esse episódio, eu só podia falar nas universidades católicas menores. Acabei sendo proibida em todas. Mas, depois de toda essa reflexão, nasceu a Teologia da Libertação Feminista. Fiz o primeiro seminário com o NETMAL (Núcleo de Estudos Teológicos da Mulher da América Latina), onde começaram as pesquisas. Hoje existe um grupo forte de Teologia Feminista Libertadora, que não é nada semelhante à Teologia Feminista dos EUA. É mais política e menos individualista.

Enquanto isso, na Rosa dos Tempos, vendíamos pouco e gastávamos muito. E começamos a ter prejuízos. Nesta fase, Laura foi uma heroína. Fez grandes projetos especiais com a IBM, a Avon, a Sharp, as revistas *Claudia* e *Nova*, que nos deram um fôlego extra até o início do Plano Real, quando as firmas começaram a ver o dinheiro sumir do mercado.

Fomos assim até 94, publicando grandes livros. Em 1992, morreu Alfredo Machado, e assumiu seu filho Sérgio, atual dono da Record. Em fins de 1994, ele comprou, por 180 mil dólares, a Rosa dos Tempos.

Ao mesmo tempo, nesse ano, muitas coisas iam acontecendo na minha vida pessoal. Na política, por exemplo.

CAPÍTULO 29

A Segunda Campanha

Assim que entrei para o PDT, vi rolar tanto dinheiro que logo depois me arrependi de não ter me filiado ao PT. Após o fim da campanha de 86, em janeiro de 1987, entrei para o PT com todas as honras e glórias. Foi minha maneira de protestar contra o que eu havia sofrido. Aquela foi uma das alegrias de Eduardo Suplicy, que me esperava desde 1980. Não entrei para o PT para me eleger, ou de uma maneira fisiológica... todo mundo do PT sabia que eu deveria ter pertencido ao partido.

Em termos de emoção, em 87/88 senti como se minha vida houvesse encolhido depois que saí da Igreja. Como as coisas no âmbito do poder vieram a ser pequenas, como vieram a ser mesquinhas! Sinto isso até hoje. Porque a Igreja é tão ampla, tão maior que as nações, tão mais antiga, tem dois mil anos... A experiência de quem tem essa vivência dentro da Igreja como eu tive marca para sempre tudo o que se faz depois. Imagine então a experiência dos que vivem dentro de uma Igreja que tem cinco mil anos, como a indiana, ou seis mil, como a dos judeus. E, por sentir falta da grandeza no mundo cão, estava sempre procurando fazer coisas novas e arriscadas.

Em 1994, ainda éramos sócias da Editora Record. Resolvi me

candidatar de novo a deputada federal. Foi muito interessante. Já estava no PT há alguns anos. Quando entrei, em 1987, o pessoal me disse: "Você não deve entrar pela cúpula nacional, porque você é editora de muitos deles; entre pelo grupo de mulheres do Rio de Janeiro." Fiquei lá marcando passo durante anos. Era medíocre o grupo de mulheres do Rio.

A avaliação que hoje faço dessa decisão é que ela me limitou muito durante aqueles anos todos e me desmotivou a fazer qualquer coisa dentro do partido. Nunca me adaptei àquele "tarefismo", embora achasse que deveria ser humilde. Mas valeu. E saí candidata pelo grupo em 1994.

Resolvi disputar outra vez a eleição porque tinham que ser feitas reformas constitucionais no governo Fernando Henrique, e também porque achei que, tendo tido tantos votos na primeira campanha, podia ser viável que eu ganhasse. Consegui que o Sérgio Machado me desse o papel. Eram dois milhões de folhetos, e ele me deu. Consegui que Albertina Duarte me desse uma quantia razoável, outros me deram dinheiro também. Consegui ao todo uns quarenta mil dólares para fazer essa campanha.

Senti, durante o processo, que o PT no estado do Rio era um partido pequeno. Em vez de o PT carregar a gente como o PDT fazia, em que os próprios acontecimentos é que nos carregavam, agora nós é que carregávamos o PT.

Aconteceu também outra coisa: havia algumas estrelas de outros partidos que estavam fazendo coligação. O problema da coligação é que é preciso uma cota de votos para conseguir ser deputado federal ou estadual e há partidos tão pequenos — como o PC do B, o PSB, o Partido Verde — que não conseguem obter sozinhos a cota mínima para eleger um deputado. Esses partidos têm estrelas, por isso eles se coligam com partidos maiores. E, assim, os votos do PT, em vez de elegerem pessoas do próprio PT, elegiam pessoas desses partidos. Porque eles jogavam todo o seu dinheiro em um só candidato, e o PT tinha 46. Assim, os votos dos 46 elegeram uns três ou quatro deputados do PT e uma meia dúzia da coligação. Acho isso injusto.

Nas eleições de 98, o PT não fez mais coligação, porque deve ter percebido que com elas só tem a perder. Fez aliança, isto sim, para eleição majoritária, e ganhou com Garotinho do PDT como governador e Benedita da Silva, do próprio PT, como vice. Estive com o Gabeira numa viagem em 1998 e ele disse que ia fazer coligação com o PDT ou com outro partido, porque o PT não queria mais. De fato, o PT perdeu cadeiras em 94 e ganhou em 98.

Leonardo Boff e Eduardo Suplicy fizeram a abertura da minha campanha no Teatro Casa Grande.

Essa campanha foi chocha. Primeiro, na do PDT, me cansei tanto que durante os seis meses seguintes fiquei muito estressada e depois veio o câncer. Na campanha de 94 não tive estresse, quase não fui no escritório, porque ficava andando pela cidade, muito pouco pelo estado, andei muito menos... eu achava tudo aquilo estranhíssimo. Tive a metade dos votos que tivera antes, sete mil, mesmo sendo muito mais conhecida do que em 86. E o partido foi roubado também. Isso não quer dizer que dentro do PT tenham roubado os meus votos. Não! Os outros roubaram cadeiras do partido. Isso sem dúvida. A fiscalização de contagem pelo PT era quase inexistente. Fiquei aterrorizada com a desorganização e o amadorismo.

Candidatas a deputada federal das mulheres no PT éramos eu e a Conceição Tavares. Ela se elegeu, e eu não. Entendo isso porque ela é uma economista que teve o voto da classe média progressista. Muitos dos que votaram em mim na primeira eleição certamente votaram nela na segunda, porque ela era a mulher que podia enfrentar o Delfim Neto e a "bancada" dos economistas liberais. Ela teve vinte e cinco, trinta mil votos, acho. Creio que deveria até ter tido mais. Gosto muito dela, sempre "peitando" os machos. Ela é um barato!

O Oprimido É um Perdedor

Foi quando comecei a entender o que era a cabeça do oprimido. Por exemplo, quando ia às reuniões do PT para conseguir meus *outdoors* na rua. Em 86, não vi esse comportamento de oprimido no PDT. Só comecei a ver esse tipo de cabeça quando entrei para o PT e quando o vi se sabotar. Na hora em que ele tinha que tomar a frente da resistência ao sistema, ele dava para trás. Quando estava perto do sucesso... "afinava". Como o Lula, que, quando estava perto de ganhar do Collor, encolheu.

Essa cabeça do oprimido que estava vendo então era exatamente igual à que eu havia encontrado na minha pesquisa *da* sexualidade da mulher brasileira. Ela estava ali, na minha frente. O oprimido nasce com a seguinte mensagem inconsciente: "Meu desejo é para não ser satisfeito. Eu sou destinado a ser um perdedor." E isso apareceu em todo o PT do Rio de Janeiro. Eu tinha cabeça de vencedor, mas não adiantava, porque todo o partido acabou se puxando para baixo.

Aconteceu uma coisa que posso dar como exemplo do que seja a cabeça do oprimido. Eu estava em São Paulo e já soubera da denúncia, da fraude, pela *Folha de S. Paulo*. Falei então com a Graciela Rodriguez, minha coordenadora de campanha e ótima amiga: "Estou em São Paulo trabalhando para a editora e o partido vai fazer uma avaliação da campanha. Eu queria que você puxasse o PT para liderar as denúncias." As eleições do Rio estavam prestes a ser anuladas por excesso de fraude, como de fato foram. Ela levou o assunto para a reunião e todo mundo ficou calado. Quem puxou as denúncias foi o PDT. O PT ficou em último lugar. Graciela, uma grande mulher, uma das mais lúcidas que conheço, também ficou deprimida.

Não sei realmente o que aconteceu nessa campanha. Era desanimada. O PT não teve fiscalização, e as eleições foram fraudadas. Em 1994, a fraude foi tamanha no Rio de Janeiro que as eleições foram anuladas. Milhares e milhares de votos foram comprados ostensivamente. Dizia-se até que nas instâncias superiores rolava dinheiro grosso dos partidos de direita. Não sei se é verdade. Essa fraude foi monumental, prenderam uma mulher que vendia votos, "eu te garanto tantos mil votos se você me der tanto". Pegamos uma eleição muito pior que a de 1986, talvez a pior que já houve. Quinze dias depois fizeram-se novas eleições mas sempre houve fraude, e ela sempre aconteceu em todo o Brasil. Só o Rio, tradicionalmente contestador, teve a coragem de denunciar. Quando acabaram as eleições, parecia que o PT teria oito cadeiras. Só teve três.

Aí fiquei bronqueada e saí da política, ao menos temporariamente.

Havia falta de garra, de liderança. Havia muita discussão no PT porque o partido tinha umas doze tendências, que não se opunham de verdade. Por outro lado, o que vi nas assembléias era democrático. Se alguém não pertencesse a uma tendência, a um grupo, não tinha voz, porque as pessoas não podiam falar individualmente, por si mesmas, numa assembléia de duas, três mil pessoas. Lembro uma vez que a Conceição Tavares levantou a mão e foi brigar com o pessoal da mesa numa assembléia. Deu um rolo que ela quase foi expulsa do partido. Tinha por isso que haver grupos, o PT se organizava dentro dele mesmo, desde a extrema esquerda, liderada por Vladimir Palmeira, até o grupo moderado, de Jorge Bittar. E acabou vencendo dentro do partido Jorge Bittar, que perdeu nas eleições de 1994 porque era moderado. Talvez Vladimir Palmeira, um dos maiores líderes estudantis de 1968, tivesse tido um impacto maior sobre a população. Mas, enfim, ele era considerado muito autoritário. E era mesmo. E filho de um coronel nordestino de classe dominante.

O que acontecia é que essas tendências eram muito democráticas, porque, se alguém fosse minoritário numa tendência e tivesse menos de quatro votos, um número bem pequeno, não era ouvido. Mas se tivesse mais de quatro votos, a sua reivindicação ia para a assembléia geral. O PT é o partido mais democrático que já vi na minha vida. Nunca vi nada igual.

Esse basismo, esse democratismo... aí é que chego à cabeça do oprimido. Quem mandava no PT eram os operários. E estes sim, eram sectários e não deixavam o PT fazer as alianças necessárias... O problema da aliança do PT com o PSDB foi inclusive apresentado nessa época, e as bases não deixaram. Quem sabe se essa aliança tivesse se concretizado, Fernando Henrique Cardoso não se teria entregado às garras do PFL e o destino do Brasil não seria essa desolação que é hoje...

Eles queriam um partido puro e um partido mandado pelas bases, sem alianças. As bases tinham desconfiança de absolutamente tudo. Porque eram pessoas que não tinham educação política no sentido de classe média como nós temos. Eram os ferroviários, os metroviários, era o pessoal egresso dos antigos partidos revolucionários que foram para o PT. O PT é um partido poderoso, mas recente, e a atitude aberta é um aprendizado político difícil, principalmente para quem sempre foi esmagado pelos patrões, pelas elites. Claro que tinham que desconfiar do opressor. O tempo todo.

Eu, na hora, não me conformei, mas acho que hoje, quando o PT ganha, com suas prefeituras, prêmios mundiais, vejo que ele conseguiu encontrar um caminho original e mais polêmico: só chegar ao poder central depois de fazer o aprendizado duro do poder em instâncias locais. De baixo para cima. Faz todo o sentido! Eles ganharam muitos prêmios mundiais na Conferência do Hábitat em Istambul, patrocinada pela ONU, em 1996. Justamente porque organizam as populações de baixo para cima, fazem orçamento participativo. Há realmente tanta participação, que esses municípios nem precisariam ser uma democracia representativa, podiam ser democracias diretas.

A Partir de 94: Viajando, Viajando

Estava pouco me importando com aquele tipo de carreira política. Eu já estava assumindo que não a queria. Eu era intelectual, tinha uma vida pessoal política diferente já nessa época.

Depois fiquei um pouco mais de bem com o PT, mas não me meti mais na vida partidária porque resolvi me dedicar à minha vida profissional, que sempre foi muito bem-sucedida.

Eu fazia então quarenta, cinqüenta viagens por ano. Só deixei de fazer um pouco essas viagens durante os seis meses da campanha de 94.

Depois, em 95, 96, foi uma loucura. Passei a lidar somente com multidões. Essas viagens aumentam nossos horizontes, mas tornam a vida mais superficial, sem raízes. Eu as fazia porque precisava do dinheiro. Ajudava sempre minhas filhas. Os meus dois filhos homens eram mais bem-sucedidos dentro do sistema. Eu estava vendo, na minha própria vida cotidiana, como o sistema favorecia os homens a partir do seu inconsciente e como sabotava as mulheres, também a partir do inconsciente delas. Meu filho André já era um executivo bem-sucedido em São Paulo, e Marcos, psiquiatra e psicanalista conhecido. Para as mulheres, ao contrário, os obstáculos eram bem maiores.

Uma Emoção Mais Funda

Em 1995, quando eu já estava na Editora Record, conheci, no Teatro Municipal, a família Menezes. Tinha ido ouvir Antônio Menezes, e descobri de repente que estava realmente com a minha profundidade abafada. Fui ouvir Antônio tocar violoncelo. Ele já era considerado um dos maiores violoncelistas do mundo. E, quando tocou, mexeu como ninguém com minha emoção. Nesse momento, senti a importância curadora da música. Fui de um pólo ao outro. Devo a esse homem o fato de ter voltado a ter vontade de viver...

Fiquei tão transtornada! Parecia que estava sentindo um prazer físico. Achei que era histeria minha. Mas de repente ouvi uma voz grossa. Era um rapaz ao meu lado, que estava dizendo: "Estou sentindo um orgasmo!" E eu: "Eu também." E outros: "Eu também." Foi uma maravilha. Resolvemos fundar o Grupo do Orgasmo, em homenagem ao Antônio. Ele é de fato um dos maiores violoncelistas do mundo. Os colegas dele o consideram o Jascha Heifetz do violoncelo. Igual a ele só Pablo Casals! Quando Antônio soube, achou uma graça. Não conseguia parar de rir.

Conheci o irmão dele, Ricardo, e comecei a conviver com aquela família, os Menezes, só de artistas. Vi então que a frase de Lacan era verdade. Só os poetas, os místicos (e os músicos) que não são competitivos têm acesso à mulher. Por isso os grandes artistas eram as únicas pessoas que eu conseguia tolerar naqueles momentos tão difíceis.

Senti que a música me levava ao fundo do meu ser, sem qualquer mediação e sem nenhum perigo, porque a palavra, por exemplo, é perigosa: pode nos deixar perplexos. Hoje entendo a musicoterapia. É a única que funciona quando estamos muito fragilizados

E esses meninos com quem aprendi a conviver, Ricardo, Gustavo, Eduardo, como todo grande artista, vivem naturalmente endorfinados em estado alfa... E eles me ajudavam a ficar nesse estado naturalmente. Da mesma forma que o sistema me puxava para fora, para a fragmentação, vi que os artistas nos puxam para dentro, para a integração. Os grandes músicos são os únicos a quem perdôo por não terem militância política, porque a missão deles é maior do que a política. Eles nos ajudam a nos manter no nosso centro.

Daí em diante, passei a ouvir música ao vivo quase diariamente. Acho a música ao vivo, mesmo mal tocada, superior a qualquer gravação. A gravação pode ficar perfeita, mas tira a vida, que é imperfeita. Acho que a perfeição é mesmo o contrário da vida. Uma vez fizeram Vladimir Horowitz repetir uma peça 48 vezes. E ele foi o maior pianista do século. Pode?

Foram a música e os músicos que me fizeram recuperar a alma que eu havia perdido...

CAPÍTULO 30

Vida nos Anos 90

Em fins de 1994, eu estava em plena depressão. Ter perdido a campanha não me incomodava, mas meu ex-marido estava muito doente, e o tratamento dele era dispendioso. Eu e Marcos, meu filho, estávamos tomando conta dele e da mulher dele. Tônia e Verônica davam a ele todo o carinho que podiam. Foi traumatizante para elas, mas elas não falharam.

Depois que nos separamos, Aldo casou outra vez, e morava com a segunda mulher. Os homens são casadouros, as mulheres é que têm medo. O homem está sempre procurando alguém para cuidar dele. Homem é assim. E eu o ajudei, decidi ajudá-lo, porque, se não fosse eu, quem iria ajudar? Tive cinco filhos com ele. Ele tinha uma mulher, mas ela era financeiramente dependente. Ele ficou um ano e meio agonizando. É por isso que sou a favor do suicídio assistido. A morte que ele teve foi indigna por causa do sofrimento. Ele sofreu muito. Tinha direito a uma morte digna, e, se eu pudesse, ajudava. Foi uma experiência muito deprimente. Se eu sofrer assim, quero que me ajudem a morrer.

Nessa época, a Record estava comprando a Rosa dos Tempos. Sérgio Machado fez uma avaliação com a Laura Civita. No dia anterior ela dissera que compraria a editora, mas no dia seguinte decidiu vendê-la. Fiquei tonta. Sérgio Machado tinha dito que seria confortável para ele tanto comprar como vender. Levei um susto. Fiquei desesperada, porque para mim voltar a ter patrão era o fracasso da minha fantasia de ser empresária.

Não entendi. Mas acho que já naquela época o casamento da Laura estava ameaçado. Logo depois ela se separou do marido.

Eu no entanto não podia ver o futuro, e achei que ela havia me traído. Não foi... Ela e meu filho André estavam fazendo um plano muito sofisticado para a Editora Rosa dos Tempos. Eu tinha medo. Era preciso colocar muito capital. Hoje, já com distanciamento, acho que foi correta a venda da editora para quem é profissional no assunto. Quer dizer, todas as limitações naturais que existem na minha relação com Sérgio são nada diante da segurança empresarial que ele tem. Foi duro para mim a nova disciplina. No ano de 1995, fiquei no que se chama de "piloto automático", isto é, eu só colocava para fora livros já contratados... E editei livros que na minha cabeça não tinham valor intelectual, só comercial.

Vício de Amor

Em 1994, eu já fugia compulsivamente da figura masculina, porque queria sossego. Já conseguia viver sozinha, não tinha que projetar nada em ninguém. A maioria das pessoas me parecia repetitiva, como um filme já visto. E os homens também. Achava que seria repetitivo voltar a viver aquelas experiências afetivas. Achava que já tinha vivido tudo. Passei a vê-las como variações sobre o mesmo tema. Isso foi crescendo dentro de mim.

Desde 1984, quando o Poeta foi embora, não consegui me ligar mais em homem algum. Continuava namorando, mas nada que me empolgasse profundamente. Por exemplo, em 1988, tive só um namorado deslumbrantemente belo, um verdadeiro deus grego, um ano mais jovem que eu, mas também deslumbrantemente burro. Um era jovem demais, o outro, alcoólatra, o outro ainda, pobre demais... Eu fazia aquilo só para ter um companheiro. Até que em meados de 1991 enchi o saco e resolvi ficar sozinha. Como Simone de Beauvoir, quando começou a envelhecer e não conseguia viver uma vida sexual e afetiva com a qualidade que ela queria. Por isso, para ela, era preferível não ter nenhuma.

Fui então obrigada a ler profissionalmente um livro, *Facing Love Addiction.* E vi que a paixão podia ser um vício. Como o álcool ou a cocaína. Lá pelas tantas, solta, uma pequena frase me abalou: "Nesses casos, é mais sadio ficar só do que continuar vivendo o mesmo mecanismo..."

A autora ia explicando como era viver a paixão como vício. Primeiro o surpreendente, o maravilhoso! A idealização. Depois os conflitos, a desilusão, terminando na busca compulsiva de outro parceiro para preencher o vazio. À medida que ia lendo, ia percebendo que parecia que era a mim que ela estava descrevendo. E resolvi então parar com aquela repetição que era a minha vida afetiva e conviver com o meu vazio, ali, sem nada, no duro, na noite, no frio. Recebi várias propostas de casamento. Depois dos sessenta anos. Que coisa! Mas via que não valia a pena. Era tudo *déjà vu.*

Eu queria o novo, e o novo era a solidão! E de repente comecei a ver a vida de modo diferente. Intuí então que os maiores lances da minha vida ainda estavam por vir, como vieram realmente. Mas naquele momento consegui desmistificar mais um mito que parecia imbatível: a solidão afetiva. Como era enriquecedor me ver face a face! Cada momento era um apelo do desconhecido. E como eu o amava! Como a minha vida se concentrou! A única pessoa que estava tendo uma experiência semelhante à minha era Odete Lara. Era a única com quem eu podia conversar sobre isso. Depois de ser um símbolo sexual, ela já estava vivendo um caminho místico pleno! Sem querer, eu também estava desconstruindo a sexualidade. Isso durou até 1996.

As Viagens

Aquela foi a época em que eu fiz viagens enlouquecedoras. Quarenta, cinqüenta viagens por ano! É muito pesado isso. Eu escrevera *Os seis meses em que fui homem* e A *mulher no terceiro milênio*. Recebia convites para falar no Brasil inteiro. Ganhei dinheiro vendendo meus livros. Conheci e vi gente incrível... Gilmar Chaves, o poetinha, organizou as primeiras viagens. Andamos grande parte desse mundão que é o Brasil enraizando a Editora Rosa dos Tempos, não só nas capitais fora do eixo Rio—São Paulo, como também no Nordeste, no Centro-Oeste.

Foi um período heróico. Eu conhecera o poetinha dez anos antes, no Ceará, em uma conferência onde dizia que só os poetas e os místicos tinham acesso à mulher. Da platéia, ele gritou: "Eu sou poeta!" E ficamos grandes amigos. Em meados dos anos 90, ele veio trabalhar comigo. Fora levado à conferência por uma das grandes amigas da minha vida, Peregrina Capelo, uma das mulheres mais eróticas e corajosas que já vi, e que sempre me hospedou em sua casa no Ceará. Grande boemia vivemos.

Gilmar ia primeiro e contactava as instituições legitimamente representativas da sociedade brasileira: núcleos de mulheres das universidades; partidos políticos por intermédio de seus núcleos femininos; movimentos populares: associações de bairros, empregadas domésticas, prostitutas, movimentos negros, movimento de *gays* e lésbicas etc. Através dessas mobilizações, se conseguiam cartazes, convites, programas, faixas, lugar para a palestra, som e mídia local. Uns vinte dias depois eu chegava. Dependendo da cidade, apareciam quinhentas, seiscentas, oitocentos, até mil e quinhentas pessoas. Houve lugares em que o auditório não comportava tanta gente, e mesmo assim as pessoas esperavam a palestra terminar para ficar me olhando. Em outros, como Vitória e Goiânia, havia menos de cem pessoas.

A lista das cidades é impressionante: além de Vitória, Goiânia, Brasília, Aracaju, João Pessoa, Natal, Fortaleza, fui a Vitória da Conquista, Campos etc. Em algumas dessas cidades, os artistas locais se reuniam para me recepcionar com carinho. Em Fortaleza, no lançamento do *Seis meses*, houve um espetáculo musical e teatral inteiro, e tinha mais de mil e duzentas pessoas. Em muitas dessas cidades, as associações e prefeituras adquiriam livros para distribuírem às suas bibliotecas e núcleos de mulheres.

Nenhuma editora brasileira realizou um trabalho de enraizamento de tamanha profundidade. O gasto para a editora desses lançamentos era quase nenhum, praticamente só as passagens.

Eu me sentia perfeitamente dentro da vocação para a qual havia nascido.

Gilmar era tão bom produtor cultural que resolvi fundar com ele, meu sobrinho Bernardo e minha nora Viviane uma editora, a que chamamos Artes & Contos. Eu estava novamente com o vício de ser empresária! Inauguramos a editora com um livro infantil, *O segredo da clave de sol*, da Bia Bedran e do Gilmar. Chegamos a publicar uns trinta livros, inclusive alguns sucessos: *O ciúme patológico*, de Antônio Mourão Cavalcante, que hoje é meu grande amigo e que foi direto para as páginas amarelas da Veja; *A rainha rabiscada*, de Silvia Orthof; *O tesouro na rua*, de Cristovam Buarque, uma obra-prima da literatura infanto-juvenil.

Conheci Cristovam Buarque quando ele ainda era reitor da Universidade de Brasília. Impressionou-me muitíssimo. Quase fui trabalhar com ele, mas não deu. Conversamos muito, e fui eu quem lhe pediu para escrever um história econômica do Brasil para jovens. Mesmo quando ele foi eleito governador de Brasília continuamos nos vendo. Falei no seu fórum Brasília Capital Debate, onde haviam falado Julius Nyerere, um dos pais da África moderna do século XX, e Nadine Gordimer, escritora sul-africana que ganhou o Prêmio Nobel de Literatura. Acho o Cristovam um luxo!

Mais tarde publiquei *Gravidez na adolescência*, de Albertina Duarte, a maior autoridade do Brasil no assunto, a quem ajudei a escrever. E com o maior prazer!

Mas de repente, em 94, as coisas começaram a "michar". Começou a inadimplência dos distribuidores. Primeiro achei que era incompetência nossa: afinal, os meninos eram marinheiros de primeira viagem. Mas fiquei com medo. De Minas para cima quase ninguém mais pagava. O dinheiro sumira do mercado. Mais tarde isso aconteceu também com as grandes editoras. Me bateu uma intuição estranha. Acabei fechando a editora, e ganhei uma "birra" da minha nora, do meu sobrinho e do Gilmar. Mas minha intuição era verdadeira. Eu era como os porquinhos-da-índia que percebem antes dos outros quando a morte por envenenamento ou por asfixia se aproxima.

Era exatamente junho de 1994. O real estava sendo implantado, e essa mudança iria ser prejudicial para o sistema produtivo brasileiro. E nós, por sermos pequenos, já estávamos sentindo isso. Fiquei vacinada para sempre contra a idéia de ser empresária. Meu pai, sou uma empresária fracassada. Ao contrário de você. Assumo. Ufa! Que alívio! Minha família ficara para trás, esquecida para sempre. Finalmente eu me libertava desse fantasma.

Mais Livros Malditos

Mil novecentos e noventa e seis foi o ano em que eu realmente já estava bem comigo mesma, feliz, voltei a lançar os livros malditos. Nesse ano lancei *Eunucos pelo reino de Deus.*

Seu impacto no Brasil foi o mesmo que *O martelo das feiticeiras* provocou. Esse livro veio indicado pelas teólogas e assumido pela sociedade inteira. Teve sete páginas de *Veja*. Roberto Pompeu de Toledo ficou apaixonado por ele.

Logo depois lancei *A biografia do diabo: o diabo como sombra de Deus na história*. Esse teve onze páginas na *Veja*. É muita coisa! A seguir comecei a publicar livros como *Anatomia do genocídio*, de Israel Charny, um estudo de todos os genocídios, incluindo o nazismo, o genocídio do Stalin... Seu autor é judeu e muito inteligente. E outros: *Judaísmo e homossexualismo, Como pão no prato sagrado: uma leitura lésbica feminista da Sagrada Escritura e da tradição judaica,* de Rebecca Alpert. Eu já estava me sentindo bem, já começava a criar polêmica como nos belos tempos antigos.

Pior, publiquei o livro de David Jacobs, que em matéria de maldito não tem igual. Chama-se *A vida secreta,* e o segundo, que está saindo, é *A ameaça.* Jacobs foi meu companheiro de trabalho na Universidade de Temple. Parece um vovozinho pacato, falando baixinho. Mas ele foi o primeiro professor universitário com Ph.D. em história dos Estados Unidos que dedicou seu trabalho à influência dos *discos voadores* nesse país. O livro é seriíssimo, e quem fez o prefácio foi o diretor da Clínica Psiquiátrica da Universidade de Harvard. O livro é preciso, com metodologia científica e histórica impecável dentro de um assunto tão maldito. Quando o li fiquei com medo. Parecia que estava tocando os extraterrestres com a mão! Leonardo Boff e Pierre Weil também ficaram com medo quando leram.

O mundo acadêmico caiu sobre a cabeça dele. O *Sixty Minutes* desistiu de entrevistá-lo porque também ficou com medo. *A vida secreta* deu um outro peso à pesquisa sobre OVNIs. Está chegando o momento em que ninguém mais poderá negá-los. E aí? Onde ficarão nossas certezas? Nisso, comparo este início de milênio ao momento em que Copérnico descobriu que a Terra não era o centro do universo. Só publicou no fim da vida. Morto, ele não pôde ser condenado à fogueira. Mas a humanidade mudou completamente a sua maneira de ver o mundo.

Esses pesquisadores também estão sendo postos na fogueira. Mas e se o que descobriram for verdade? Todas as nossas certezas cairão por terra. Será a descoberta mais importante da humanidade. Como a existência de Deus, a dos extraterrestres não é matéria de crença, mas de verificação científica. Quer acreditemos quer não nessas coisas, não faz a menor diferença...

Aposto em David. Ele é tão mais maldito que todos nós porque está mexendo com o universo...

Pensamento Universal no Brasil

Está se construindo um pensamento universal brasileiro que é ao mesmo tempo um pensamento universal não-colonizado. Temos direito a ter uma cultura autônoma. Sempre ajudei a construí-la, e vou continuar ajudando. Os europeus e americanos não entendem, mas enquanto não construirmos uma cultura e uma visão de mundo brasileiras seremos sempre invadidos culturalmente e depois economicamente pelo pensamento, pela cultura e pela economia dominantes. Por isso, europeus e americanos têm uma identidade cultural forte e uma economia autônoma. Então o que edito? Trago para a editora os autores brasileiros que trabalham os seus livros e que são autores de proa, que tratam de problemas brasileiros ou universais, não importa... A editora aborda muitos problemas de gênero absolutamente brasileiros, como os livros do Unicef e da Fundação Carlos Chagas, que foram pesquisas brasileiras. E livros universais também. Lancei uma ou outra antologia americana que são textos pós-patriarcais e que não temos condições de criar no Brasil, como *Gênero, corpo, conhecimento,* de Susan Bordo.

Aí sim, nós brasileiros teremos o direito de construir um pensamento universal, brasileiro... Leonardo, por exemplo, não usa a temática unicamente brasileira, a temática dele é também a universal. As grandes cabeças da América Latina criam temáticas universais. Como Octavio Paz, por exemplo, que criou a partir das suas origens étnicas, ou Leonardo Boff, que criou a nossa teologia da fome, e faz uma contribuição universal enorme. Mesmo em relação ao problema da mulher, o feminismo no Brasil é realmente oposto ao feminismo americano. Neste campo, temos uma temática universal e local ao mesmo tempo.

A força cultural do Brasil é maior do que a força de São Paulo ou do Rio. A cultura brasileira está se descentralizando, como tem que ser.

São Paulo, por exemplo, pensa muito em dinheiro. E, nesse ponto, é realmente o centro. Mas é preciso ser pobre para criar. Quando se tem dinheiro não se cria, trata-se de dinheiro. É o problema dos EUA, lá não se cria muito. Só nas áreas tecnológica e financeira, como em São Paulo, onde o pensamento está ficando mais e mais refinado, menos acessível, e com menos impacto. E as pessoas estão lá estabelecidas com mais regalias, salários altos e *status* maior que nos outros estados. O mundo é assim.

E na Europa e nos Estados Unidos é a mesma coisa. Leonardo dizia: "Eles não criam mais nada, nem na Europa, não se vê mais um Sartre, um Foucault, um Guattari." Não tem mais ninguém vivo de grande porte. Sei que é uma afirmação ousada, mas penso assim mesmo. Eles vivem dos nossos restos... Nós é que estamos criando agora, nós os pobres é que criamos. E é verdade, a gente cria. Não me sinto caudatária, nem colonizada. Ponho em questão tudo que está aí. Por isso acho que temos direito a um lugar universal. E essa maneira de ver o latino-americano como o específico e o Primeiro Mundo como o geral é uma maneira de ver preconceituosa e até criminosa.

Acho que isso é tudo o que tenho a dizer da Rosa dos Tempos. Ela é toda voltada para o futuro. E tenho total liberdade para fazer o que quero. Foi assim que recebi o convite para ir para a Filadélfia, em 1997.

Introdução aos EUA

Quem Tem Medo de Satanás

O século XX acaba com a queda do Muro de Berlim. O século XXI começa realmente com a quebra do México em 1994. A globalização econômica passa então a atrair a atenção do mundo inteiro. Pouco depois quebram o Sudeste asiático, a Rússia, e então o Brasil. O mundo inteiro é arrastado numa vertigem incontrolável.

Minha estada nos Estados Unidos de 97 a 98 permitiu-me conhecer uma das mulheres mais lúcidas que já vi: Rebecca Alpert, responsável pelo meu trabalho na Universidade de Temple, rabina, lésbica e doutora em religião. Foi ela quem me ajudou a decifrar a esfinge. Depois de cinco meses de muita pesquisa e muita angústia, desabafei com ela. "Parece-me que o povo americano reprimiu a sua profundidade." "Não, nós negociamos a nossa profundidade em troca de poder e riqueza."

Foi um soco no estômago: "Então vocês fizeram a aposta do dr. Fausto — venderam a alma ao diabo?" "Sim." Naquele momento comecei a entender a globalização.

CAPÍTULO 31

Os EUA nos Anos 80

Além de viajar pelo Brasil, eu viajava muito para o exterior, especialmente para os EUA, aonde fui em 81, 84, 85 e 88. Nessas viagens dos anos 80 aos EUA, vi, pouco a pouco, os conservadores invadirem esse país de dentro para fora. Vi a época dos *yuppies* (*young upward bound mobile professionals*). Nos anos 80, a moda não eram mais os *hippies*, mas os *yuppies*, ganhando 500 mil dólares por ano; e eu via nos metrôs a cara do povo americano, de uma tristeza, uma infelicidade... Voltou ao que era antes. A Revolução das Mentalidades tinha morrido, e tudo o que eu fiz também acabou sendo esmagado. O Villa-Lobos, a Vozes, o que fiz nos EUA em 77. Eu achava estranho que as pessoas que tinham *tenure* (estabilidade) nas universidades nos anos 70 ainda estivessem trabalhando. O movimento de mulheres já criava a categoria de gênero nos EUA. E começávamos a trabalhar de maneira mais sistematizada. No Brasil, as mulheres já começavam a ter acesso ao poder.

Quando fui aos EUA em 88, já havia uma outra categoria criada que realmente arrebentou com as pessoas progressistas que tinham *tenure* nos anos 70. Essa categoria era o *politically correct* (politicamente correto), o patrulhamento ideológico mais terrível que eu já vira. Nada havia de semelhante no mundo inteiro. Descobri isso no fim da década. Essa maneira de pensar começara no início da década, mas só consegui perceber o fechamento da mente americana muito depois... E o medo das pessoas na universidade de tomar atitudes progressistas, a não ser na área de gênero. O trabalho feminista deixara de ser político e passara a ser *genderized.* Para mim emerge uma grande alienação, uma dissociação entre política e gênero, que veria mais tarde, na Filadélfia.

Nos EUA há mais sexismo nas universidades do que no Brasil. Há mais professores homens e mais estudantes mulheres. Mas há menos machismo. O sexismo é mais institucional, e o machismo é de âmbito individual. Acho os homens americanos muito menos machistas que os latino-americanos, bem menos mesmo. Quando eu telefonava para a casa de um homem nos EUA, ou ele estava lavando o banheiro ou limpando a casa... imagina se um homem latino-americano faz uma coisa dessas. E isso é fundamental para mudar a cabeça dos filhos, porque, na medida em que uma criança é educada só pela mãe (isso quem diz é Nancy Chorodov, em *Psicanálise da maternidade,* e concordo com ela), as meninas vão desprezar a mãe e os meninos também porque o pai fica num patamar superior. Na medida em que se tem uma criança educada pelo pai e pela mãe, os cuidados maternos são divididos por ambos, homem e mulher. No primeiro caso, quando só a mãe cuida das crianças, se estabelece uma sociedade autoritária e as crianças acham natural a existência de uma sociedade em que uns mandam e outros obedecem. Quando, ao contrário, o pai e a mãe trabalham juntos e cuidam juntos da criança, trocando fraldas etc., a criança não percebe relações de poder entre os dois, mas, sim, uma sociedade pluralista e democrática, em que as duas partes se respeitam. Isto porque a mãe também traz dinheiro para casa, às vezes até mais que o pai. E está sendo assim há trinta anos, desde que as mulheres em massa saíram de casa para trabalhar.

É a partir de trinta anos atrás que as sociedades, ao menos no Primeiro Mundo e em certas regiões do Terceiro, já não aceitam mais regimes autoritários. Por exemplo, no Brasil um regime militar hoje é impensável. Parece tão longínquo, e ao mesmo tempo é tão próximo! Porque já há em algumas classes uma família cujo modelo não é mais o modelo clássico de opressor e oprimido, mas de iguais e pluralista. A conseqüência mais fantástica da Revolução das Mentalidades foi a mudança da natureza da família e da relação entre homens e mulheres, pelo menos em embrião, o que a prazo mais longo leva à mudança da natureza de mercado econômico.

Os movimentos populares e a democracia nascem neste último quarto de século, e são filhos da libertação da mulher. Até meados do século XX, nunca houve democracia verdadeira no mundo. Nem a famosa democracia grega, que era uma democracia de senhores de escravos, nem a democracia americana, que é a maior ditadura econômica da história.

Filadélfia: Onde Satanás Aparece

Em 1995, recebi um segundo convite para passar um semestre nos EUA, mas agora, não para dar aula e, sim, pesquisar. Isso foi extraordinariamente importante para mim como editora. Estava querendo conhecer mais profundamente aquela cultura subjacente ao fenômeno econômico da globalização. E mais uma vez Deus aparece na minha vida na pessoa dos que me convidaram. Regina e Philip Evanson, professores da Universidade de Temple, ela musicista e ele brasilianista encarregado do Programa de Estudos Latino-americanos da universidade. Um convite assim caído do céu. Era Deus me acenando, e eu fui.

Quinze de janeiro de 1997. Exatamente vinte anos depois de 15 de janeiro de 1977, quando eu chegava a Amherst. Foi muito simbólico. Outro inverno fenomenal. Praticamente perdi o movimento de uma perna por causa de uma bela artrose que se revelou no inverno da Filadélfia. Meu nariz explodiu, porque não agüentava andar naqueles ventos terríveis... Muito diferente de Amherst. Na Filadélfia, tinha que andar no frio intenso para pegar o ônibus. Em Amherst sempre havia uma rede de pessoas para dar carona a quem precisasse. Na Filadélfia não. A vida é difícil no inverno. Vida urbana. Salve-se quem puder.

Meu reencontro com os EUA vale um balanço. Não sobre a minha vida na Filadélfia, mas apenas o que vi. Minha vivência pessoal desses últimos quatro anos, desde 1996, ainda não está suficientemente decantada. Seria temerário escrever sobre ela. Por isso, deixo de falar da minha subjetividade a partir de agora.

Tinha ido aos EUA seis vezes entre 77 e 97. Achava então que a minha carreira internacional já acabara. Tinha deixado de ir à Austrália, a Amsterdã, a Nova Delhi, porque estava ainda doente quando fiz a Rosa dos Tempos. Em 91/92/93 passei mal, com seqüelas do câncer, e não queria fazer viagens maiores.

Mas fui em 97 para a Filadélfia com Lívia, minha linda neta de 19 anos e futura oceanógrafa, porque achava que sozinha não iria agüentar fisicamente... Foi muito bom levá-la comigo. Ela me impediu de naufragar na solidão. Nos EUA, as relações humanas são diferentes do Brasil. São mais difíceis. Porque as pessoas são distanciadas. Depois vim a saber por Lívia, que queria ser *baby sitter* para defender um dinheirinho, que era comum as mães não tocarem os filhos quando nascem. Brasileira, ela notou que as brasileiras vivem beijando e abraçando as crianças, o que acaba causando ciúmes nas mães porque as crianças preferem as *baby sitters*, quando elas são latinas.

E foi essa realidade primeira que me deu uma pista de por que eu achava tudo tão dicotomizado no povo americano. Eu mesma tive muita dificuldade de contato com as pessoas, embora tenha tido relações das mais profundas na minha vida lá. Mas isso não quer dizer que a maioria das pessoas seja assim. Era tudo explodido. A relação das pessoas consigo mesmas era muito difícil. Lá por exemplo não existe família. São todas explodidas. A história da família de Howard Wiarda, que encontrei em Amherst, é típica. Esta família era agregada em 1977. Hoje ele vive em Amherst, Yeda vive em Washington, um filho deles vive no Alabama, a filha em Arkansas e o outro filho em Chicago. Mesmo assim, o marido e a mulher desses casais vivem cada um em uma cidade diferente mas próxima, que é onde cada um pode achar emprego. A vida de família de classe média nos EUA é cindida. E vi também uma cisão muito grande entre as pessoas casadas. Os casais são tradicionais, mais tradicionais que em 77. Hoje, 20 anos depois, houve um retrocesso.

Tarados e Doentios

Por outro lado, percebo uma avassaladora obsessão sexual negativa. O problema do assédio sexual, por exemplo. Tudo é assédio. O máximo de perversão em relação a isso foi a condenação de um menino de seis anos que beijou a coleguinha. No Brasil isso é vivido de outra forma, embora haja muita violência sexual.

O problema do estupro, nos Estados Unidos, parece ser bem maior, pela quantidade de literatura sobre o assunto. Às vezes a mulher provoca. Pode até ser. Mas na grande maioria dos casos não é a mulher quem provoca. Ela é violentada mesmo. Aqui também a incidência de estupro é grande, mas não há obsessão.

Outro exemplo é o adultério. Tomemos o caso das Forças Armadas. Quando eu estava lá, estourou, em maio de 1997, o caso da coitadinha daquela pilota, Kelly, de 26 anos. Ela andara transando com um colega que não sabia ser casado. Foi obrigada a pedir exoneração para não ser julgada e condenada pela corte marcial. Gostei do protesto e da autocrítica dos franceses, publicado no *New York Times*: se isso acontecesse na França, não sobrava ninguém nas Forças Armadas...

Essa obsessão com a sexualidade, o estupro, o assédio, o incesto é pesada. Há livros que até estão em listas de *bestsellers*, memórias feitas só para ganhar dinheiro, com a pessoa se desnudando sem ter uma função pública. Tudo isso para mim era estranho. Na lista de *bestsellers* de 97, por exemplo, havia um livro chamado *The Kiss* que é um horror. É a história de uma mulher que teve um caso com o próprio pai. O livro inteiro é sobre isso. O americano me parece tarado, doentio, em matéria de sexo.

E vi ainda coisas no cinema, na televisão, explorando essas taras. Todos os *talk shows* na televisão, se não têm tara, não têm audiência. Vi também o filme de Howard Stern, que no Brasil se chamou *O rei da baixaria,* e que aqui passou despercebido. Stern fez a mesma coisa no rádio, e foi por aí que as coisas começaram a fazer sentido para mim. Um homem que bebia porra no rádio, que levava mulher nua, que fazia as ouvintes terem orgasmos no ar, explodiu de audiência... O diabo é que isso no Brasil não tem sentido. Tentaram no SBT, na Manchete, na Record, não deu certo. O público dessa baixaria é muito pequeno. Principalmente quando foi revelado que em muitos casos o relato não era verdadeiro, mas armado por atores contratados.

E a música americana? Uma música violenta, de uma agressividade, de uma falta de erotismo. No Brasil temos o samba, que é telúrico, erótico, sensual. Nos EUA, só existem a música romântica dissociada dos anos 50, o *rock* e também o *rap*, barulhento e sem tesão.

E quanto ao próprio erotismo... como é difícil entre homens e mulheres. Comentei isso com Rebeca, e ela disse: "Pois é, muitas mulheres querem ser lésbicas porque nós somos uma comunidade, a sociedade como tal é dissociada, mas nós não somos." Fiquei quieta. De fato, vi várias mulheres se tornando lésbicas em 1977, e nenhuma se tornando heterossexual.

Aí vi outra tara, o problema do feminismo, que lá é violento, agressivo. Há uma separação entre os homens e as mulheres. As heterossexuais são consideradas mulheres de segunda classe nas vanguardas feministas das universidades, e, embora as estatísticas mostrem que cerca de 40% de todas as mulheres americanas se consideram feministas, isto é, mais de 50 milhões, e elas sejam na sua maioria heterossexuais, os pontos-chaves acadêmicos estão mais nas mãos dos homossexuais do que dos heterossexuais. Assim, vejo que na sociedade americana tudo é cindido.

No campo afetivo, se você precisa de uma pessoa, ela, na hora do desespero, foge. Foi o caso do meu aluno Michael, que, quando eu estava sentindo dor no peito e pedi a ele, que era meu vizinho, que fosse comigo até o Jefferson Hospital, respondeu: "Ah, estou cansado. Você vai lá e depois me telefona." Assim, tive que pagar um motorista de táxi para me levar para o hospital, porque o próprio pessoal da recepção do hotel onde eu vivia me aconselhou a fazer isso.

E o pragmatismo na relação entre as pessoas! Por isso os americanos que moraram no Brasil sentiam mais o problema. Yeda Wiarda disse: "Aqui a gente não tem amigos." Isso disseram também Daniel Hutchins, Eugenio Rauza, absolutamente todos. E Yeda disse mais: "Os meus melhores amigos ainda são os do Brasil, porque aqui só temos amigos profissionais." É um depoimento sério dela, que passou quase a vida inteira nos EUA, mais de trinta anos. "Você não tem amigos pessoais com quem comunique sua profundidade, não tem pessoas com quem possa viver uma relação mais profunda." Pensei: "Imagina o sexo, como deve ser mecânico!" E as pessoas que estão lá e que querem voltar para o Brasil? Estão desesperadas porque sabem o que é amizade, e elas próprias não fazem amigos.

No Brasil temos aquela cordialidade, aquela compaixão... Todos os países menos desenvolvidos, menos ligados ao dinheiro, têm o sentimento humano e o afeto mais desenvolvidos e a economia menos desenvolvida. Quanto mais desenvolvido um país, mais desumanas as relações entre as pessoas.

A Globalização

Quando escrevi *Os seis meses em que fui homem*, tinha em mente *O mal-estar da civilização*, de Freud. Neste livro, Freud dizia que as pessoas ricas, a classe dominante, eram sado-anais (a mesma coisa encontrei em *A se-*

xualidade da mulher brasileira). Elas reprimiam a profundidade e transformavam tudo em coisas, objetos. Vi isso nos EUA em cada ser humano. É por isso que naquela nação as pessoas produzem riquezas não para si, mas para a Merril Lynch, por exemplo, que é a maior corretora de valores do mundo. E essas pessoas produzem para os donos do dinheiro gozarem. Trabalham tanto que ninguém tem tempo para nada. Quase todas são *workaholics*.

E para entender isso é preciso conhecer a vida cotidiana do americano médio. Logo que acorda, ele faz o café, lava a louça, lava o carro, vai para o trabalho, escreve e passa os fax, as cartas, as xerox, faz os próprios telefonemas. Se não tem secretária é porque a secretária está lá do lado também, produzindo riqueza. Chega em casa vai fazer comida, lavar banheiro, cortar grama, limpar pó... Quase não existem empregadas domésticas. Está todo mundo produzindo riqueza. E isso "tudo sempre igual", todos os dias da vida, porque os americanos não pagam empregados. Além do mais, são avarentos... Porque existe muito imigrante lá precisando... Mas eles também procuram produzir riqueza. E produzem sem gozar dela... É por isso que a taxa de desemprego nos EUA é a mais baixa do mundo. Vai gente de toda parte para lá. Para produzir riqueza nos EUA.

O governo americano tem uma política por cima dos panos de dizer que não quer imigração e por baixo dos panos deixa todo mundo entrar. Tenho em casa um estudo do *New York Times* dizendo que os imigrantes ilegais, esses dos *sweat shops* ("fábricas de suor"), acrescentam pelo menos, por baixo, à economia americana, 10 bilhões de dólares por ano, limpos, deduzidas as despesas. Por isso eles não têm interesse em acabar com a imigração. Todas as cidades americanas são cercadas de um cinturão do que eles chamam *sweat shops* em que são empregados apenas imigrantes ilegais, em geral asiáticos ou latino-americanos. Eles trabalham por um quinto do salário dos operários americanos, não têm benefícios sociais. São quase escravos. Mas para eles é melhor serem escravos no país mais rico do mundo com esperança para seus filhos do que em seus países de origem, sem esperança nenhuma. É por isso que os produtos fabricados nos EUA baixam continuamente de preço.

Como Midas, que transforma tudo que toca em ouro, quer dizer, tudo em fezes, porque o ouro é a metáfora das fezes, assim são os Estados Unidos. Lá, tudo vira ouro. Nunca vivi isso numa profundidade tão grande. Aquela foi a primeira vez que fui aos EUA depois que escrevi *Os seis meses em que fui homem*. E eu já estava muito desconfiada da realidade cotidiana de um país rico. Lá praticamente não se via a capacidade de gozo das pessoas. Como as relações interpessoais eram muito difíceis, era mais fácil canalizar o desejo para o trabalho, para objetos não-corporais.

No Brasil a gente não tem esse grau de sublimação. Nosso grau de sublimação é muito menor. Então conseguimos ter uma profundidade mais aberta. A relação mãe e filho é mais carinhosa. A relação homem e mulher pode até ser quebrada, mas é mais erótica. A música é erótica, não é violenta. No Brasil, esses grupos de *rock* violento não vendem tanto quanto a música sertaneja, de Chitãozinho e Xororó, nem como a de Roberto Carlos ou mesmo a Bossa Nova... por exemplo, aqui, um Howard Stern não colava.

No Brasil, temos o Casseta & Planeta, cujo humor não é agressivo; eles são hilários, pintam e bordam com todo mundo. Eles pegam a mim como pato também, mas não têm a agressividade do Howard Stern. Uma vez eles fizeram um *show* chamado *Preto com um buraco no meio*. E, com esse título, mexeram com o movimento negro. Fizeram uma música chamada *Toda mulher é vaca*. As feministas escreveram chiando, e eles compuseram outra chamada *Todo homem é viado*, para dizer que estavam arrependidos. Nos *shows*, três deles botavam um cabelão, uns óculos de fundo de garrafa, uma saia, e anunciavam que a música seria cantada pelas sociólogas trigêmeas Rose, Marie e Muraro. Outra vez o Sérgio Machado disse a um deles que na Record tinha alguém de quem eles gostavam, que era eu. E o idiota respondeu: "É verdade, comi muito." Eles são muito engraçados, não são agressivos, não ofendem.

Porque nos EUA, como a sensualidade é reprimida, ninguém pode tocar em ninguém. Ninguém toca na mão de ninguém. A pessoa dá um pulo para trás. Aqui todo mundo beija, se abraça, fala palavrão; nos EUA, não se fala palavrão, nem um só. As pessoas ficam vermelhas, não têm catarse.

Mesmo a minha neta Lívia sofreu muito. Ela ficou deprimida, até com a Igreja. Ela disse que a Igreja só pensa em dinheiro, em trazer gente que possa dar dinheiro, se não der dinheiro é considerado cidadão de segunda categoria.

Há também o multiculturalismo, dissociado em guetos, ninguém se mistura com ninguém. Os negros não querem se misturar com os brancos, o que aliás é muito interessante. As raças não querem se misturar para não ficar com a cabeça do colonizador. E isto é muito importante. Lá, a religião que mais cresce é o islamismo, a religião mais fundamentalista que existe, porque é através dela que os pobres se diferenciam do colonizador, cuja religião dominante é o cristianismo. Nos EUA, não se pode ter um projeto nacional; o único projeto nacional que existe é o projeto internacional das grandes transacionais. É muito duro aceitar isso.

Lá não há reivindicações étnicas por causa do dinheiro. Imagina se eles vão fazer reivindicações quando ganham um salário e entram para o *main stream* do maior país do mundo e ao mesmo tempo conseguem preservar a sua cultura. Acho que nem é de interesse deles...

E ali estava, ao alcance da minha mão, a cultura que era a base, o fundamento da hegemonia econômica mais sofisticada da história humana. Eu já começava a entender a esfinge.

A Hegemonia Econômica

Fui para a Filadélfia fazer uma atualização do livro *Automação e o futuro do homem*. Tinha muitas idéias. Eu era irresponsável quando escrevi o livro em 68. Quando vi o que estava acontecendo nos EUA e no mundo em 1997, pensei: "Agora não adianta mais fazer futurologia, falar do presente já é uma grande coisa." Porque a aceleração histórica é de tal ordem que não dominamos mais o presente. E essa globalização que é a realidade cujas tendências a gente já via há muito tempo, ali, já era realidade cotidiana... Ouvi falar dos capitais derivativos em 1985, quando ninguém sabia o que eram. Maria da Conceição Tavares já falava que o mundo ia ser devorado pelos capitais derivativos, a que ela chamava "capitais-piranha".

Eu estava muito preocupada com o fato de os EUA terem ganhado a Guerra Fria, e me parecia que o mundo entrara numa fase de grande e terrível obscuridade. A impressão que eu tinha é de que o mundo estava lidando com a besta do Apocalipse, coisa muito séria, muito mais séria do que se podia imaginar.

Eu tinha conversado com Gregório Baremblitt e perguntei: "Quero saber quanto dinheiro circula nas bolsas de valores do mundo inteiro." A mesma pergunta fiz ao Noam Chomsky, quando fui visitá-lo em Boston, e foi então que ele começou a se ligar em mim. Eu queria saber quanto desse dinheiro está aplicado ao sistema produtivo e quanto é *hot money*. E queria saber quanto dinheiro circula no sistema produtivo fora das bolsas. Trabalhei aqueles meses todos em silêncio, quieta, quando não estava na universidade ou conversando com colegas.

E consegui os dados. Poucos, mas consegui. Uma coisa que consegui saber é qual o produto bruto do mundo. Veio também no *New York Times* e na *Folha de S. Paulo*. O produto do mundo é 27 trilhões de dólares, e o produto bruto dos EUA é 8 trilhões de dólares. O dinheiro aplicado nas bolsas pode chegar a 50 trilhões anualmente. Destes, 13 são capitais de curto prazo. E, segundo a Organização Mundial do Comércio, em 97 circularam no sistema produtivo internacional só 6 trilhões. Essa é a pior das perversões da história humana. Digna dessa cultura perversa que lhe deu origem.

Vi também outro fato. Quando Bill Clinton foi ao México em 97 tratar da questão da droga, disse que os EUA tinham 5% da população mundial mas consumiam 50% da droga do mundo. E Chomsky me falou que 50% de todos os investimentos internacionais dos EUA estavam nas Américas Latina e Central, especialmente nas Bahamas, Ilhas Cayman e Panamá. Adivinha! Dinheiro sujo. Isto estava registrado no *Foreign Investiment Report* de 1994, publicado pelo Banco Mundial anualmente e que na época era o mais recente disponível.

A economia ilegal é agora a economia mais importante do mundo. É a que manda na economia formal. Isso está acontecendo de uns cinco anos para cá. É muito recente. E o que acontece com esse dinheiro? Ele é "esquentado" e vai para a Bolsa de Nova York ou ainda "frio" vai para a Suíça. Aí entra na economia formal.

Eu sempre quis saber quanto se jogava por dia nas bolsas do mundo, e o Chomsky disse: "Os grandes economistas sabem, mas quem responder isso para você destrói sua carreira." O *NYT* publicou recentemente um artigo em que esse número era estimado em 1,5 trilhão de dólares. Luiza Erundina, num artigo na *Folha* de 14 de maio de 99, citou o mesmo número.

Esses capitais vão para a Bolsa de Nova York, o que fatalmente aumenta a produtividade do sistema produtivo americano. E então se baixam os preços. Está sendo feito um *dumping* sobre toda a produção do resto do mundo.

É por isso que os EUA têm tanto medo de que a China entre para a Organização Mundial do Comércio, porque vai acabar com eles. É o único país que pode acabar com o sistema produtivo americano. Isso eu vi durante esses cinco meses em que fiquei lá. Não fiz outra coisa senão ler, ouvir, observar... E de repente tudo começou a fazer sentido na minha cabeça. Essa economia é alimentada com dinheiro sujo, não só americano, mas do mundo inteiro, principalmente o dinheiro da droga. E esse dinheiro que é lavado também financia indústrias nos EUA. O que está aumentando enormemente o poder econômico desse país.

Este dinheiro vai para lá porque os EUA são mais seguros. As *blue chips* do Índice Médio Industrial Dow Jones são imbatíveis... Não foi à toa que o Dow Jones levou 82 dias para subir de seis mil para sete mil pontos. E de 10 para 11 mil em um mês (abril de 99). Antigamente se levava dez anos para subir mil pontos. Neste caso também estamos diante de uma exponencial. Por quê? As ações estão supervalorizadas. Alan Greenspan, presidente do Federal Reserve, estava apavorado, em 96, com a "euforia irracional", mas o dinheiro que foi para lá é tanto que essas ações não baixam. Elas são valorizadas artificialmente, e não vão cair. No dia em que caírem nos EUA caem no mundo inteiro. Enquanto isso, no resto do mundo, as ações e o sistema produtivo estão sucateados, muito abaixo do valor.

Enquanto estive lá, houve uma queda no Dow Jones de uns trezentos pontos. Conversando com um investidor, ele me disse: "Comprei ações na baixa, ganhei 30 mil dólares em um dia." Então é comprando e vendendo nessas variações pequenas que quem sabe (não é preciso nem sequer ter informações privilegiadas) ganha muito dinheiro. E é assim que está se consolidando a riqueza dos EUA. E o dinheiro vem drenado do desemprego da Europa, do Brasil, do Terceiro Mundo, dos *sweat shops*, do trabalho escravo... Por que tanto dinheiro, de onde ele vem? Além do dinheiro da droga, ele é o dinheiro do desemprego tecnológico, o uso intensivo de tecnologia substituindo o uso intensivo do trabalho. O que quer dizer menos para a produção e mais para a Bolsa.

O capitalismo mundial integrado é abstrato, e as pessoas nos EUA ficam fazendo a política do avestruz, elas ficam sempre vendo esportes ou fazendo um sexo dissociado, põem o dinheiro nos fundos e estão pouco se lixando, porque todas vão ficar ricas. Cheias de bens de consumo. E jogando mais na Bolsa para ganhar mais dinheiro. Mais dinheiro, mais, mais...

O Trabalho dos Micróbios

É muito sofrida, essa parte econômica. É muito dura mas tenho para mim que alguma coisa vai acontecer. O problema não é ter força para resistir a isso; é que se todo mundo trabalhar contra as "Merrill Lynch" da vida etc. mesmo que seja um micróbio, acaba vencendo. E a única maneira é a organização popular, é a população organizada tomar as rédeas do Estado, pelo menos em um país, e puxar o processo para os outros países. É assim que acontece no corpo humano. Os vírus e bactérias aos bilhões, imperceptíveis, organizados... só eles são capazes de fazer esse corpo morrer!

O que Chomsky me disse sobre esses capitais derivativos, e eu estou de acordo com ele, é que se tivesse uma pequena taxa de 0,01% (Imposto Tobim) sobre o capital de curto prazo em cada operação, o problema do mundo inteiro de desemprego e de fome estaria resolvido. E eles não impõem essa taxa. Segundo Luiza Erundina, no mesmo artigo, os países arrecadariam 166 bilhões de dólares por ano, uma gota d'água para o mercado financeiro e que faz toda a diferença para quem tem fome. Alguns países (Austrália, França) já estão cobrando esse imposto. E nós?

Essa é a lei que vem desse povo, que tem uma relação impessoal com as pessoas e uma relação abstrata de mercado. Foi a primeira vez que consegui decifrar um pouco dessa esfinge e perceber a relação entre a economia tão violenta, tão mecânica, e a cabeça do povo americano. É essa cabeça que faz essas coisas ou que permite que elas sejam feitas.

CAPÍTULO 32

Talvez Exista uma Saída

Estamos em fins de 1999, e tudo o que vivi na Filadélfia parece pré-história. A globalização econômica avançou tanto, se enraizou tanto no mundo, que parece velha.

Já em meados de 97, o Sudeste asiático quebra. Descobre-se lá uma tremenda roubalheira. Os senhores feudais, que aparentemente haviam queimado etapas dentro do sistema capitalista, mostram a sua verdadeira face, tratando suas nações como feudos. Inclusive o Japão, onde seus senhores manipulavam os preços de todos os objetos de consumo, fazendo-os subir enormemente. De repente, em janeiro de 98, a bolha japonesa estourou. No mesmo ano quebrara a Rússia. Outra roubalheira selvagem. A burguesia dominante daquele país descontrolado pensa que se "ajeitar" no sistema capitalista é roubar o mais que puder.

Cai então o Brasil. A banca internacional segura a desvalorização do real até a posse do segundo mandato de FHC, e depois deixa cair tudo.

A Bolsa de Nova York enlouquece. Vai dinheiro do mundo todo para lá, inclusive do Brasil (só em 1998, 90 bilhões), e acontece algo muito perigoso: ações de companhias deficitárias de alta tecnologia se valorizam tanto que são vendidas como se tivessem lucro líquido de bilhões de dólares. O dinheiro que vai para lá é tanto que ninguém sabe o que fazer com ele. Está todo mundo louco, comprando...

O povo americano se endivida muito além das suas possibilidades financeiras, emprestando duas, três, quatro vezes mais do que o seu patrimônio real, esperando a valorização das ações. Cinqüenta e sete por cento do patrimônio de 120 milhões de pessoas nesse país são ações das bolsas. Segundo a *Time Magazine*, não existe mais poupança nacional. O povo gasta 0,2% a mais do que ganha. Diariamente lhe são enfiadas garganta abaixo propostas de empréstimos "irresistíveis". Mas, por baixo dos panos, o Congresso americano fez passar uma lei que toma os bens do cidadão se ele não pagar os empréstimos...

Enquanto isso, no resto do mundo, criam-se centenas de milhões de novos pobres. Novos desempregados. Inclusive aqui. Na nova geração, marido e mulher parecem brigar por problemas objetivos, mas, no fundo, vê-se que o motivo é financeiro. As crianças sofrem. É muito doloroso. Nem que eles queiram morrer de trabalhar, não conseguem ganhar o suficiente... Às vezes não há o que trabalhar.

Achei que tinha visto de tudo na vida, mas não sabia que veria esses estertores tão violentos do sistema capitalista. E espero que sejam os finais. Acho que o mundo, na aceleração em que vai, não tem possibilidade física de agüentar muito mais tempo.

Sim! O mundo está seguro na brocha. Todos os países devem a todos os países. Especialmente os EUA, que estão devendo três vezes o seu PIB. Até agora ninguém cobrou. E se cobrar?

O Fracasso da Ética Protestante

Mas aí entra um dos mais interessantes acontecimentos deste século. O julgamento do presidente Bill Clinton. Os conservadores tentam um golpe e criam o escândalo da sexualidade do presidente. Depois de um ano de luta, descobrem, espantados, que o conservadorismo perdeu a batalha. O povo americano não é mais tão conservador como se pensava. Os republicanos não tiveram votos no Senado sequer para censurar o presidente. Alguns senadores republicanos votaram contra o seu partido... Ficaram com medo de perder votos.

A partir desse escândalo, não se pode usar mais a sexualidade para manipular o poder. A ética protestante tem a sua primeira grande derrota na história.

Isso quer dizer que o pluralismo do anos 70 não morreu. Ou melhor, que o trabalho insano realizado pelos *think tanks* nos anos 80/90 tinha fracassado, ao menos em parte. A Revolução das Mentalidades não morrera...

Espero que meu otimismo não seja delirante. É quase impossível quebrar essa concentração de renda mundial que se agudiza cada vez mais. Em 98, em plena crise, saiu dos países emergentes 1,5 trilhão de dólares, dinheiro embolsado pelos países ricos. Estes dados são da Sobeet — Sociedade Brasileira de Estudos de Empresas Transnacionais. Segundo a revista *Fortune,* 358 grupos detêm 45% do PIB mundial. Elas controlam os Bancos Centrais dos países desenvolvidos, controlam o FMI, o BIRD e o Banco Mundial. São os *money masters*, os donos do dinheiro. Elas têm o poder de provocar períodos de expansão ou recessões econômicas de acordo com os seus interesses. E as nações são impotentes à sua pressão. Somos todos, hoje, reféns dos *money masters*. E ainda falam da concentração de renda do Brasil. E a do mundo como um todo, onde fica? A concentração é muito mais aguda.

Parece um pesadelo. O pior de todos. O Grande Irmão está aí, e é invisível, impalpável. Sem rosto. Não podemos lutar contra ele.

Ou Podemos?: A Erótica Cristã

Acho que, brevemente, 80% da humanidade serão constituídos de excluídos e só 20% entrarão na economia formal. E isto é para a primeira ou segunda década do milênio. E aí muita coisa terá que mudar, como, por exemplo, a natureza do dinheiro e a estrutura das relações humanas.

Chegará um tempo em que só teremos uns aos outros. Nenhuma esperança mais de ascensão social. Será a hora da verdade. Ou aprendemos a gozar uns dos outros ou morreremos. Reaprender os valores humanos e não os da produção, da fabricação da riqueza será o nosso maior desafio...

Milhões já estão fazendo isso nas comunidades dos excluídos. Como minha filha Cristina e seus companheiros na sua Igreja. Acho que são meio delirantes, mas o futuro é por aí. Uns ajudando aos outros com pouco dinheiro em circulação. Escambo nos tempos primitivos. Mutirão. Apesar das restrições, gosto muito de estar entre eles. Também em Cuba, que não é religiosa, o povo vive de mutirão e dá um exemplo para o mundo. E está exatamente aos pés do grande dragão do consumismo que são os EUA. Aliás, o próprio Fidel Castro queria abolir o dinheiro. Foi em 1966, com a campanha cubana de incentivos morais. Acho que sem dinheiro as relações humanas voltam a recuperar o seu esplendor primitivo.

Para que isso seja viável, muitas coisas até hoje consideradas eternas têm que ser desconstruídas.

Em primeiro lugar a sexualidade. Sem ser manipulada pelo sistema poderá mostrar a verdadeira cara do poder. Explico-me: as três vezes que N. S. Jesus Cristo se referiu a ela no Evangelho foi para dizer que a prostituta entraria antes de todos os outros no reino dos céus (Mt, 23:37), para dizer que os que atiravam pedras na mulher adúltera eram tão ou mais pecadores do que ela (Jo, 8: 1-11); ou para fazer a mulher promíscua e não os bem-comportados serem os arautos da sua boa-nova (Jo, 4: 16-18). E principalmente encarregando uma prostituta de comunicar a todos a sua ressurreição (Jo, 20: 17-18). E, quando falou do poder, foi com o chicote na mão (Mt, 21: 12-13) ou com palavras duríssimas (Mt, 23), ou dizendo que Satanás era o príncipe deste mundo (Jo, 8: 44).

Mais claro não poderia ser. E o que as Igrejas fizeram? Satanizaram a sexualidade e livraram a cara do poder. E a maioria dos genocídios destes últimos dois mil anos foi feita em nome de Deus e considerada justa. Inclusive esta globalização, que é o pior de todos.

Minha vida inteira foi um exemplo de como a moral serve ao sistema e a ética o faz explodir, e também de como a ética muitas vezes é imoral. Vejo hoje no meu cotidiano exemplos nítidos da diferença entre a ética e a moral. Alguns exemplos. O que é melhor: trair o marido (ou a mulher) ou entrar numa depressão profunda e contrair um câncer? Ou então o caso em que o outro ou não percebe ou não tem o mesmo nível que você: vocês têm filhos, e você quer ficar com a família, mas o parceiro não o satisfaz. Conheço uma pessoa que, naturalmente e sem culpa, divide sua vida. E assim consegue o equilíbrio para viver a vida que quer: com a mulher e os filhos e se dando satisfação junto a outra mulher.

Outro exemplo: marido e mulher são iguais. Não há entre eles espaço para mais ninguém. Aconselhei: "Defendam essa relação com unhas e dentes." Confesso que invejo estes dois. Chegam até a se parecer fisicamente!

Acho mesmo que temos o direito de mentir para defender a privacidade. Eu menti na maioria das vezes. Muitas vezes, dizer a verdade é bastante destrutivo. Mentir por amor é tão ético quanto dizer a verdade por amor. Mas é imoral. Quem agüenta ouvir o outro revelar as suas ligações extraconjugais? Muito poucos. Sei até de mais de um caso em que maridos impotentes ajudaram as mulheres a arranjar amantes porque as amavam. E as mulheres preferiram ficar com eles porque se sentiam amadas.

E o auto-erotismo? Creio que a masturbação tem, nas crianças e adolescentes, uma função organizadora da sexualidade muito importante para que eles conheçam os seus corpos. Para os velhos, talvez seja a possibilidade de obterem prazer corporal. E é para todos um alívio físico. Sobretudo nos períodos de solidão. Ela nos impede de fazermos concessões e de termos relações medíocres apenas para podermos nos expressar fisicamente. Surpreendentemente, o auto-erotismo nos garante a qualidade de vida! E mais: Deus ou a natureza não nos teriam dado essa possibilidade se não fosse para ser usada.

Aparece desta forma em toda a sua verdadeira face a repressão do erotismo: ela é feita para nos impedir de viver plenamente e assim servir melhor ao sistema.

No entanto, há muitos casos em que a moral e a ética coincidem. Conheci mulheres com filhos pequenos que, para não desfazer a família, sacrificaram a felicidade pessoal. Eu mesma fiz isso durante 20 anos, mas acho que valeu a pena. Os filhos pequenos são soberanos. Têm todo o direito de exigir tudo de nós. Em suma, a moral e a ética podem coincidir ou não. E o critério é o amor, e não o medo da punição.

Volto a N. S. Jesus Cristo. Não parece, mas gosto muito dele. Porque para ele era ético trabalhar no sábado, o que era pecado grave para os judeus. Trabalhar para fazer pão, ou salvar um boi que caiu dentro de um poço etc. (Mc, 2: 23-27, Mt, 12: 10-12). Ele também aconselhava transgredir as leis rígidas em nome do amor maior. A lei, os mandamentos se anulam diante da vida ou do amor.

Quero contar aqui o caso de um pastor que conheço desde os anos 60, Nehemias Marien. Voltei a encontrá-lo agora, e o vejo com outros olhos. À luz da lei, ele é um grande transgressor, mas não aos olhos de Deus. Ele casa homossexuais, ordenou dois pastores *gays*, batizou um espírito desencarnado e incorporado em um médium no candomblé. Aquele espírito estava atormentado e, depois do batismo, descansou.

De outra feita, casou um viúvo cuja mulher tinha acabado de morrer e seu último desejo fora casar-se com ele, mesmo depois de morta. E Nehemias casou o homem e a falecida. O homem foi embora em paz, chorando.

Acho que N. S. Jesus Cristo faria o mesmo, e seria crucificado outra vez. Agora, pela sua Igreja, que seria identificada com a sinagoga... Acho que Ele se identificava mais com um "maluco beleza" caminhando pelas estradas do que um papa... Ele mesmo era um grande transgressor para os padrões da época.

Mas seria uma ética do amor, base da *erótica cristã* que os padres não tinham coragem de levar até as últimas conseqüências comigo. Nem eu conseguiria na época em que o livro foi escrito; hoje posso. Acho que aquele livro, se escrito hoje, seria mais ou menos nestes termos que estou colocando agora. E essa nova erótica produz um novo corpo livre da repressão sexual e por isso livre também da escravidão do prazer. E da escravidão econômica.

O corpo liberto não procura em primeiro lugar o prazer, mas, acima de tudo, a profundidade do ser, mesmo à custa — paradoxalmente — dos maiores sacrifícios, porque o corpo livre não tem medo nem do prazer, nem da dor. Ele aceita o prazer quando é a sua hora e a dor quando também é a sua hora. Com a mesma liberdade. Só o corpo que é capaz de viver o prazer e a dor está vivo. A maioria de nós não sabemos viver bem nem o sofrimento nem a alegria. Por isso não estamos nem vivos nem mortos.

Esse corpo produz uma família completamente diferente da que encontramos em *Sexualidade da mulher brasileira,* que enraíza o ser humano na sua classe social, isto é, na relação opressor/oprimido tida como natural. E uma família libertadora, em que homem e mulher são iguais e transmitem como natural uma sociedade democrática e pluralista, é uma família mais flexível que a patriarcal, em que se pode mudar de pai ou de mãe se a relação dos dois não funciona, até encontrar uma que funcione. Esta então vai se solidificar. Mas uma relação só funciona se for entre iguais.

Minha experiência é de que as novas gerações fazem isso mais naturalmente do que as antigas. Nestas, o homem procurava inconscientemente uma mulher inferior que cuidasse dele e dos filhos, mas a quem pudesse dominar. A relação não era de iguais, e não se transmitiam para os filhos relações simétricas. A opressão econômica vem da família que oprime, como mostrou o *Sexualidade da mulher brasileira.*

As novas gerações procuram, ao contrário dos mais velhos, os iguais, e por isso seus casamentos são mais satisfatórios. Formam realmente um par, ao contrário dos antigos. Quando a mulher descobre essa disfunção, ela se manda. Quase sempre vi os homens recuarem e optarem por ficar com a relação mais medíocre e mais segura. Os mais jovens não fazem mais isso. Eles fazem pares realmente andróginos, ou quase.

Acho as novas gerações mais sérias e mais profundas que as antigas porque não são levadas pelas teias sociais. Elas fazem e refazem suas próprias teias, o que requer mais criatividade. E, principalmente, não têm medo do afeto mais profundo. Amor para eles não está mais, como antes, ligado à morte.

Ninguém carrega mais sua cruz como os antigos. A esse respeito, em muitas ocasiões, apresentei para centenas de pessoas o seguinte dilema: você está num navio que naufraga, e só consegue um bote salva-vidas com *um* só lugar além do seu. Você tem diante de si dois homens, ou mulheres, um(a) com quem você tem uma relação sexual alucinantemente erótica mas sem qualquer envolvimento de cabeça, e outro(a) impotente, com quem seria impossível qualquer transa, mas com quem você pudesse viver os seus abismos mais profundos. Quem você levaria consigo no bote? Quase todos escolhem a segunda opção. Homens e mulheres! E a melhor resposta me foi dada por um amigo músico (claro), bem safado: "Para o segundo caso você quebra um galho com a mão. No caso do sexo sem amor, não existe saída."

Acho que isso é amar. Mas se essas pessoas vivem o seu prazer e se carregam a cruz é para lutar por um mundo melhor, e não para se adaptar à injustiça. Interessante essa noção de carregar a cruz em favor da vida e não da morte. Porque é trabalhoso ser feliz, superar as neuroses, as taras, as desigualdades sociais e econômicas...

Assim, o masculino e o feminino tomam a sua verdadeira dimensão. Entre os mais antigos, essa relação não existe porque é uma relação de dominação. Há oito mil anos que é assim. A mulher não sabe o que é o masculino nem o homem sabe o que é o feminino. Porque eles não se encontram, não se misturam.

Só a partir dos anos 70, da libertação da mulher, é que o feminino emergiu. E espero que, como nos tempos ancestrais, o feminino e o masculino juntos voltem a governar o mundo, e não apenas o masculino sozinho, como agora. E consigam tornar mais humano este mundo "globalizado"...

QUARTA PARTE

A Terra Prometida

CAPÍTULO 33

O Feminino e a Subjetividade

Para conseguir que isso aconteça, é preciso falar de subjetividade. Quando Betty Mindlin me pediu para colocar minha subjetividade neste livro, tremi porque era tudo o que não queria. Tinha gravado com o professor Evanson a parte "objetiva": o que testemunhei, o que ajudei a fazer e o que acabei fazendo. Mas não como tinha vivenciado aquilo tudo. Só consegui escrever sobre mim sozinha. Depois.

A maioria da obra dos homens é objetiva. A filósofa Robin Schott, em seu livro *Eros e os processos cognitivos,* mostra que a objetividade em filosofia (e em ciência) vem da repressão do corpo e, portanto, da negação do feminino.

Por isso, acho que a obra *objetiva* em geral, feita pelos homens, vai contra a realidade, que é ordem e desordem. É uma tentativa de controle da realidade e, portanto, destrutiva. Serve ao sistema de dominação. A física, a matemática e as ciências, com a sua "objetividade", enquanto não incorporarem o irracional, são a própria trama do poder.

Por isso trouxe para este livro a minha relação com o meu corpo, com o meu inconsciente da maneira que me foi possível.

As mulheres é que estão trazendo a subjetividade para a ciência, a subjetividade como categoria epistêmica maior, desmascarando assim a objetividade e a racionalidade. Estas, deixadas a si mesmas, são insanas, como percebi quando convivi com os físicos.

Isto foi ilustrado também na minha vida quando meu irmão Fernando morreu. Os homens da família, guiados pelo princípio abstrato de só dizer a verdade, queriam contar à minha mãe, velhinha, já sem forças. *Todas* as mulheres da família no entanto acharam que deveríamos esconder o fato, e até mentir se fosse preciso. Foi o que fizemos, porque nenhuma mãe agüentaria a morte de um filho, muito menos já sem resistência física, quase aos noventa anos.

Pensamento objetivo X inteligência emocional (subjetiva) — se esta forma de pensar for introduzida na ciência, principalmente as exatas, haverá, com a entrada do irracional, uma reviravolta no pensamento humano muito maior do que a que se deu na Renascença.

E na ação? Marta Suplicy contou-me que, quando era deputada, queria incluir no orçamento do país uma dotação para uma ampla campanha de esclarecimento e incentivo ao trabalho masculino em casa. Os deputados homens acharam aquilo absurdo, irrelevante, mas ela tinha colocado o dedo na ferida! A divisão dos cuidados maternos acaba com a transmissão da relação dominante/dominado, de geração em geração. E esta é, como vimos, a revolução mais profunda destes últimos oito mil anos e origem de toda a transformação da sociedade. O avesso da transformação que Platão desencadeou quando separou a mente do corpo em termos epistemológicos.

É esta a profundidade da ação das mulheres hoje no mundo, depois de trinta, quarenta anos de prática feminista. Queremos uma nova cabeça, que trará uma nova família, um novo Estado e um novo mercado econômico. Ela terá que vir. Ou não teremos mais humanidade.

Em duas ou três gerações, temos que reverter uma ordem que levou dezenas de séculos para se implantar.

Como Betty pediu que pensasse minha obra em relação à minha desconstrução do corpo, aí vai o que penso, e o que penso cabe em uma frase: tudo o que escrevi até 1970, quando comecei a análise e pude começar a reintegrar corpo e mente, foi parecido com o que os homens escrevem, abstrato e com desejo de controlar a realidade. O que publiquei a partir dos anos 80 é muito mais ousado, não controla a realidade; ao contrário, procura dizer o que ela é, e não o que eu quero que ela seja. Foi assim que aconteceu no *Sexualidade da mulher brasileira*, onde não existia marco teórico e descobri o que não queria. Se eu tivesse colocado um marco teórico prévio não teria descoberto nada! Meu companheiro lacaniano não podia conceber que dali tivesse emergido a validação das teorias de Deleuze-Guattari. Para ele seria impensável sair fora da teoria de Lacan. Só porque a teoria foi colocada a partir do que revelou a prática é que pudemos encontrá-lo. Se fosse necessário criar uma teoria nova, nós a teríamos criado!

Quando não controlamos a realidade, tudo fica muito dolorido e assustador. Por isso os homens fogem da subjetividade. E a subjetividade assumida é muito mais revolucionária do que qualquer revolução tecnológica.

Amor Depois dos 60 Anos

Isso aconteceu na minha própria vida. Fazendo um balanço do que foi a minha vida afetiva, tive primeiro uma relação injusta, em que eu carregava a minha cruz. Depois vieram relações em que os homens tinham um grande medo do feminino (creio que a maioria hoje ainda tem) — foram os tempos da descoberta da incompatibilidade entre o homem e a mulher. Os anos 70. Os antigos padrões de dominação já haviam sido quebrados, mas não havíamos ainda encontrado os novos. Para mim, pelo menos, custou muito encontrar o caminho do novo na minha vida pessoal.

Só no início dos anos 80, quando consegui viver corpo, emoção e cabeça com o Poeta, é que pude vislumbrar o que poderia ser uma relação homem/mulher em sua integridade. Mas foi só uma amostra. Depois vim a ter outras relações, porém não consegui me adaptar mais. Achei tudo medíocre.

Passo então por um período de vários anos de solidão e descubro que o medo é a pior das ilusões: a solidão não é o bicho-papão que o patriarcado pinta. Acho que o medo da solidão é que faz homens e mulheres aceitarem como imutáveis relações medíocres, sem qualidade. Esse sentimento que nos é imposto de a solidão ser um fracasso é uma armadilha do sistema. Ao contrário, a solidão é a oportunidade única de a pessoa conviver consigo mesma sem muletas. E ver o que há de maturidade nisso e preparar-se (se for o caso) para desafios maiores. A solidão é que nos mostra o que é realmente a qualidade de vida.

E assim, por ter encontrado uma plenitude na solidão, não fiz mais nenhuma concessão. E, surpreendentemente, minha vida se ampliou. Em vez de decair, que é o que se espera da velhice, passei a me cercar apenas de grandes homens (e grandes mulheres também). Minha vida deu um salto qualitativo no trabalho e na afetividade. E foi assim que, em 1996, encontrei o Místico.

O Deus de Illya Prigogine

Para entender as estranhas circunstâncias em que encontrei o Místico, tenho que me explicar sobre minhas convicções religiosas hoje.

O caminho que me levou a Deus foi muito conturbado. A primeira vez que Ele me apareceu como realidade viva foi através de dom Hélder e de todo aquele ideal que me tomou inteira. Mergulhei na eternidade a ponto de meus problemas cotidianos se transfigurarem. Quando esse trabalho acabou, caí no tempo, na fragmentação, e Deus tomou outra forma, na pessoa de frei Ludovico. O exílio, o deserto, a descoberta das estruturas de poder da Igreja conservadora me fizeram sentir o peso da

Dimensão Sagrada do Poder. Depois veio o meu câncer: a perda total de fé em qualquer instituição humana ou divina.

Foi então que apareceu Illya Prigogine. Eu tinha dificuldade em explicar certas sincronicidades que perpassaram a minha vida, especialmente nos últimos tempos.

Em 1998, dei uma entrevista a um repórter abelhudo do jornal *Estado de Minas* que insistia em querer saber se eu acreditava em Deus.

— E você acha que Deus vai se importar comigo no meio desse universo, desses trilhões de estrelas? Acho que, antes de criar o universo, Deus pegou a matéria, encheu de "bracinhos", fez o Big Bang, sacudiu tudo e disse: "Virem-se." E estamos nos virando até hoje. Não foram aquelas babaquices da Bíblia... A primeira palavra de Deus foi "Virem-se!"

E continuei, diante do pobre rapaz, embasbacado:

— E isso explica tanto a formação das estrelas quanto as pessoas novas que aparecem na nossa vida. A gente só se encontra com quem é afim; se não é afim, o outro passa e a gente nem vê.

No dia seguinte apareceram umas seiscentas pessoas para me pedir satisfação. Foi um barato!

Mas era aquilo mesmo. Nos anos 70, um físico russo ganhava o Prêmio Nobel por ter dito a mesma coisa, mas de um modo muitíssimo mais elegante e com uma bela matemática: a matéria não é uniforme, mas cheia de forças, umas de atração e outras de repulsão. E, se se colocar uma perturbação (por exemplo, se "se sacudir"), o que atrai atrai o que tem que ser atraído, e o que repele repele o que tem que ser repelido. E do caos nascem a ordem, o cosmos. Isso pode ser repetido exaustivamente em laboratório.

Esse físico russo era Ilya Prigogine, que havia encontrado as equações de Deus.

Não que Deus caiba nas equações, mas elas são um poderoso meio de aproximação do Numinoso. Para mim, ele é a maior cabeça do século XX, mais que Einstein. A teoria dele explica a formação das estrelas, do ser humano, e dá conta da vida de cada um de nós. Ela não é um determinismo, mas a suprema liberdade, porque mostra que as possibilidades de cada um, a cada momento, são infinitas mas não incoerentes.

E foi devido a Prigogine também que nasceu este livro, pois foi por causa dele que procurei Cândido Mendes. Mas não sei se Cândido vai gostar do livro!

A partir daí, Deus nunca mais foi para mim objeto de fé, mas de verificação científica. Se Ele existe, tanto faz que eu acredite Nele. E, se não existe, também tanto faz...

Deus é grande demais para ser objeto de fé de uma espécie tão mesquinha e idiota como a nossa. Esta foi a mais importante descoberta da minha vida. Me dá paz até hoje. E resolveu — teoricamente — os meus problemas existenciais, inclusive o porquê do meu encontro tão extraordinário com o Místico.

O Místico

Estas vivências fazem parte daquelas que não estão suficientemente decantadas para serem contadas neste livro, mas devo ao dr. Philip Evanson, meu interlocutor americano, uma explicação daquilo que entendo por androginia. Não de maneira abstrata, mas dentro da minha subjetividade concreta. Quando ele viu a palavra no texto, escreveu: "*clarify it.*" Ou: explique. Aí vai:

Encontrei esse homem em 1996, em condições muito misteriosas. Eu estava com 65 anos. Já o conhecia há muito, mas não via nele nada de extraordinário. Até que, ao lhe dar o *Seis meses em que fui homem* (ele era um cientista social), ouvi a única palavra que há anos esperava que alguém me dissesse:

— Foi a coisa mais interessante que li depois de *O mal-estar da civilização*.

O tom era tão emocionado que o vi então como se fosse a primeira vez. Aquele homem penetrara fundo no meu processo criativo. Imediatamente me senti exposta! Aquela era a região do meu ser em que ninguém jamais havia penetrado. Era onde eu me defendia dos outros. Quando escrevi os *Seis meses,* foi exatamente naquele livro de Freud que eu pensei o tempo todo.

À medida que minha relação com ele ia se aprofundando, fui desabando pouco a pouco. E alguma coisa dentro de mim passou a ser ativada. Algo além da emoção. Danei a criar. Voltei a escrever poemas, o que não fazia desde muito. Cresceu a intimidade com a minha profundidade.

Daquele momento em diante, ele passou a ser a minha força. Tive coragem de fazer coisas que jamais imaginaria. Minha vida se ampliou muito. E aquela idade, que deveria ser o início do ocaso, veio a ser um novo patamar.

A relação homem/mulher, quando é física, pode até se esgotar no próprio ato físico. O desejo foi satisfeito e ela acaba. A relação emocional dura mais, porém, quanto mais se aprofunda, parece mais conflitar-se. Ativa as nossas neuroses, e, quando muito aprofundada, pode transformar-se num pântano. Mas quando ela inclui a criatividade, o fundo do ser de onde brota tudo, inclusive o amor, a criação e a espiritualidade, a relação não acaba. Quanto mais o tempo passa, mais ela se solidifica. Independe do tempo e do espaço, ou de qualquer circunstância. E principalmente quando ela não se esgota em si mesma e é envolvida numa relação maior, que no meu caso é a luta por esse mundo mais humano que sempre desejei, então ela pode ser indestrutível.

As palavras mais radicais que vi sobre o amor estão na Bíblia, no Cântico dos Cânticos (Cap. 8: 6-7). Nada chega perto: "O amor é forte como a morte (...), e as grandes águas não conseguem apagar suas chamas." O amor literalmente gera a vida, física, emocional ou espiritualmente.

A morte, a realidade última que nada vence, pode ser vencida pelo amor.

O fundo do ser está além da neurose, portanto além do medo. E todo medo é sempre medo da morte. Neste tipo de relação os sofrimentos, as contradições podem ser muito maiores do que nas outras, porque mais profunda, mas eles não são destrutivos. Acabam sempre abrindo mais o ser. É aí que o amor vence a morte. Quem vive o amor nesse nível não tem medo nem de sofrer nem de morrer. Morre naturalmente como os animais e as plantas porque viveu plenamente. Só tem medo da morte quem não é bem vivido porque tem medo de sofrer. E quem não é bem vivido tem também medo da grandeza. A grandeza é um alto risco... às vezes um grande sofrimento, às vezes um grande êxtase. E é essa aceitação, tanto da morte quanto da grandeza, da perda e do êxtase, que ameaça o sistema.

Para funcionar, o sistema precisa de mulheres e homens que não estejam nem vivos nem mortos, que tenham medo da dor e, portanto, do êxtase. E que gastem essa energia não vivida no consumo, no trabalho. Tentando servir a Deus e ao dinheiro, como faz o povo americano. E cada vez mais obsessivamente, porque o dinheiro não satisfaz os desejos mais profundos. É como ir cada vez mais fundo no caminho errado: só se pode chegar ao destino errado.

E foi preciso que eu escrevesse este livro inteiro, que contasse a minha vida toda, para poder dizer em duas frases o que escrevi em *Os seis meses em que fui homem*: todo sistema político-econômico hoje leva os seres humanos para um caminho que os faz "quebrar a cara" nas pedras. É literalmente o canto da sereia. O canto que leva à morte, tanto individual quanto coletiva.

E o corpo que ameaça os deuses — o sistema — é o corpo liberto, o corpo que desconstruiu tudo, inclusive a sexualidade, a riqueza, as expectativas...

Para a maioria dos seres humanos, a sexualidade é um sucedâneo da riqueza. Já que não se pode viver os desejos na riqueza, é preciso viver na sexualidade. E é isso que o sistema — os deuses — quer.

Precisei passar por todas as etapas da sexualidade para entender que ela é tão insatisfatória quanto a riqueza. Só quando não tinha mais nada em que me apoiar é que tive maturidade para poder ver o Místico, o Andrógino. Enquanto temos expectativa, não podemos encontrar os grandes seres humanos nem a realidade plena. Em geral, não agüentamos a realidade. E por isso, em geral, também não vemos a grandeza.

Androginia

Conta Platão, no *Banquete*, que no começo existiam seres de duas cabeças e quatro braços e que possuíam os órgãos sexuais do homem e da mulher. E este ser era tão poderoso que ameaçava os deuses. Para se verem livres, os deuses os cortaram ao meio, e criaram assim o Homem e a Mulher. E eles ficaram para sempre procurando um ao outro, e deixaram os deuses em paz.

A mesma origem ele atribui aos homossexuais masculinos e femininos. O que me espanta é que, com todo o seu machismo, ele tenha tido essa intuição para a origem do homem e da mulher. É que a intuição do andrógino é tão profunda que é mais forte que qualquer divergência (sexual) inconsciente, por maior que ela seja.

O mesmo mito aparece no Gênese: "E à Sua imagem os criou, e os criou macho e fêmea." Na Bíblia primitiva, Deus é Deus/Deusa. E na China, Yin/Yang. Na Índia, Shakti/Shiva.

Mas a realidade é diferente: a intuição do Homem e da Mulher integrados e complementares é substituída, na prática, pelo Homem e pela Mulher divergentes e irreconciliáveis. Mais funcional para o sistema, porque o feminino e o masculino integrados acabariam com a sobre-sublimação, que é o dirigir a libido para objetos não-corpóreos de maneira obssessiva. Acabariam com a obsessão do trabalho, da sexualidade genital, do consumo da riqueza, da briga por ela, da competição, da violência, da dominação.

Voltaríamos ao mundo do gozo físico, espiritual e emocional como foi no princípio, nas primeiras fases da vida humana primitiva, no paraíso terreno que ficou para sempre impresso em nosso corpo porque durou dezenas de séculos. O progresso tecnológico atingiria um patamar razoável porque o gozo não exclui o pensar, o criar. Muito pelo contrário: eles fazem parte do corpo liberto. Sublimar é um gozo natural. Manipular a sublimação é que é pecado.

E o corpo liberto, como toda a natureza, trabalha, produz, evolui. Mas para si mesmo, não para os outros (os patrões). Não para a morte, mas para a vida.

O corpo livre trabalha para a libertação dos outros corpos. Sua sexualidade não é a sexualidade adulta genital, mas a do corpo inteiro, que às vezes pode até excluir a genital, ou não. Sexualidade facultativa, orgasmo livre dos pés à cabeça, perverso polimorfo comparável à liberdade das crianças que, de corpo inteiro, vivem, sofrem e gozam. É por isso... literalmente, o reino dos céus é para as crianças.

O fim da compulsão pelo trabalho faz desmoronar a longo prazo todo esse monumental edifício que é a civilização baseada na lógica do capital criada pela mente em detrimento do corpo.

O corpo liberto trabalha para um outro mundo, outro tipo de civilização, solidária e não-competitiva. E não pode existir sem esse trabalho. Ele faz parte da sua natureza.

O corpo reprimido conhece o prazer da sexualidade localizada; o corpo liberto conhece o êxtase do Eros que ilumina tudo, até o trabalho, que passa a ser ação transformadora.

As mulheres estão mais próximas disso porque sublimam menos. Seu orgasmo é de corpo inteiro (e muitas vezes não é genital). Agora, é conseguir com que os homens cheguem lá. Por isso acho que Lacan tinha razão, ao falar que só os poetas e os místicos (que sublimam menos) estão mais próximos da mulher.

E acho que não foi à toa que me encontrei como mulher primeiro com um poeta e depois (e muito mais) com um místico.

Tenho certeza de que esses novos homens e mulheres criados por pai e mãe juntos não se identificam mais com o opressor/oprimida e portanto não são mais tão incompatíveis. E que encontrarão as soluções concretas que permitirão reverter esse processo de destruição, seja no plano individual, usando o sofrimento para crescer, ou no coletivo, usando a escassez como fator de humanização. E isso não é uma utopia delirante: já começa a acontecer.

A Raiz da Minha Liberdade

Depois de tudo que foi dito, podemos voltar à globalização e seus antídotos. O corpo liberto derrota o corpo oprimido; a erótica cristã é o antídoto da ética protestante. Parece que a vida me fez entender o que é a erótica cristã só depois de eu ter vivido na carne a ética protestante.

A entrada da subjetividade no poder e na ciência é o antídoto da racionalidade insana que é a base da lógica do capital. A luta pela desrepressão da subjetividade não dissociada foi outra dimensão maior da minha vida.

A androginia, a relação do amor entre homens e mulheres iguais, é o antídoto à relação de dominação entre os gêneros, que é a base de tudo, de toda e qualquer dominação.

No entanto, há ainda outra característica na qual não toquei neste livro, que é a emergência das etnias. Não sou negra. Mas recentemente tive a honra de fazer um programa de televisão de duas horas com Vicentinho, presidente da CUT, cruza de índio e negro, e vi como ele traz uma maneira de ser nova e dá dignidade a milhões de pobres sem rosto que ele conduz. Acho que ele tem uma lucidez que toca as raias do gênio, que o faz digno de conduzir os milhões de excluídos anônimos que ele representa.

Como aprendi com a prática teórica desse homem, tão diferente e tão parecida com a minha...

O trabalho dos micróbios é invisível mas profundo. O Império Romano também era impossível de ser derrubado e foi. E de dentro para fora. Com a organização dos escravos pelos cristãos primitivos. Eles trouxeram a solidariedade para dentro da competição.

Parece que estou começando a perceber um esboço do mesmo movimento dentro do Império Mundial globalizado.

Aqui no Brasil, os milhões de sem-terra nas estradas são sustentados pelas populações. Nas cidades, os sem-teto começam a se organizar. Alguns estadistas já começam a emergir da sociedade civil e não da classe dominante, e têm uma ação exatamente contrária à desta. Em vez de palavras ocas, ação afirmativa: por exemplo, as bolsas-escolas (do Cristovam Buarque) que se espalham pelo mundo inteiro; a renda mínima (do Eduardo Suplicy), que começa ser levada a sério pelo governo central; o orçamento participativo do PT, que políticos de todos os partidos estão começando a implantar porque já deu certo, tudo isso começando a se acelerar. Lembra-me também do trabalho do João Capibaribe no Amapá, organizando as populações e enxotando os malaios que vinham desmatar a floresta amazônica, e também os plantadores de soja. A mesma coisa está fazendo Jorge Viana, no Acre, enquanto nos estados maiores, como Amazonas e Pará, o desmatamento vai acelerado. E por aí vai.

Viva o Leonardo, viva o Betto, meu irmãozinho. Saravá!

E as mulheres, feministas aos milhões nos EUA, que são metade de todos os empresários empregando o grosso da população americana, enquanto as grandes empresas só fazem demitir. Viva!

Conseguindo mudar a natureza do Estado, na Escandinávia e na Finlândia, entre outros (Marta, só falta você no poder!). Quem sabe tudo isso se junta um dia e dá um salto qualitativo.

Quem sabe tudo isso forma uma massa crítica e de repente damos um salto, em tempo hábil, claro, senão nada mais é possível. Mas estou vendo as coisas se acelerarem, estou vendo.

Sempre apostei no impossível, nas causas perdidas, e não é agora que vou ser sensata. Afinal, de uma maneira ou de outra, a minha vida é uma prova de que o impossível pode ser a única coisa razoável!

Beleza, padrezinho Hélder, beleza, meu doce frei Ludovico, você não morreu em vão.

Estamos aqui, continuando o que vocês começaram.

É pouco. É muito, muitíssimo pouco, mas está crescendo. A impressão que tenho é que desde que nasci caminhei pelo deserto, e agora estou começando a ver os contornos da Terra Prometida. É muito provável que não entre nela, porque só entro junto com todos os outros. Mas já sei como ela é.

E valeu a pena ter vivido só para ver esses contornos.

E fico olhando, olhando e olhando, com meus olhos cansados e mesmo cegos. E só porque vi, ainda na areia ardente do deserto, me deito e choro.

QUINTA PARTE

Poemas

I. Poemas da Idade da Inocência

Canto da Noiva

Vem, meu amado,
Revela-me o sinal indecifrado de todas as coisas,
Levanta o véu que cobre as faces dos homens
Ilumina a nudez da verdade
E os caminhos que conduzem à vida
Faz-me ouvir o canto dos ventos invisíveis,
Conta-me o segredo das vozes desconhecidas,
Mostra-me a curva dos espaços infinitos,
Caminha comigo até os resplandecentes abismos
Em que todas as coisas se encontram.

Em teu ser
Tudo se justificou,
o tempo, a morte,
o ser e o nada
para além de ti
só há o infinito
e tu és a Porta.

(1955)

Oração da Mãe que Espera o Filho

Senhor, de nós dois brotou a vida.
Como no primeiro dia da criação em que
tirastes o mundo do nada
E o deixastes em uma longa gestação.

Que o Vosso Espírito paire sobre nós
Como pairou sobre a matéria informe e vazia
E a fecundou e a fez desabrochar
Até que ela fosse capaz de receber Vosso sopro
E elevar-se até Vós.

Senhor, como a criação inteira
Eu anseio e suspiro pela eclosão da vida em mim,
E para que a semente que és Tu mesmo
Torne esta vida um canto infinito.

Senhor,
Que esta vida que eu encubro
Seja uma flecha veloz
Subindo, subindo, subindo

(1964)

Medo

Hoje, todo o peso da vida me esmaga
Toda a náusea do mundo
Transborda do meu coração:

A que mundo entregarei meus filhos?
Os homens construíram uma torre até o céu
E aí abrigaram seus deuses
nos quais encontram a salvação, a glória e o império.

Meus filhos serão devorados pela esfinge
O Rei que decifrou o enigma
Foi torturado pelos homens
Seus rostos são como o relâmpago
Seus corações são serpentes
E suas mãos semeiam a morte.

Não me resta senão o caminho
Dos passos do Rei.
        Mas eu quero o sangue fecundo
        E as lágrimas que ressuscitam.

(1963)

A Mulher de Mil Faces
(Oração da maturidade)

Eu quero uma carne
que seja sono e madrugada

eu quero uma alma sem muros
eternamente ferida

eu quero mergulhar na dor
e tirar de dentro dela
a eterna radiância da alegria

eu quero ser
eternamente fonte
inesgotável!
Dar sem reter

eu quero ser a resposta
para todas as perguntas

eu quero ter mil faces
uma para cada ser humano
Morte e vida
silêncio e luz
para todos.

(1963)

Balada Triste do Amor Desfeito

Eu te amo sem poder te amar.
E sabes qual é o tamanho dessas palavras?
São precisos milhões de anos para chegar até elas,

Pois é maior a distância que nos separa.
Embora estejas quase nos meus braços,
Embora eu sinta latejar a vida em teu peito
E possas me tocar sem te mexeres.

Sabes o que é o inferno? Pois eu sei.
É te ver indo embora agora
E tenho pleno consciência do que te vou dizer:
perder a Deus para sempre não é mais duro
do que te perder — aqui — agora.

É preciso acabar com essa alienação
De separar as coisas do céu das coisas da terra.
Não existe alma sem carne,
E Deus colocou no mundo os homens para a gente amar.

Porque ficou com medo de que nos esquecêssemos dele.
Ele que está tão longe, lá em cima,
Precisou chegar até a gente num corpo de Homem
E a gente só pode chegar até Ele, também, pelos outros.

Ai, meu amor, você é a minha ponte, o meu caminho
sobre o abismo. Agora que você vai embora,
como vai ser?

Ninguém pode transpor o seu abismo sozinho,
ninguém
E eu não vou mais saber nem o que é Deus
nem o que é o mundo.

E, dentro deles, não encontro nada nada
não, menos do que o nada,
um apelo invencível, misterioso
tão forte que ninguém poderá ouvir
nunca mais.

Essa história de fogo que queima sem queimar
e destrói sem destruir não é para depois da morte
está aqui dentro de mim
De agora em diante eu sou um ser condenado
para sempre, sempre, sempre, sempre, sempre, sempre.

(1964)

Só

Como a fumaça do fogo,
Desprende-se da minha vida uma tristeza incurável
Como a nuvem da chuva,
meus dias são grávidos de encontros efêmeros
que poderiam desabrochar em amor
mas que o vento dispersa
em mil simpatias sem amanhã.

No centro do meu ser lateja
um desejo nunca saciado que retoma cada vez
um pouco mais pesadamente sobre si mesmo
Um estranho poder de adesão
esmagado pela crueldade da vida
brotam embriões de amor que expiram
no momento mesmo em que são concebidos.
Oh, meu Deus, este apelo
ficará para sempre sem resposta?
Anseio desesperado de laços mais fortes
que a morte, mais duros que o inferno.
Ver os rostos amados se apagando na distância,
minha vida é só partida
e nunca chegada...

Querer ser diálogo e sou apenas monólogo
Creio na necessidade vital de um encontro definitivo.

Viverei exilada de mim mesma
Enquanto não se levantar para a minha face

um olhar que exija tudo,
que faça brotar em mim tudo aquilo
que ainda não conheço
e cuja envergadura jamais poderei suportar
sozinha.

Enquanto isso, enquanto não vier a hora,
continuo vendo rolar
o fio dos dias intermináveis
das noites vazias
Esperando.

(1962)

Canção do Cotidiano

A longa caminhada dos dias iguais
Pelo deserto cinzento, nem quente nem frio
Piedade, Senhor, nós queremos

o sol que calcina
e a chuva que fecunda
o dia que ilumina
e a noite que esmaga

Nós queremos
quebrar todas as fronteiras
vencer todas as espessuras

o vasto universo é pequeno demais
para conter a mínima centelha de amor

que faz em estilhaços todos os limites
e aniquila todas as distâncias

liberta-nos, Senhor, de nós mesmos
para que possamos beber até o fim
o amargo cálice da vida
que vai um dia medir
o tamanho da nossa eternidade.

(1961)

Louvação a uma Semente Branca

Na terra do ódio
Dos homens sem faces
(Só dorsos e mãos)
Dos homens ferozes
Da fome e da técnica

A branca semente
Mais frágil que um sopro
Caída do céu
Nos pântanos úmidos e sombrios
Das humanas mutilações
Lentamente crescendo
Desprezada por todos
E invadindo tudo
Mais forte que o ódio
Mais forte que a morte

E o riso dos sábios
E o desprezo dos grandes
Não puderam detê-la
Em sua marcha invisível

Nem o Anjo do Abismo
Que tem o poder
De mudar a água em sangue
E em serpentes
Os corações dos homens

E sem que ninguém percebesse
Suas raízes modelaram a terra
E conduziram os passos dos homens
Através de caminhos desconhecidos
Cheios de trevas e angústia
Mas que iam dar
No trono sangrento e resplandecente do Cordeiro
Que os esperava desde toda a eternidade.

(1958)

Cântico dos Cânticos

Meus pés conheceram todos os caminhos,
Meus olhos esgotaram todos os horizontes
Minha sede secou todas as fontes

E os gestos se tornaram mármore,
A posse desfez a plenitude
E fez florescer o vazio

E agora?
Que fazer das mãos vazias,
Do desejo impenetrável,
E dos espinhos da angústia?

Os homens de traços instáveis
De almas de terra
Desmancharam-se ao sopro ardente.

O abismo é superfície
O enigma é claro
As faces são sombras

Menos o teu rosto
Cercado de humilhações
Exausto da escalada

Teu rosto insondável
Indecifrado sinal
De realidades desconhecidas.

Vem, meu amado
Vamos repartir as sombras
Ajuda-me a carregar o pó
E a vencer a tua própria espessura.

Vem, meu esposo, comigo,
Atravessar a luz dos dias intermináveis
Saborear o gosto amargo de todas as limitações
E após cada alegria longamente conquistada
Reencontrar o vazio.

Ajuda-me a ultrapassar os cantos irresistíveis do não ser
Porque além da carne está a morte
E além da morte está o amor
E além do amor está o infinito
E tu és a Porta.

(1956)

Canto Penitencial
(para as Têmporas de Setembro)

Tu nos abandonaste nesta noite sem caminhos
jorram espinhos do silêncio
E ninguém pode medir a espessura da desolação.

Ouves?
Já não há mais gritos
Nem solidão
Nem profundezas

Vês?
Nossos pecados se vingaram sozinhos
Cada vez que te cuspimos na Face
Matamos uma parte da nossa Substância

Olha-nos:
já não somos mais criaturas humanas,
somos abortos

Devolve os limites da nossa vergonha
Não meças tua Decepção pela nossa
E olha apenas para Ti Mesmo.

Mas, afinal de contas,
Que importa a náusea

Ou as conseqüências da nossa absurda dissonância.
Se nos estranhos motivos da tua Misericórdia,
Tudo é graça

Tudo é graça.

(1954)

II. Poemas da Fogueira

Núpcias

Eu quero comer você vivo
O meu corpo tem fome de pão
E eu tenho fome de você
E as duas fomes são uma só
A fome do pão e a fome de você
Você é o meu pão vivo
A minha fome é prosaica e humilde
Você não é o meu grande amor.
o meu amor infinito
Você é o meu pão de cada dia
Deus sabia o que estava fazendo
Quando deixou o seu Corpo
para que pudéssemos comer
E saciar a nossa fome dEle
A mesma fome prosaica e humilde
Que eu tenho de você
Porque Ele é homem

E conhece a fome longa e seca do amor
Esta fome que mata mas não sacia
Vem, meu amor, minha fome, meu pão
Eu quero te comer vivo
A minha fome é prosaica e humilde
Como a fome de Deus.

(1970)

Paixão

antes da morte a orgia da vida
morte orgasmo do nada
mistério do silêncio
noite desconhecida
mas que a caminhada do meu povo
liberta o próprio Deus
os cravos e os espinhos
são inúteis
porque o meu povo
cumpre a promessa primeira
de lutar pela justiça prometida
os cravos e os espinhos são inúteis
porque os seus pés tocam
como um eterno Anteu
a fonte da vida
o fruto da vida
semente do futuro
porque a morte brota da vida
na morte está a vida
que virá
e a vida fecunda a morte
por isso a morte não é o contrário da vida
porque a vida se renova na morte
o contrário da vida
é a repetição
o nada é aquilo que não se transforma.

(1985)

Vida

no centro
a maçã inaugural
alimento prazer conhecimento
a totalidade redonda
umbigo do tempo

maçã cósmica
transparência
plenitude
origem da árvore da vida
que deita suas raízes para o céu
e seus galhos fecundam
como serpentes invisíveis
subjacentes a tudo
as entranhas da terra.

maçã
origem da árvore da vida
que une o tempo à eternidade
a semente do conhecimento é o prazer
mas o fruto da consciência é a dor
vida e paixão

e da terra brota a vida
o sangue se faz fruto
e devora a maçã cósmica
a origem da vida
que quanto mais é consumida

mais vida gera
mais transparente se torna

vida crepúsculo
véspera da morte
cheiro de terra e de sêmen
mas que é comunhão para transformação
ave vida

maçã verde
que apodreces sem ter amadurecido
porque te desligas
daquilo que está ligado
e trais a eternidade
em favor do tempo
e entregas o todo
para ser estilhaçado em partes
maldita sejas
ave morte.

(1985)

Ressurreição

manhã
não mais madrugada
esplendor de manhã plena
em que o corpo ressurge
parindo o espírito
a maçã que se parte
qual útero cósmico
pela primeira vez
liberta o espírito
preso nas trevas do desencontro
e o espírito se faz corpo
e pela primeira vez
o sol vermelho do corpo
explode num canto de liberdade.

(1985)

Oração da Segurança

Afasta-me, Senhor, de todo risco
De todo amor repentino

Ajuda-me a controlar a paixão
Já que sou feito de fogo
Guarda-me de todo erro
Livra-me das emoções profundas
Faz que eu ponha meus deveres
Acima sempre do meu desejo
Para que todos me admirem

Faz que eu seja sempre um bom homem
E que no fim dos meus dias
Eu me deite pacificamente nos Teus braços
E morra sem ter vivido.

(1996)

Ciclo

Morte
que ilumina a vida
que ilumina a paixão
que ilumina a realidade
que ilumina o sol
que ilumina a realidade
que ilumina a paixão
que ilumina a vida
que ilumina a morte
que ilumina a vida
que ilumina a paixão
que ilumina a realidade
...
...
...

(1996)

Florescer

O espírito
sopra quando quer e onde quer
e não adianta esperar por ele
nem resistir à sua força
o vento que levanta a areia do deserto
vem do lugar errado
na hora incerta
e na ocasião sem lógica

Mas ele é um vento ardente
que queima os ossos
e reduz o desejo a pó
Ele atravessa os limites de aço
e traz em si uma semente minúscula
que paira sobre o deserto
E quando ela pousa
o deserto floresce

(1998)

Homem

Tu pousaste sobre meu ombro
como um pássaro
e eu fui habitada pela paixão da entrega

Quando o meu corpo ficou preso no teu
os deuses caíram dos seus pedestais
porque dançando
nós vencemos a morte
Quem se lembra de Osíris,
de Zeus, de Astaroth,
de Baal?

E nós continuamos dançando
na cadeia das gerações
e do meu desejo e do teu desejo
continua brotando a vida
Um dia Iavé, deus dos exércitos,
também passará.
E nós continuaremos dançando.
Só o nosso desejo é imortal.

(1998)

Pecado Original

Tenho entre as pernas
uma rosa púrpura
envenenada
rosa pântano
que engole a serpente

rosa maldita
por ela abandonaste o teu Deus
e Ele te castigou
com a morte e a escravidão

rosa de Hiroxima
que trouxe a morte para todos
e a dor que queima sem queimar

mas quando ela desabrochou em tuas mãos
nossos olhos se abriram
pela primeira vez vimos o mundo
e nos vimos um ao outro
nus
e nos escolhemos e nos enlaçamos
deixando Deus para trás

trocamos a abundância
pelos espinhos e pelas pedras
a segurança pela liberdade
a imortalidade pela vida vivida

só quando a morte
fez seu pacto conosco
de nós dois pôde brotar a vida

então quebraste o silêncio
pela primeira vez
e me deste um nome
Eva
a mãe de todos os que vão viver.

Este livro foi composto na tipologia AGaramond
em corpo 12/15 e impresso em papel
Offset 90g/m² no Sistema Cameron da Divisão
Gráfica da Distribuidora Record.